Schiller, Friedrich; W

Aus Schillers Wer

dramatischen Plaene und Bruchstuecke

Schiller, Friedrich; Witkowski, Georg

Aus Schillers Werkstatt, seine dramatischen Plaene und Bruchstuecke

Inktank publishing, 2018

www.inktank-publishing.com

ISBN/EAN: 9783747797853

Aus Schillers Werkstatt.

Seine dramatischen Pläne und Bruchstücke

herausgegeben

von

Georg Witkowski.

Mit zwei Faksimile-Beilagen.

Leipzig.
Max Hesses Verlag.
1910.

Inhalt.

                                    1*

Die Verweisungen im Text beziehen sich auf Schillers sämtliche
Werke, historisch-kritische Ausgabe, herausgegeben von Otto
Güntter und Georg Witkowski (Leipzig, Max Hesses Verlag).

Einleitung.

Auf keinem Gebiete dichterischen Schaffens führt ein so langer, so seltsam verschlungener Weg von der ersten, blitzartig aufleuchtenden Konzeption bis zur endgültigen Gestaltung wie im Drama. Der geheimnisvolle, nur seinen eigenen Gesetzen gehorchende Vorgang darf sich hier selten ungestört vollenden; nur zu häufig unterbrechen die äußeren Hemmungen vorzeitig das Werden.

Der dramatische Dichter muß seine Gesichte dem engen Bezirk der Kulissen einordnen. Er muß, durch Instinkt und Bühnenerfahrung geleitet, die Psyche einer vielköpfigen Menge packen und erschüttern, indem er zugleich den hungrigen Sinnen unablässig neue Reize darbietet. Er muß gelernt haben, mit allen den zufälligen Bedingtheiten der Bühnenkunst seiner Zeit zu rechnen. In jedem Stadium einer dramatischen Dichtung stellen sich diese Faktoren des Erfolges dem Fortschreiten in den Weg, wenn nicht, wie es die Art der dramatischen Handwerker zu allen Zeiten war, schon die erste Anlage der Zeichnung mit bewußter kühler Berechnung die natürliche Perspektive des intuitiv erfaßten Lebensbildes nach den Regeln der Bühnenwirkung verbog und verzerrte.

Dieser schmerzlichen Operation widersetzt sich die Liebe des Dichters zu seiner Schöpfung. Oft erkennt er schon am Anfang, zuweilen erst in der Mitte oder am Ende der Arbeit, daß zwischen den Dornenhecken seines künstlerischen Wollens und der äußeren Bedingungen der dramatischen Gattung kein gangbarer Pfad aufzufinden ist. Und so birgt die Werkstatt jedes großen Dramatikers zahlreiche Skizzen, untermalte und halbfertige Bilder, die er entweder, an der Vollendung

verzweifelnd, dem Leserkreis preisgibt oder bis ans Lebens=
ende mit zähem Fleiße immer wieder vornimmt oder mit
energischem Entschluß endgültig verwirft.

Schillers dramatischer Nachlaß birgt neben solchen Frag=
menten eine ganze Reihe von Aufzeichnungen, die den für die
Zukunft ins Auge gefaßten dramatischen Stoffen als Vor=
arbeit dienen sollten. Wir sehen hier sein Schaffen, gleichsam
dem Tode zum Trotz, über den Moment des Hinscheidens
hinausgeführt. Der sieche Held weiß seit Jahren, daß ihm
das Ziel nahe gesteckt ist, aber er plant unaufhörlich neue
Taten, als seien ihm Zeit und Kraft grenzenlos zugemessen.

In Schillers Arbeit gab es, selbst in den Perioden
lähmenden Siechtums, keine Pausen. Er wartete nicht auf
Stimmung. Er kommandierte die Poesie. Hatte er ein großes
Werk vollendet, so ging es schon nach wenigen Tagen an die
Wahl eines neuen Stoffes aus der langen Liste, die alle vor=
läufig notierten Themata enthielt*). Dabei wurde vor dem
Entschluß sorgsam alles berücksichtigt, was für oder gegen
den Gegenstand sprach, nicht nur die eigentlich dramatischen
Eigenschaften, auch die Gelegenheiten zu wirksamen Einzel= und
Massenszenen, zu glänzenden Bühnenbildern, zu neuen, über=
raschenden szenischen Effekten. Schon in diesem ersten Stadium
mischt sich kluge Berechnung auf zufällige Zeitumstände ein.
So spricht zum Beispiel bei der Entscheidung für den
„Demetrius" die „Beziehung auf Rußland" mit, weil
durch die eben geschlossene Heirat des Erbherzogs mit der
Großfürstin Maria Pawlowna Hof und Stadt in Weimar an
allem Russischen erhöhtes Interesse nehmen, während sich
gegen das Stück unter anderem anführen läßt „die Schwierig=

---

*) Wir fügen hier dieses wertvolle Schriftstück bei in einer
getreuen Nachbildung der im Marbacher Schiller=Museum befindlichen
Handschrift. Über zwei andere, kleinere Listen geplanter Dramen
siehe unten S. 278f. und 342.

Der große Schmerz um Schillers allzufrühes Verstummen wandelt sich zum Ingrimm gegen das tückische Schicksal, das dem deutschen Drama durch den vorzeitigen Raub dieses einzigen Mannes ein veraltendes Formprinzip als drückendes Joch aufzwang. Nun und nimmer hätte der ausgehöhlte Idealismus der Epigonen solange Jahrzehnte als der große Stil gelten können, hätte man gewußt, daß Schiller bei seinem Tode im Begriff war, zu ganz anderen Gestaltungsweisen fortzuschreiten, oder hätten gar fertige Muster dieser anderen, realistischen Kunst vor aller Augen gestanden. Vielleicht wäre unser Drama schon vor hundert Jahren zur Erfüllung des Gesetzes gelangt, das aus dem Wesen der Gattung, der nationalen Eigenart und den Forderungen der Zeit entspringt, zu jener Erfüllung, die Grabbe, die Jungdeutschen, Hebbel, Otto Ludwig, der Naturalismus vergebens gesucht haben und die auch aus dem Formenwirrwarr der Gegenwart schwerlich auftauchen wird.

Georg Witkowski.

I.

Die Pläne der Jugendjahre bis zur Flucht aus Stuttgart.

Schillers erstes Drama „Die Christen" soll nach dem Bericht seines Vaters schon im Jahre der Aufnahme in die Militärakademie entstanden sein. Wir kennen davon nur den Titel. Etwa zwei Jahre jünger ist der Plan des „Absalon", insofern ein Vorläufer der „Räuber", als auch hier der tragische Untergang eines Sohnes behandelt wird, der sich gegen seinen Vater empört hat. Eine Reminiszenz des Absalonthemas enthält die Akademierede von 1779 (s. Bd. 19, S. 79).

Als auf Befehl des Herzogs die Schüler der Akademie im Jahre 1774 einander gegenseitig charakterisieren mußten, hob Hoven hervor, daß Schiller „zu der Tragödie, in welcher er sich bereits öfter versucht habe, den größten Geschmack zeige, so daß er schon oft gesucht hat, für sich selbst etwas zu übernehmen". In diese Zeit fällt etwa „Der Student von Nassau", den Conz im Morgenblatt von 1807 die erste Tragödie Schillers nennt. „Mit Lächeln erzählte mir (Conz) Schiller dies selbst bei meinem Aufenthalte in Jena, wo ich seines Umganges oft genoß. Verlegen, setzte er hinzu, über einen tragischen Stoff, an dem er seine erste Kraft hätte können versuchen, oft so verlegen, daß er, wie er sich in seiner kräftigen Sprache ausdrückte, seinen letzten Rock und Hemd um einen ihm willkommenen mit Freuden würde gegeben haben, las er in einem Zeitungsblatte die Nachricht von der Selbstentleibung eines Studenten, der aus Nassau gebürtig war. Auf sein teilnehmendes jugendliches Gefühl sowohl als seine feurig aufstrebende Phantasie wirkte der Eindruck dieser Nachricht mit solcher Gewalt, daß er dieselbe sogleich sich mit allen ihm entgegenkommenden Beziehungen weiter ausmalte und zur Grundlage einer Tragödie zu machen beschloß. Auch hat er nach seiner Versicherung den Beschluß ausgeführt. Freilich sprach er damals als von einer höchst unvollkommenen, im ganzen mißlungenen Jugendarbeit davon; indes bedauerte er doch, das Stück frühe schon ganz vernichtet zu haben, indem er mehrere mit erster glühender Wärme des Gefühls entworfene und ausgeführte Situationen vielleicht noch als Mann, meinte er, benutzen könnte."

Wegen des Selbstmordes hat man den „Studenten von Nassau", wohl mit Recht, als einen dramatischen Abkömmling von Goethes „Werther" betrachtet. Neben „Göz", „Clavigo", „Stella" hat „Werther" Schiller und seine Akademiegenossen begeistert, bis Leisewitz mit seinem „Julius von Tarent" (1776) ihm auf lange Jahre hinaus zum bewunderten Vorbild wurde. Zu diesem Drama des Bruderhasses schrieb Schiller bald darauf ein Gegenstück. Den Stoff entlehnte er ebenfalls aus der Geschichte von Florenz. Der Titel lautete nach Petersen „Cosmus von Medicis", nach der Angabe Charlottes von Schiller „Die Verschwörung der Pazzi gegen die Mediceer". Schiller hat lange daran gearbeitet, dann das Ganze vernichtet; nur einzelne Bilder, Züge, Gedanken und Einfälle nahm er daraus späterhin in seine „Räuber" auf.

Zwischen ihnen und dem „Cosmus von Medicis" liegt die zweijährige Pause in der Dichtung Schillers, die ganz der Wissenschaft gehörte. Erst nachher ergoß sich in das erste große der Nachwelt erhaltene Werk die aufgespeicherte Kraft und der ganze Ingrimm seiner geknechteten Seele. Hier steht Schillers Schaffen am stärksten unter dem Einfluß Shakespeares, während eine Operette, „Der Jahrmarkt", die 1779 oder 1780 zum Geburtstag des Herzogs in der Akademie aufgeführt wurde, gleich der etwas jüngeren „Semele", nach Petersens Mitteilungen „den genialen Kopf verriet, der mit Proteus Zauberkraft sich in alle Formen zu schmiegen weiß."

II.

Die Pläne der Wanderjahre.

Ebensowenig wie von diesen ersten dramatischen Erzeug-
nissen der Stuttgarter Zeit birgt Schillers Nachlaß eine
Spur des „Friedrich Imhof" und des „Konradin von
Schwaben", zweier Pläne, die neben der „Maria Stuart"
und dem „Don Karlos" im Winter 1782—83, während er
in Bauerbach weilte, ihn beschäftigten. Dagegen sind wohl
schon damals die frühesten der Aufzeichnungen entstanden, die
wir von Schillers Hand für einen zweiten Teil der Räuber
besitzen. Am 24. August 1784 schrieb Schiller an Dalberg:
„Nach dem Karlos gehe ich an den zweiten Teil der Räuber,
welcher eine völlige Apologie des Verfassers über den ersten
Teil sein soll, und worin alle Immoralität in die erhabenste
Moral sich auflösen muß. Auch dieses ist unermeßliches Feld
für mich." Dann ist von derselben Absicht wieder ein Jahr
später in dem Briefe an Körner vom 3. Juli 1785 die
Rede, freilich jetzt mit der bescheideneren Absicht, einer
neuen Ausgabe der „Räuber" durch ein Nachspiel in einem
Akt: „Räuber Moors letztes Schicksal" verstärkte An-
ziehungskraft zu verleihen.

Daraus ist nichts geworden, trotzdem der Leipziger
Lustspieldichter Jünger am 2. August 1786 dem Dänen
Rahbeck meldete, Schiller sei mit dem neuen Stücke „Des
Räubers Moor letzte Schicksale" bald fertig und habe Jünger
schon zugemutet, die Revision davon zu übernehmen. Auch
Göschen erwartete (nach Schillers Brief vom 9. Oktober 1786)
für das vierte Heft der „Thalia" „Räuber Moors letztes
Schicksal"; „aber das hat einen notwendigen Aufschub er-
erlitten". Der Gedanke, die Gestalten des ruhmvollen Erstlings-
werkes von neuem auf die Bühne zu bringen, wurde wieder
lebendig, als Schiller dem Weimarer Theater gemeinsam mit

Goethe einen reicheren Spielplan zu verleihen suchte. Von 1795—1803 wurden hier alljährlich die „Räuber" aufgeführt. Gemäß seinen neugewonnenen höheren Anschauungen vom Wesen des Tragischen genügte ihm nun das Schlußwort „dem Manne kann geholfen werden" nicht mehr, um durch die Nemesis die in dem Erstlingsdrama aufgehäufte Schuld gebührend zu sühnen. An Karl Moor selbst oder an Nachkommen, die ihm nun verliehen werden sollten, gedachte der Dichter statt der äußer= lichen Sühne durch das Richtschwert den Fluch der bösen Tat fortwaltend zu zeigen. Wir wissen nicht, wann die Ver= suche begannen, diese Absicht durch Erfindung einer ent= sprechenden Handlung in die Tat umzusetzen; jedenfalls handelt es sich nicht nur um eine flüchtige Wiederaufnahme des Bauerbacher Gedankens. Karoline von Wolzogen berichtet, daß Schiller während der Arbeit am „Tell" einigemal auch seines früheren Plans gedachte, einen zweiten Teil der „Räuber" zu geben. „Man müsse eine tragische Familie erfinden, fiel ihm einmal ein, ähnlich der des Atreus und Laüs, durch die sich eine Verkettung von Unglück fortzöge. Am Rhein, wo die Revolution so viele edle Geschlechter vom Gipfel des Glücks herabgestürzt, und wo in schwankenden Verhältnissen der Doppelsinn des Lebens die ebene Bahn leicht verwirren könne, sei der passendste Platz für ein solches Gemälde des Menschengeschicks in seiner Allgemeinheit."

Ein von Schiller selbst stammendes Zeugnis intensiverer Beschäftigung mit dem Stoffe bedeutet die Tatsache, daß er schon ein Planheft angelegt hatte. Diese Handschrift, acht= zehn Quartblätter umfassend, von denen zehn nicht beschrieben waren, ist jetzt verloren. Sie wurde zuerst in der „Augs= burger Allgemeinen Zeitung" vom 8. Oktober 1873 ver= öffentlicht, dann 1876 in der historisch kritischen Ausgabe Karl Goedekes. Aus ihr ergeben sich zwei verschiedene Grundlagen der Handlung. Die erste, vermutlich ältere (Nr. 1), läßt Karl Moor einige Jahre nach dem Abschluß seiner Räuberlaufbahn mit der Tochter eines Grafen verlobt sein. Dieses Fragment bricht so früh ab, daß sich nur aus den letzten Worten der bereits gewagte Schluß ziehen läßt, Schiller habe den Bruder der Braut zum Gegenspieler machen wollen, vielleicht schon mit Hilfe des Motivs der Geschwister= liebe, das so stark in dem zweiten Plane hervortrat. Diesen zeigt in seinen Anfängen das zweite Fragment, in seiner weiteren Ausführung das dritte und vierte. Den Titel „Die Braut in Trauer" entlehnte der Dichter dem einzigen ernsten Drama des Engländers William Congreve. Die Übersetzung der ersten zwei Akte durch Johann Elias Schlegel war der erste Versuch der Anwendung des fünffüßigen Jambus im deutschen Drama gewesen. Dieses in Spanien spielende blutige Intrigenstück verbindet die alten rohen Effekte der Haupt= und Staatsaktionen mit der äußerlich angenom= menen Technik der französischen Tragödie. Die Heldin Almeria trauert um den verlorenen Geliebten, der am Tage der heimlichen Vermählung verschwand, als Manuel, ihr königlicher Vater, den seinigen besiegt hatte. Zu Beginn der Handlung kehrt Manuel von einem neuen Kriegszuge zurück. Er bringt mit sich die überwundene Mohrenkönigin Zara, die er liebt, und ihren Feldherrn Osmyn, in dem Almeria den totgeglaubten Gatten Alfonso wiederfindet. Sie hält ihn, als sie in der Gruft seines Vaters zuerst seine Stimme hört, für ein Gespenst. Als sie sich überzeugt hat, daß er lebt, kommt Zara hinzu, erklärt ihm ihre Liebe und sucht seine Zurückhaltung zu besiegen. Da ihr dies nicht gelingt, klagt sie, eine neue Potiphar, bei Manuel, Osmyn wage seine Augen zu ihr zu erheben, und der eifersüchtige König läßt ihn zu einem martervollen Tode ins Gefängnis bringen. Zara bereut ihre Übereilung, will ihn befreien, ändert aber ihren Entschluß wieder, als sie eine Liebesszene zwischen Osmyn=Alfonso und Almeria belauscht hat. Manuel erfährt von seiner Tochter, wer Osmyn ist, der König verkleidet sich,

um Zaras Liebe in der Gestalt ihres Geliebten zu gewinnen
und geht an dessen Stelle ins Gefängnis. Hier wird er von
dem Intriganten Gonzalez getötet, der Osmyn aus dem Wege
räumen will, Zara trinkt Gift, als sie in dem toten König
den Leichnam ihres Geliebten zu erblicken meint, Almeria
will dasselbe tun. Da erscheint Osmyn-Alfonso, nachdem er
die Hauptstadt Manuels erobert hat.

Der einzige schwache Faden, der von dieser bombastischen
Handlung zu Schillers Entwürfen hinführt, ist die Geister-
erscheinung, die Almeria zu Beginn der zweiten Handlung
zu erblicken glaubt.

Bei Schiller sollten wirkliche Geister Verstorbener ent-
scheidend in die Handlung eingreifen: der Geist des alten
Moor, Franz Moors, der Amalia. Franz Moor sollte seinem
irdischen Charakter gemäß die verbotene Liebe des Bruders
zu immer stärkerer Glut anfachen, Amalia über die Schwester
vergebens zu wachen und sie zu schützen suchen. Es versteht
sich von selbst, daß der Ausgang tragisch sein mußte; die verschiedenen im Stoffe liegenden Möglichkeiten erörtert der
Dichter im dritten Fragment, S. 19, Z. 28—34. Weiterer Erklärung bedürfen die Fragmente nicht. Es ist fraglich, aus
welcher Zeit sie stammen. Der Gedanke der Einführung von
Gespenstern erinnert an die einzige aus dem Jenseits zurück-
kehrende Gestalt in Schillers vollendeten Dramen, den schwarzen
Ritter in der „Jungfrau von Orleans“, und man wäre
geneigt, auch hier den Einfluß der romantischen Schule zu
erkennen. Aber schon in Mannheim hat Schiller nach Streichers
Bericht einen dramatischen Plan entworfen, in welchem die
Erscheinung eines Gespenstes die Entscheidung herbeiführte,
„und er beschäftigte sich so gänzlich damit, daß er schon anfing,
seine Gedanken niederzuschreiben. Aber er gab den Plan
wieder auf, indem es ihm unter der Würde des Dramas
und eines wahren Dichters schien, die größte Wirkung einer
Schreckgestalt schuldig sein zu sollen.“ Am 1. August 1800

Schiller. IX.   2

schreibt Goethe an Schiller: „Wir haben lange auf eine Braut in Trauer gesonnen" und verweist den Freund auf ein Gespensterstück, von dem Tieck in seinem „Poetischen Journal" berichtet hat (siehe unten S. 317).

Ob dieser Hinweis mit Schillers „Braut in Trauer" in irgendeinem Zusammenhang steht, läßt sich nicht entscheiden; die Möglichkeit ist vorhanden. Aber nach dem Verlust der Handschrift des Entwurfs zum zweiten Teil der „Räuber" fehlen alle äußeren Merkmale chronologischer Bestimmung.

Der zweite Teil der Räuber.

1.

Karl Moor ist selbst Bräutigam, er soll die einzige Tochter des Grafen Dissentis ehelichen, der ihm die höchste 5 Verpflichtung hat.

Einige Jahre, die zwischen seiner alten Lebensart und seiner jetzigen verflossen, eine heitere Gegenwart, die Macht der Schönheit und Liebe haben den Frieden in sein Herz gerufen, er fängt an zu glauben, daß er doch noch glücklich 10 werden könne.

Alles liebt ihn im Hause des Grafen, nur der Sohn des Grafen

2.

Karl Moor hält den Himmel für versöhnt, er ist endlich 15 in eine gewisse Sicherheit eingewiegt worden, ein zwanzigjähriges Glück läßt ihn keinen Umschlag mehr fürchten. Er hat in dieser Zeit Gutes gestiftet, er hat Unglückliche getröstet, er hat eine wohltätige Rolle gespielt. Er lebt in einem fremden Land, und sieht in die frühe Zeit nur wie in einen schweren 20 Traum zurück. Nichts ist ihm in dieser ganzen Zwischenzeit aus der vorigen Epoche mehr erschienen.

Darüber spricht er mit seinem Freund Schweizer und reizt die Nemesis.

Schweizer hat unterdessen schon Ursache gehabt, eine 25 Peripethie zu fürchten und läßt daher ein Wort der Warnung

fallen, welches aber nicht geachtet wird. Schweitzer liebt ihn
noch immer wie in alten Zeiten, und möchte ihm gern jedes
Unangenehme ersparen.

Die Vermählung seiner Tochter mit dem Grafen Dissentis
ist jetzt seine wichtigste Angelegenheit.   5

3.
Die Braut in Trauer.
Zweiter Teil der Räuber.

Karl Moor, unerkannt unter dem Namen: Graf Julian.
Der Geist des Franz Moor. Geist der Amalia.   10
Moors Tochter.
Moors Sohn. Xaver.
[Moors Gattin.] Ein Knabe oder ein kleines Mädchen.
Kosinsky. Schweitzer.
Herrmann. Geist des alten Moor.   15
Bräutigam der Tochter.

Karl Moor ist Vater von einem Sohn und einer Tochter.
Die Tochter soll vermählt werden, aber der Bruder liebt sie
leidenschaftlich und kann den Gedanken nicht ertragen, sie in
die Arme eines andern wandern zu sehen. Er hat seine Leiden=   20
schaft bisher noch zu verbergen gewußt und niemand als die
Schwester weiß darum. Der Vater ist streng und wird ge=
fürchtet.

Beim herannahenden Vermählungstag bricht die Leiden=
schaft des Bruders aus. Er gesteht sie der Schwester, der   25
Geist hetzt ihn an, er hat eine Furcht und einen gewissen Wider=
willen gegen den Vater, der ihm streng ist.

Ein Parricide muß begangen werden, fragt sich von
welcher Art.

Vater tödet den Sohn oder die Tochter.   30
Bruder liebt und tödet die Schwester, Vater tödet ihn.
Vater liebt die Braut des Sohns.
Bruder tödet den Bräutigam der Schwester.
Sohn verrät oder tödet den Vater.

2*

4.

Die Braut in Trauer.

oder zweiter Teil der Räuber.

Eine Tragödie in fünf Akten.

Graf Julian.
Xaver, sein Sohn.
Mathilde, seine Tochter.
Graf von Dissentis, bestimmter Bräutigam Mathildens.
Jäger des Grafen Julian.
Der Geist des Franz Moor.
Kosinsky, ein böhmischer Edelmann.
Die Szene ist auf dem Schloß des Grafen Julian in Savoyen.

Eine Gespenstererscheinung und eine Vermählungsfeier
eröffnen die Handlung.

Graf Julian¹) will seine Tochter Mathilda vermählen.
Der Bräutigam ist aus einer Familie, gegen die der Graf
etwas Schweres gut zu machen hat, oder er hat sonst ein
dringendes Interesse, diese Heirat zu schließen. Mathilda liebt
ihren Bräutigam zwar nicht, aber sie hat auch nichts gegen
ihn, ihr Herz ist ohne Leidenschaft und sie unterwirft sich gern
dem Wunsch ihres Vaters, der in dieser Heirat eine, ihr nicht
begreifliche Befriedigung findet.

Unter Julians Hausgesinde ist ein Jäger²), auf den er
sehr viel hält, der um seine geheimsten Gedanken weiß, und
an seine Person höchst attachiert ist. Der Jäger ist voll
Herzhaftigkeit, ein trefflicher Schütze und hat gleichsam die oberste
Aufsicht über alle Diener des Grafen. Er ist mehr der Auf=
seher und Ratgeber als der Knecht seiner jungen Herrschaft.

Julian hat einen Sohn Xaver, der ins neunzehnte Jahr
geht, Mathilda wird achtzehn Jahr alt.

Xaver ist ein leidenschaftlicher und unregiersamer Jüng=
ling, der von seinem Vater kurz gehalten und ihm deswegen
aufsätzig wird. Er geht seinen Weg allein, ohne alle kindliche
Neigung, nur Furcht fühlt er vor seinem Vater. Er liebt die

---

¹) Karl Moor.
²) Schweitzer.

Jagd und ist ein wilder trotziger Weidmann. Niemand ist imstand, dies wilde ·Gemüt zu bändigen, als Mathilda, seine Schwester.

Für diese fühlt er eine unglückliche fatale Liebe, welche aber bis jetzt dem Vater verborgen blieb. Doch Mathilda ist mehrmals durch seine Aufwallung geängstigt worden, und Georg, der Jäger, hat ein böse Ahndung davon. Eben darum treibt er den Grafen, die Vermählung zu beschleunigen.

Diese nahe bevorstehende Vermählung beginnt aber unter den sinistersten Anzeigen. Die Bewohner des Schlosses werden durch seltsame Ereignisse beunruhigt. Einem unter ihnen ist ein Erscheinung begegnet, als es

Diese Vorfälle werden anfangs vor dem Grafen Julian geheimgehalten, und ihm selbst ist noch nichts dergleichen be= gegnet. Aber Graf Xaver erfährt davon und seine natürliche Wildheit treibt ihn, die Sache zu erforschen. Er wacht in der gefährlichen Stunde und an dem bezeichneten Ort, und erblickt auch wirklich die Gestalt, unter furchtbaren Nebenumständen. Doch hat er wilden Mut genug, ihr zu Leibe zu rücken und sie anzureden, worauf sie verschwindet. Er ahndet ein Ge= heimnis, das seinen Vater betreffe und dringt in den Jäger, es zu erforschen.

Georg der Jäger ist Ursache, daß man dem Grafen noch nichts von der Sache entdeckt hat.

Xaver ist ungeachtet der schreckenvollen Vision nicht zahmer geworden. Seine wilde Seele fürchtet selbst das Totenreich nicht; er glaubt, er werde jemand aus der Familie sterben und

Eine Nonne kommt zu der jüngern Gräfin und bezeugt sich liebkosend gegen sie, doch spricht sie nicht. Sie hat ihr zuerst in der Kapelle des Nonnenklosters begegnet, wo sie oft hinzugehn pflegte. Sie hat neben ihr niedergekniet und ge= betet und ist oft still an ihrer Seite gegangen; doch hat sie nie ein Wort aus ihr herausbringen können. Es schien aber, sie wollte, daß Adelaide [Mathilda] den Schleier anzöge. Diese liebte die stumme Freundin innig und ohne im geringsten etwas Arges dabei zu haben, unterhielt sie den Umgang mit ihr.[1]

---

[1] Ja die Nonne kommt heimlich zu ihr auf das Schloß, und

Einsmals tritt sie in das Zimmer ihres Vaters und findet dort ein Bild liegen. Wie sie es näher ansieht, ist es die Nonne, sie kann es nicht leugnen. Ihr Vater kommt dazu und findet sie das Bild küssend. Wie er sie darüber befrägt, so erfährt er mit Erstaunen, daß sie das Original zu dem Bilde zu kennen glaube. Seine Neugier wird erregt, er will die Nonne kennen lernen, die seiner Amalie so gleich sein soll; denn dieses Bildnis ist Amaliens

Die Frage entsteht, dürfen die zwei Geister einmal zusammen sich finden und wie werden sie sich da verhalten? Wenn es ist, so ist es in Gegenwart des Grafen, und der Geist der Nonne

---

gibt ihr durch Winke zu verstehen, daß sie das Kloster anstatt des Brautkranzes erwählen solle.

Wie die Nonne einmal wiederkommt, wird sie durch etwas gehindert, sich zu nähern.

In demselben Briefe an Dalberg vom 24. August 1784, wo Schiller zuerst den zweiten Teil der Räuber erwähnt, spricht er davon, er wolle die Werke der französischen Klassiker Corneilles, Racines, Crebillons und Voltaires der deutschen Bühne anpassen, ihr den „Macbeth" und „Timon" Shakespeares gewinnen. In der Macbethbearbeitung (s. Band 8) und in dem Fragment des „Menschenfeindes" besitzen wir die Belege für Schillers Beschäftigung mit den beiden Stoffen. In seiner Mannheimer Vorlesung vom 26. Juni 1784 (s. Band 17, S. 172) hatte er schon Shakespeares „Timon von Athen" als eine große noch ausstehende Eroberung für die deutsche Bühne bezeichnet.

In der Dresdener Zeit, während Schiller den „Don Karlos" vollendete, suchte er nach neuen dramatischen Helden und faßte die merkwürdige Gestalt des Julian Apostata ins Auge. In den „Göttern Griechenlands" erkannte Körner (25. April 1788) Ideen zum Julian und fragte den Freund, ob er etwa wieder daran gedacht habe, empfahl später auch Julian mehr als Gustav Adolf zu epischer Behandlung. Noch als der „Wallenstein" vollendet war, kam Schiller in seinem Briefe an Goethe vom 5. Januar 1798 darauf zurück. Er schrieb: „Ich möchte wohl einmal, wenn es mir mit einigen Schauspielen gelungen ist, mir unser Publikum recht geneigt zu machen, etwas recht Böses tun, und eine alte Idee mit Julian dem Apostaten ausführen. Hier ist nun auch eine ganz eigene bestimmte historische Welt, bei der mir's nicht leid sein sollte, eine poetische Ausbeute zu finden, und das fürchterliche Interesse, das der Stoff hat, müßte die Gewalt der poetischen Darstellung desto wirksamer machen. Wenn Julians Misopogon oder seine Briefe (übersetzt nämlich) in der Weimarschen Bibliothek sein sollten, so würden Sie mir viel Vergnügen damit machen, wenn Sie sie mitbrächten."

Indessen hat der Dichter bei näherer Überlegung sicher
erkannt, wie klippenreich dieser Stoff ist, was ja auch die
großartige Gestaltung Ibsens in „Kaiser und Galiläer" bezeugt.
Selbst Schiller wäre es schwerlich gelungen, den geistreichen
Schwächling Julian und die großen religiösen Gegensätze
seiner Zeit mit einem für die Bühne brauchbaren dramatischen
Rahmen zu umschließen. Deshalb fehlt der „Julian" in der
Liste der künftig zu bearbeitenden Themata. Schiller wollte keine
Buchdramen schreiben. Am 17. Mai 1786 rief er Huber
warnend zu: „Ein Schauspiel, das keine Spekulation für die
Bühne und keine für die Mode ist, wenn es kein schöpferisches
Produkt des Genies ist, würde in der lesenden Welt eine alte
Jungfer werden. Schreckliches Schicksal für ein Schauspiel."

Wie in der Gegenwart lockte auch im letzten Viertel
des achtzehnten Jahrhunderts die Operette die zahlreichsten
Zuschauer in die Theater und versprach deshalb weit höhere
Einnahmen, auch für die Dichter, als das Drama höherer Art.
Schiller versuchte sich in Dresden auf diesem seinem Talente
so fern liegenden Gebiete. Er schrieb am 17. Mai 1786 an
Huber: „Kannst Du Dir vorstellen, daß ich gestern 2 Arien
und 1 Terzett zu einer Operette gemacht habe, und daß
der Text schon in den Händen des Musikus ist. Ich hoffe,
und das ist meine selige Zuversicht, ich hoffe, daß die Musik
noch immer um einen Gran schlechter als meine Arien aus=
fallen wird, und diese sind gewiß schlecht. — Indes es wird
eine Oper unter dem Frisieren und ich tue es mit Absicht,
um — schmieren zu lernen."

Wir wissen nicht, ob dieser Anfang einer Operette fort=
gesetzt wurde; aber von einem etwas jüngeren, zur Komposition
bestimmten Texte Schillers, einem „Oberon", bewahrt der
Nachlaß ein kleines Bruchstück. Als Schiller mit Wieland
vertraut geworden war, mußte er, laut seinem Briefe an
Körner vom 19. Dezember 1787, dem Oberondichter versprechen,
sein romantisches Epos als Oper zu bearbeiten, und er hielt

es wirklich für ein treffliches Sujet zur Musik. Als Komponisten nahm er den damals in Italien weilenden Weimarer Johann Friedrich Kranz in Aussicht. Körner riet in seiner Antwort vom 24. Dezember ab: „Daß Du aus dem Oberon eine Oper machen willst, behagt mir nicht. Warum nicht selbst ein Sujet erfinden. Mich deucht immer, daß Du in der Idee des Ganzen und der dramatischen Anordnung glücklicher sein würdest, als in Ausarbeitung der einzelnen Stücke nach dem Wunsche des Musikers. Auch mußt Du einen berühmten Komponisten anstellen. Naumann wird gern für Dich arbeiten. Warum willst Du Dich mit einem An= fänger einlassen?"

Daraufhin dürfte Schiller darauf verzichtet haben, die Oberonoper zu schreiben, mit der 1790 der Komponist Paul Wranitzky seinen größten Erfolg gewann und die noch heute als der Schwanengesang Webers auf der deutschen Bühne lebt. Als Zeugnis der Beschäftigung Schillers mit dem Stoffe besitzen wir den Entwurf einer komischen Arie des lustigen Knappen Scherasmin. Sie gehört zu der Vorhandlung, wo Hüon von Karl dem Großen den Auftrag erhält, vom Kalifen in Babylon „vier seiner Backenzähne und eine Handvoll Haare aus seinem grauen Bart" zu erbitten.

Oberon.
Scherasmin.

Ich wag's mit jedem andern.
Den Tigern und den Panthern

. . . .   5
Das Blut von zehen Riesen
Sah meine Lanze fließen

. . . .
Tartaren — Sarazenen
Und allen Weibersöhnen   10
Will ich entgegengehn.
Nur bitt' ich mit Dämonen

Mich gütigst zu verschonen
    Die keinen Spaß verstehn.
Im Hui ist man verwandelt
Gebissen und tarandelt.

. . . .   5

Was hilft mir Schwert und Lanze
Beim wilden Hexentanze,
    Die haben weder Fleisch noch Bein!

Und dann um eine Handvoll Haare

. . . .   10

Aus deinem silbergrauen Bart

. . . .

        Ich bringe beides wohlbewahrt.

An die Übersetzungen der „Iphigenie in Aulis" und
der Szenen aus den „Phönizierinnen" von Euripides (Bd. 11,
S. 15) sollte sich eine vollständige Verdeutschung der grie=
chischen Tragiker unter dem Titel „Griechisches Theater"
reihen. Als ersten weiteren Beitrag dazu übersetzte Schiller
1791, wie er am 24. Oktober an Körner schrieb, den
„Agamemnon" des Äschylos. Die Anregung zu diesem
Unternehmen war von Schillers altem Lehrer Nast ausge=
gangen. Am 6. April 1789 schlug er Schiller vor, sie
wollten gemeinsam den ganzen Euripides übersetzen, und
daraus entwickelte sich der noch umfassendere Gedanke.
Schiller besprach ihn, als er in der Heimat weilte, mit
Nast, auch der Jugendfreund Conz sollte teilnehmen, und
am 29. März 1794 trug der Dichter Cotta den Verlag des
„Griechischen Theaters" an. Cottas verlorene Antwort muß
zweifelnd oder ablehnend gelautet haben, denn am 14. April
suchte ihm Schiller noch einmal die Vorzüge des Unter=
nehmens darzulegen. Als Ende Mai beide in Jena zu=
sammentrafen, wurde wohl der endgültige Verzicht darauf
beschlossen, denn in ihrem Briefwechsel wird weiterhin das
„Griechische Theater" nicht mehr erwähnt.

III.

Die Pläne und Fragmente der letzten Periode.

Von der Periode dramatischen Schaffens, die mit dem „Don Karlos" schließt, zum „Wallenstein" hinüber und darüber hinaus fast bis zum Ende von Schillers Schaffen, erstreckt sich die Geschichte der „Malteser". Kein anderer Plan hatte sich bei Schiller so fest eingewurzelt. Immer wieder standen die „Malteser" zur engeren Wahl, wenn der entscheidende Entschluß der Ausführung unter den geplanten Stücken zu treffen war; immer wieder wurden sie zurückgestellt, zum letztenmal vor dem „Wilhelm Tell".

Von der heldenmütigen Verteidigung des Forts St. Elmo auf Malta gegen die türkischen Angriffe im Jahre 1565 erzählte im „Don Karlos" (III, 7) Alba. Vertots ausführliche „Histoire des chevaliers hospitaliers de St. Jean de Jerusalem appelez depuis chevaliers de Rodes et aujourdhui chevaliers de Malthe" (Paris 1772, sieben Bände) dürfte schon hier Quelle gewesen sein, wurde es jedenfalls, als Schiller die leidenschaftliche Freundschaft und den Opfermut, der alles für sie hingibt, im Untergang der Ritter von Malta zu verherrlichen beschloß. Dieses neue Drama kündigte er im dritten der Briefe über Don Karlos an (Juli 1788). Die Einfachheit des Sujets empfahl es ihm zur Behandlung in den großen stilisierten Linien der antiken Tragödie, der er jetzt zustrebte. Die historischen und philosophischen Studien, die Krankheit und der keimende „Wallenstein" lassen die „Malteser" oder „Johanniter" (wie das Stück an Cotta 30. Oktober 1793 bezeichnet wird) nicht ausreifen, aber die Neigung zu ihnen bleibt lebendig, und Goethe drängt

bald nach der ersten Bekanntschaft im September 1794 zur
Vollendung, um das Stück am Geburtstag der Herzogin, den
30. Januar des folgenden Jahres, spielen zu können. Aber
erst ein volles Jahr später gewinnt der Dichter Muße und
Kraft, sich dem Gegenstand ernstlich zuzuwenden. Schiller
versichert wiederholt, er werde bis zum Frühjahr die „Ritter
von Malta" vollenden und zwar in griechischem Silbenmaß
und mit Chören. Er treibt im Herbst 1795 Griechisch, um
das Moderne zu vergessen. Bis zum März des folgenden
Jahres schwankt noch die Wage zwischen den „Maltesern"
und dem „Wallenstein", dann wird diesem in der Ausführung
der Vorrang gelassen, aber immer noch mit dem Vorbehalt,
die Malteser früher auszuarbeiten, wenn er „der Qualifika=
tion seiner tragischen Fabel von Wallenstein nicht vollkommen
gewiß würde" (an Goethe, 18. November 1796). Sie
seien bei einer viel einfacheren Organisation entschieden zur
Tragödie qualifiziert.

Als dann der „Wallenstein" doch den Vorzug behalten
hat, beschäftigt sich der Dichter, von der Arbeit daran aus=
ruhend, immer noch zuweilen mit den „Maltesern". Er
stellt sich die Vorteile dieses Gegenstandes immer wieder vor
Augen: „Nicht nur daß dieser Orden wirklich ein Individuum
ganz sui generis ist, so ist er es im Moment der tragischen
Handlung noch mehr. Alle Kommunikation mit der übrigen
Welt ist durch die Blokade abgeschnitten, er ist bloß auf sich
selbst, auf die Sorge für seine Existenz konzentriert, und nur
die Eigenschaften, die ihn zu dem Orden machen, der er ist,
können in diesem Moment seine Erhaltung bewirken. Dieses
Stück wird aber so einfach behandelt werden müssen, als der
„Wallenstein" kompliziert ist, und ich freue mich im voraus, in
dem einfachen Stoff alles zu finden, was ich brauche, und
alles zu brauchen, was ich Bedeutendes finde."

Als die gebotene Form erschien ihm dafür die der grie=
chischen Tragödie nach dem Schema des Aristoteles ohne

Akteinteilung, also ein ähnlicher Bau wie etwa im zweiten Teil des „Faust" die in Sparta spielenden Helenaszenen. Wie dort Goethe, so erreicht mit diesen Gedanken Schiller den Punkt stärkster Annäherung an die Antike. Aber zunächst begibt er sich nach der Vollendung des „Wallenstein" von neuem mit der „Maria Stuart" auf das Gebiet des historischen Charakterdramas, und nur die Absicht, bei seiner Übersiedelung nach Weimar dem Herzog Karl August etwas Bedeutendes vorzulegen, was dessen starker Neigung zum streng stilisierten französischen Klassizismus entgegenkäme, führt Schiller im Herbst 1799 wieder auf die „Malteser" zurück. Während der Krankheit seiner Frau kommt er nicht zum ruhigen Arbeiten an der „Maria Stuart" und er denkt über die Disposition des alten Planes nach. „Es wird mit diesem Stoff recht gut gehen," schreibt er den 22. Oktober an Goethe, „das punctum saliens ist gefunden, das Ganze ordnet sich gut zu einer einfachen großen und rührenden Handlung. An dem Stoff wird es nicht liegen, wenn keine gute Tragödie, und so wie Sie sie wünschen, daraus wird. Zwar reiche ich nicht aus mit so wenigen Figuren als Sie wünschten, dies erlaubt der Stoff nicht, aber die Mannigfaltigkeit wird nicht zerstreuen und der Einfachheit des Ganzen keinen Abbruch tun."

Das Jahr 1800 sollte nach der Verabredung mit dem Verleger Cotta die „Johanniter" (so nennt Schiller noch immer gelegentlich mit dem anderen Namen des Ordens sein Stück) bringen; aber nach dem Abschluß der „Maria Stuart" mußte es von neuem, diesmal vor der „Jungfrau von Orleans", zurücktreten. Wie wenig damit ein endgültiger Verzicht verbunden war, bezeugt die ausführliche Mitteilung, durch die Schiller am 19. November 1800 den gefeierten Schauspieler Iffland für die Hauptrolle im voraus einzunehmen suchte. Mit dem „Deutschen Hausvater" Gemmingens hatte Iffland seinen Ruhm als Darsteller edler, reifer Männlichkeit begründet,

und daraufhin schreibt ihm Schiller: „Sobald ich mit diesem
Schauspiel (der „Jungfrau von Orleans") fertig bin, so wird
mein Erstes sein, ein längst entworfenes Trauerspiel auszuführen, dessen Handlung auf einer einzigen männlichen Figur
beruht, und diese möchte dann vielleicht der Charakter sein,
den Sie darzustellen wünschen. Es ist nämlich der Charakter
eines Hausvaters im heroischen Sinn; der Großmeister des
Malteserordens unter seinen Rittern, in einer Handlung vorgestellt, wo der Orden durch eine furchtbare Belagerung von
außen und durch eine Empörung von innen an den Rand
des Untergangs geführt und durch die Klugheit, Zartheit und
Seelenstärke des Großmeisters La Valette erhalten und siegreich gemacht wird. Der Fond dieses Charakters ist eine
liberale Güte, mit hoher Energie und edler Würde verbunden.
Der Großmeister steht in seinem Orden da, wie ein Hausvater in seiner Familie, zugleich aber auch wie ein König in
seinem Staat und wie ein Feldherr unter seinen Rittern.
Mit Ende des nächsten Sommers hoffe ich, Ihnen diese gerechte Schuld gewiß abtragen zu können."

In der Tat begann sogleich, als die „Jungfrau von
Orleans" erledigt war, von neuem die Beschäftigung mit den
„Maltesern", aber nun zeigte sich unerwartet ein hemmender
Umstand. Während der Brief an Goethe vom 22. Oktober
1799 gesagt hatte, das punctum saliens sei gefunden, klagte
Schiller gegen Körner am 13. Mai 1801, gerade dieses
fehle ihm noch. „Es fehlt an derjenigen dramatischen Tat,
auf welche die Handlung zueilt, und durch die sie gelöst wird;
die übrigen Mittel, der Geist des Ganzen, die Beschäftigung
des Chors, der Grund, auf welchem die Handlung vorgeht,
alles ist reiflich ausgedacht und beisammen." Und so wurde
zu der einfachen Tragödie nach der strengsten griechischen
Form, die Schiller auf die farbenreiche romantische Bilder-
reihe der „Jungfrau" folgen lassen wollte, die „Braut von
Messina". Das Fortwalten der Nemesis bis ins zweite

Geschlecht, das Einwirken übernatürlicher Mächte, die Liebe des leidenschaftlichen Bruders zu der sanften Schwester, die durch alle vorbeugende Sorgfalt dem drohenden Verhängnis nicht entrissen werden kann, — alles das entlehnte Schiller für den neuen Plan von seinem alten Entwurf des zweiten Teils der Räuber. Hier war so ein doppelter tragischer Konflikt gegeben, wie er sich für die „Malteser" nicht fand, denn bei diesen handelte es sich offenbar im letzten Grunde, mochte auch die Erfindung im einzelnen schwanken, immer darum, Freundschaft und Pflichtgefühl im höchsten Heroismus ihre unbedingte Macht bewähren zu lassen. Mochte auch ein Verräter eingeführt werden, mochte sich auch in den Rittern erst unter dem Einfluß des großen Moments eine Läuterung vollziehen, es fehlte an dem Zusammenprall großer innerer Gegensätze, der allein starke dramatische Wirkungen auszulösen vermag, und es konnte nur zu jener Mischung von Mitleid und Bewunderung kommen, die Lessing im Märtyrerdrama verurteilte. Schillers Hoffnung, dem Stoffe echt dramatisches Leben einzuhauchen, erwachte zum letztenmal nach der Vollendung der „Braut von Messina", im März 1803. Da nahm er die alten Papiere über die „Malteser" wieder vor, und es stieg eine große Lust in ihm auf, sich gleich an dieses Thema zu machen, das Eisen sei jetzt warm und lasse sich schmieden.

Damit verstummen die Nachrichten über dieses dramatische Projekt. Ob es endgültig aufgegeben wurde, läßt sich nicht sagen. Vielleicht war eine der Ursachen, daß Schiller alle darauf gewandte Mühe verloren gab, auch die Verwertung eines wesentlichen Teils des Ideengehalts, noch dazu in demselben historischen Kostüm durch das Gedicht „Die Johanniter" von 1795 und seine schon 1798 gedichtete Ballade „Der Kampf mit dem Drachen". Vgl. unten S. 40, Z. 3—8.

Die Anordnung der auf die „Malteser" bezüglichen Niederschriften Schillers ist insofern schwierig, als sie zum

großen Teil nur in Kopien Charlotten von Schillers vor=
liegen, in denen die ursprüngliche Reihenfolge nicht einge=
halten ist. Im allgemeinen trifft Kettners sorgsam erwogene
Gruppierung sicher das Richtige, soweit überhaupt innerhalb
der drei großen Stadien der Entstehungsgeschichte eine chrono=
logische Anordnung möglich ist. Äußere Anhaltspunkte dafür
gewähren die Schauspielernamen. Das Bruchstück 5 (S. 42,
Z. 8—16) muß danach in die ersten Monate des Jahres
1801 fallen, Bruchstück 18 zwischen 26. Februar 1803 und
22. Januar 1804. Das eine der Hauptmotive, Freundes=
treue bis in den Tod, tritt in den Entwürfen abwechselnd
vor und zurück. Die Anregung zu dessen Einkleidung gab
ihm die Stelle bei Vertot (in der oben genannten Ausgabe
von 1775, Bd. 5, S. 42), wo der gemeinsame Heldentod
des gleichnamigen Neffen des Großmeisters (St. Priest) und
seines Busenfreundes Polastron (bei Schiller Crequi) ge=
schildert ist.

Die Peripetie glaubte Schiller im zweiten Stadium
darin gefunden zu haben, daß der Verräter Ademar —
später Romegas genannt — durch den greisen La Valette
wieder zur Pflicht zurückgeführt und zu seinem Nachfolger
bestimmt wird. Schließlich sei bemerkt, daß der in den
älteren Schillerausgaben enthaltene Entwurf der Malteser,
gleich den ähnlich gearteten anderer unvollendeter Dramen,
nicht von Schiller herstammt sondern von dem Herausgeber
Körner, der sie aus den Papieren des Dichters willkürlich
kombinierte. Sie haben um so weniger, nachdem der gesamte
Nachlaß zugänglich geworden ist, ein Anrecht, in Schillers
Werken zu erscheinen, da sie vielfach den Leser irreführen
können.

Die Maltejer.

I. Entwicklung des Plans.

1.

La Valette, Großmeister der Hospitaliter, wird in Malta von den Türken belagert. Die Macht des Feindes ist der seinigen bei weitem überlegen, und der Zustand der Forts läßt schlechterdings nicht hoffen, daß man die Insel werde behaupten können. Aber der Christenheit liegt alles daran, daß die türkische Macht wenigstens so lange als möglich vor Malta beschäftigt werde, und um die Maltejer dazu zu nötigen, wird ihnen nur unter der Bedingung Hilfe von Neapel aus zugesagt, daß sie sich bis auf einen bestimmten Zeitraum hielten. Also ist nicht nur das Schicksal der Christenheit, sondern auch das Schicksal des Ordens selbst von der Dauer ihres Widerstandes, und von der beharrlichen Verteidigung des Forts (S. Elmo) abhängig gemacht.

Aber S. Elmo ist in den schlechtesten Umständen, und zur langen Behauptung desselben ist keine Hoffnung. Die darin eingeschlossenen Ritter haben zwar zur Verteidigung des Forts ihr Äußerstes getan, aber weil sie gar keine Hoffnung zu einem glücklichen Ausgang haben, so möchten sie gern ihre Tapferkeit und ihr Leben an eine mehr versprechende Sache setzen. Sie sollizitieren also um die Erlaubnis, Elmo aufgeben zu dürfen.

La Valette, seiner Order und seiner großen Pflicht eingedenk, verweigert dieses Gesuch, und befiehlt ihnen, seinen Instruktionen buchstäblich nachzuleben, das übrige aber ihm und dem Schicksal zu überlassen.

Die Standhaftigkeit La Valettens erregt Murren bei den abandonnierten Rittern, Murren selbst bei dem größten Teil der übrigen. Die letzten, besonders der jüngere Teil derselben, setzen dem Großmeister hart zu, ihre Brüder nicht seinem Eigensinn aufzuopfern. Die eingeschlossenen Ritter, nach einigen neuen Verlusten, erneuern ihre Forderung mit der angehängten Erklärung, daß sie bei nochmaligem verweigerten Abzug, in einem Ausfall umkommen würden.

La Valette sendet einen Ingenieur nach S. Elmo, um über die Haltbarkeit des Forts einen Bericht zu machen. Unterdessen daß dieser seinen Auftrag besorgt, entdeckt der Großmeister eine Meuterei unter den jungen Rittern, deren Urheber
5 Chevalier Gondy ist. Freundschaft zwischen Gondy und St. Hilaire. Sie ist schuld, daß Gondy, der seinen Freund nicht kann aufopfern sehn, die Ritter aufwiegelt. La Valette lockt das Geheimniß einem deutschen Ritter F. von Stein ab.

Unterdessen bringt der Ingenieur die Nachricht mit zurück,
10 daß das Fort sich noch halten könne.

La Valette läßt ihn diesen Bericht vor der Versammlung ablegen. Alsdann entlarvt er das Komplott und richtet den Schuldigen. Gondy wird verurteilt, an der Verteidigung keinen Teil nehmen und mit den Rittern weder siegen noch
15 sterben zu dürfen.

2 a.

Im letzten Chor zwischen dem vierten und fünften Akt muß der erhabenste Schwung sein, und die moralische Gesinnung in ihrer ganzen Glorie erscheinen. Zugleich wird
20 hier der große Lohn der erfüllten Pflicht von ferne gewiesen. Religion.

Abschied der Ritter auf S. Elmo von den übrigen. Sie gehen (oder kommen) vom Abendmahl.

Letzte kurze Szene La Valettes von Saintfoix. Ob er
25 sich seinem Sohn entdecken darf?

Sobald die Ritter S. Elmo erreicht haben, wird die Kommunikation abgeschnitten. Sie sind völlig verlassen.

? La Valettes Szene mit Gondy, dem Freund seines Sohnes, nach des letzteren ewigem Abschied?

30 La Valette, Ripperda, Elliot, Saintfoix[1], von Stein, Hamilton, Colonna, Bissy, Gondy, d'Aubigné, Percy, Sully, Sillery, Dandolo, Biron, Mercy, d'Argenteau, Dieudonné, Porta

*La Valette, Großmeister.

*Ripperda ⎫
35 [Hamilton] Hueskar ⎬ Kommandeurs.
[Deuxponts] ⎭

---

[1] v. Linar, Fleury, Brissard, Caraffa.

*Karaffa	
*Mercy	
*Byron	
[Saintfoir]	Ritter
[von Posa]	La Valette . Großmeister. 5
*von Stein	
*Dieudonné	Ripperda = Konfident.
[Chatillon]	Braschi = Intrigant.
[Barbarossa]	Montalto
*La Roche	Caraffa 10
Hardenberg	Sainthilaire . Bastard.
*Joinville	Joinville
[Rivier]	Mercy
Saint=Hilaire	Biron . Hitzkopf.
Velasquez	La Roche . Freund. 15
Dandolo	von Stein . Jüngling.
Hannibal	Dieudonné
Urbino	Joyeuse
Porto Bello	Maine
Castiglione	Palier 20
Villa franca	Montmorency
Duca	La Fayette
Vittoria	

2 b.

Schwärmerische Freundschaft zwischen Mercy und Saintfoir. 25
Bornierter Subordinationsgeist in Ripperda.

Feuriger Sinn des jungen Mercy.

Sanfte Gemütsart des von Saintfoir.

Jugendliche Folgsamkeit und liebenswürdige Natur im Charakter des deutschen Ritters Stein. 30

Hamiltons Kälte.

Caraffas schwer zu leitender reizbarer Stolz und Eifersucht.

Birons ungestüme Tapferkeit und unruhliebende Gemütsart. 35

Deuxponts melancholische Gemütsart.

Ein alter Ritter erzählt dem jungen Stein die Geschichte und Verfassung des Ordens.

Detaillierte Beschreibung der vor Malta liegenden türkischen Macht, wie im Trojanischen Kriege. 40

3*

Anspielung auf vergangene Kriegstaten der Ritter — auf die an sie ergangene Ladung.

Soll Verräterei im Spiel sein? Soll ein alter Kommandeur gegen La Valette intrigieren?

5 Man glaubt, La Valette wolle sich durch seine Hartnäckigkeit der unruhigsten Köpfe mit guter Manier entladen.

Der alte Kommandeur führt die jungen Ritter. La Valette entlarvt ihn, entdeckt seine Verräterei, und zeigt den jungen Rittern, welchem Menschen sie sich anvertraut haben.

10 Landsmännische Rivalität und Anschuldigung landsmännischer Parteilichkeit.

Kann man nicht eine Griechin hineinmischen, welche Zwietracht unter den Rittern stiften soll? Die Griechin streitet in Männertracht mit und läßt sich fangen. Einige Ritter 15 verlieben sich in sie.

Einer der Ritter ist im Begriff, den Orden zu verraten. Das Bewußtsein seines Verbrechens liegt schwer auf ihm, da er die Tugend seiner Brüder sieht.

3.

20 La Valette hat zwar schon im ersten Akt Verdacht geschöpft, der im zweiten Akte steigt, aber überführende Beweise erhält er erst im dritten Akte. Sobald Montalto merkt, daß seine Verräterei entdeckt ist, so entflieht er zu den Ungläubigen. Die von ihm debauchierten Ritter erkennen ihr Unrecht schnell 25 und werfen sich dem Großmeister zu Füßen.

Im ersten Akt heißt es: „Wir sind rein, aber nicht alle." — In diesem engen und heiligen Zirkel ist ein Verräter.

Ist diese Episode für die Haupthandlung nicht zu groß? Wenigstens muß dafür gesorgt werden, daß, wenn sie geendigt 30 ist, das Interesse ja nicht abreiße. Die zur Erkenntnis gebrachten Ritter verlangen — um ihr Vergehen abzubüßen, nach S. Elmo geschickt zu werden. La Valette nimmt das Anerbieten an, und macht davon Gebrauch gegen die Chevaliers von S. Elmo.

35 La Valettes Auftritt mit dem treulosen Kommandeur, ehe dieser sich noch entlarvt sieht. — Seine Effronterie und Dreistigkeit im Leugnen

Der Deſerteur fällt nachher bei der Attacke von S. Elmo durch La Baletteś Sohn. Woher erfährt man dieſeś?

So wie S. Elmo übergeben ſein würde, ſo iſt eś ſchon auśgemacht, daß die ſpaniſche Flotte unverrichteter Dinge zurückſegeln ſoll. Dieś weiß der Verräter ſehr gut. 5

II. Erſter Entwurf.

4.

Erſter Akt.

Anſchauliche Darſtellung der völligen Verlaſſenheit deś Ordenś auf dem Felſen Malta. Wie dieſer Felſen nackt im 10 öden Meere ſteht, ſo ſteht der Orden hilfloś ſich ſelbſt über- laſſen. „Jetzt denket nicht mehr auf irdiſche Hilfe. Sehet nicht mehr nach der italieniſchen Küſte hin, ſondern ſehet auf- wärtś zu dem Himmel, und ſuchet Rat in eurer eignen Bruſt. Malta iſt ganz umzingelt, und alle Zugänge beſetzt. Anzahl 15 der feindlichen Schiffe. — Drohungen und Zurüſtungen der Türken — die ganze chriſtliche Welt hat die Hand von unś abgezogen.“

Muſterung der Macht deś Oroenś. Wieviel ſind ihrer auf S. Elmo? Wer kommandiert dort? (Würden und Ämter 20 unter den Rittern.) Der türkiſche Befehlśhaber muß Meiſter von S. Elmo werden, wenn er den Kopf nicht verlieren will. Breſche und auśgefüllte Graben in S. Elmo.

Ein Kommandeur, der in einem der vorhergehenden Stürme verwundet und deśhalb nach La Balette herüberge- 25 bracht worden, gibt von allen dieſen Partikularitäten Auś- kunft. Ein gefangener Türk Renegat oder Überläufer? gibt Nachricht von der feindlichen Flotte; dieś geſchieht aber nur in Gegenwart der ältern Ritter, Ripperda, Montalto, Braſchi, Montmorenci und Rohan. Dieſe Partikularitäten dienen dazu, 30 eine vollſtändige Idee von der Unhaltbarkeit deś Fort S. Elmo und der gefährlichen Situation der dort eingeſchloßnen Ritter zu geben.

Der Abgeſandte deś ſpaniſchen Vizekönigś Don Leriva Mendoza bittet den Großmeiſter, Malta mit verteidigen zu 35 dürfen. Es wird ihm gestattet, und sein Entschluß gibt den Rittern Mut.

Dieser Abgesandte vernichtet durch seine Botschaft alle Hoffnung der Ritter. An seiner Statt hatten sie eine spanische Flotte erwartet.

Es wird dem Großmeister äußerst schwer, sich zu der Aufopferung der Ritter zu entschließen, aber die Umstände erlauben keinen mildern Ausweg. Dies muß einleuchtend gezeigt werden.

Wenn der Feind Elmo inne hat, so kann La Valette Stadt sich nicht halten. Der Feind ist zugleich so mächtig, daß man noch einmal so viel Macht braucht, um ihm widerstehen zu können.

Aber wenn Elmo doch an ihn übergehen muß, so bleiben ja diese üble Folgen gleich?

1. Wenn er Elmo mit Sturm ersteigen muß, so hat ihm das so viel Mannschaft gekostet, daß er zu großen Unternehmungen auf lange Zeit entkräftet werden muß.

2. Man hat ihn durch ein Beispiel der Beharrlichkeit erschreckt, und ihm gezeigt, was er sich zu versprechen habe.

3. Man hat es Spanien nahe gelegt, sich ins Mittel zu schlagen.

4. Man gewinnt Zeit.

5. Üble Folgen eines entgegengesetzten Entschlusses. Man gibt dem Feind einen Maßstab der christlichen Tapferkeit, indem man ihm zeigt, wo der Mut der Ritter seine Grenzen habe — man zieht seine ganze ungeteilte Macht auf den Hauptsitz hin — man macht sich die Kommunikation mit Italien schwerer.

Es ist also erwiesen, daß S. Elmo bis auf den letzten Mann behauptet werden muß, und daß man es den Türken so teuer als möglich verkaufen müsse. „Wenn uns dieser schlechte Ort so viele Tausende kostete, was wird uns nicht erst Il Borgo usw. kosten, wo sich die ganze Macht des Ordens wehrt?" So müssen die Ungläubigen räsonieren.

Erklärung des spanischen Vizekönigs von Neapel wegen S. Elmo. Um zu zeigen, wieviel höheren Wert ein Ritter habe, kommt ein Fall vor, wo man 500 Soldaten durch 20 Ritter remplaciert.

Was hofft Montalto durch seine Intrige eigentlich zu gewinnen?

La Valette verhaßt zu machen und ihm Händel zu er=
regen, würde für sich allein ein zu schwaches Motiv sein. Er
muß ihn härter fassen. 5

Ist er etwa im Einverständnis mit den Türken, und ist er
von diesen bestochen? Will er also den Untergang des Ordens?
Will er bloß eine Änderung des Regiments? Aber wie
kann er so etwas gegen La Valette durchzusetzen hoffen?

Montalto will den Orden zugrund richten und ist schon 10
im Einverständnis mit den Türken. Der Großherr hat ihm
eine reiche Statthalterschaft und eine Schönheit dafür zugesagt.

Das Interesse der Ritter von La Valette Stadt an dem
Abzug ihrer Brüder von S. Elmo ist

erstlich Menschlichkeit und Billigkeit. Ältere Ritter; 15
zweitens bei einigen Freundschaft (besonders Crequis
gegen S. Priest);

drittens Nationalgeist, weil es sich trifft, daß unter den
Aufgeopferten eine große Majorität von einer (der
spanischen oder der languedokischen) Landsmannschaft 20
ist. Spanier.

viertens Eifersucht auf ihre Ordensrechte, weil La Valettes
Betragen vielen willkürlich scheint. Italiener.

fünftens Unwille gegen Spanien, welchem man es beizu=
messen hat, daß Elmo behauptet werden muß. Franzosen. 25

Keiner aber weiß, daß La Valette am meisten dabei auf
dem Spiel hat, nämlich seinen eigenen Sohn, den Chevalier
von St. Priest. Dies erfährt man erst im fünften Akt, wo
das Opfer von ihm gebracht ist. Ein kurzer Abschied von
St. Priest am Ende des vierten Akts wirft einen Funken 30
Licht auf dieses Geheimnis. Ganz entdeckt es sich aber erst
in einer Szene La Valettens mit Crequi, wo er seine Vater=
liebe auf diesen überträgt. Der gerührte Crequi rechtfertigt
des alten Mannes Schmerz und wird sein Tröster. Groß
und erhaben ist es, wie sich der Privatschmerz des Großmeisters 35
in der Empfindung für das Allgemeine verliert. Der Leichnam
des St. Priest wird aus den Wellen aufgefangen. Hier an

der Leiche des St. Priest geloben ihm die Ritter unbedingte
Achtung gegen seine Befehle.

La Valette überführt die Ritter, wieviel mehr Gehorsam
wert ist, als Tapferkeit. Er zeigt ihnen, daß sie über ihr
Leben nicht disponieren können. Ihr müßt leben, wenn es
das Gesetz will, und sterben, wenn es das Gesetz will. Euer
aller Leben ist ein Gut der Kirche, und ich bin der Verwalter
dieses Guts. Ihr habt darüber keine Stimme.

Chor über den Gehorsam und die Pflicht. Strenge Moral
ohne Religionströstungen. Chor über Leonidas. Dessen Geschichte.

Niedrige Dienste, wozu die Ritter sich verstehen. Sim=
plizität der ersten Stiftung. Einer der edelsten und schönsten
Chevaliers erscheint als Krankenwärter. Geschichte der Stiftung
des Ordens, durch den Chor lyrisch erzählt.

Es muß außer Zweifel gesetzt sein, daß La Valette unter
allen Rittern der tapferste ist. Tiefe Ehrfurcht aller vor dem
Großmeister. Er findet nicht für gut, den jungen Rittern die
Gründe seines Handelns zu detaillieren. Als er einige der=
selben zufällig ans Licht bringt, und die überzeugten Ritter
sich merken lassen, daß sie gewiß nie widersprochen hätten,
wenn er ihnen dieses hätte früher sagen wollen, so äußert er,
daß sie blind zu gehorchen haben; er demonstriert ihnen an
einem Beispiel, daß die Gründe nicht immer zu offenbaren
sind, und daß es also schlechterdings nötig ist, blind zu folgen.

La Valette steht unter den Rittern wie das personifizierte
Gesetz. Zugleich muß aber jede Gelegenheit benutzt werden,
ihn als Menschen darzustellen. In einem tête à tête mit
Ripperda spricht er sogar bitter von dem Eigennutz und der
selbstsüchtigen Politik der christlichen Mächte, und beklagt
schmerzlich die harte Notwendigkeit, zu der er verurteilt wäre.

Ein Avancement zum Kommandeur kommt auch vor.

Nachdem die Kommunikation zwischen Elmo und La Valette
Stadt aufgehoben ist, wird die Taubenpost gebraucht.

5.

Der erste Akt enthält die Exposition, die Abschilderung
der ganzen Lage, das Gesuch, Elmo zu verlassen, die Ver=
weigerung dieses Gesuchs, Montalto fängt an zu machinieren.

Der zweite Akt enthält die Bewegungen unter den Rittern, von dem Kommandeur Montalto unterhalten. — Die Bewegungen steigen mit jeder übeln Nachricht aus S. Elmo. — Die jungen Ritter. Anführer derselben ist Chevalier Crequi. Erneuertes Gesuch von S. Elmo. La Valette wird überstimmt. 5 Beschlossene Absendung eines Ingenieurs, um die Festungswerke zu besichtigen.

Der dritte Akt enthält die Bewegung La Valettes, die Ritter zum Gehorsam zurückzubringen — Er forscht den Jüngsten darunter aus — Er kommt den bösen Ränken des Montalto 10 auf die Spur — Er macht sich eine Partie. Unterdessen kommt sein Ingenieur mit der erwünschten Nachricht wieder, daß Elmo sich halten könne — Jetzt willigt der Großmeister in das Gesuch der Ritter, weil er andre an ihrer Stelle hinüberzuschicken hat. Betroffenheit der Ritter. Montalto wird 15 demaskiert.

Der vierte Akt enthält die Reue und Abbitte der Ritter von S. Elmo. Sie bitten, bleiben zu dürfen. Nein, sie sollen Elmo verlassen.

[1]) La Valette erscheint selbst in Rüstung und ist ernstlich 20 entschlossen, mitzugehen. Seine Vorkehrungen auf den Fall, daß er nicht mehr zurückkäme. Vorstellungen des ganzen Ordens, ihn davon zurückzuhalten — Demütigung und Fußfall der Ritter von S. Elmo. Er willigt endlich ein — Abschied der Ritter und letzte Umarmung. Abschiedsszene zwischen Crequi 25 und S. Priest — zwischen diesem und La Valette.

---

[1]) Wiederherstellung des Ordens in seine ursprüngliche Simplizität. „Wir stehen vielleicht am Rand unseres Untergangs. Laßt uns endigen, wie wir anfingen." Versöhnung der Ritter. Brüderliche Eintracht. 30

In den ersten Akten sind die Tendenzen und Gesinnungen der Ritter alle weltlich und realistisch, erst die Handlung treibt sie zum Idealistischen — wenn dies aber geschehen, so ist der Großmeister allein noch realistisch.

Was treibt sie nun aber ins Idealistische und macht, daß sie sich 35 mit Freiheit und Neigung unterwerfen? Es muß notwendig hervorgehn und zugleich ein Werk La Valettes sein.

V.

La Valette entdeckt sich dem Crequi.

Elmo wird mit Sturm erobert. Der halbe Mond flattert
auf der Festung. Die Leichname der Ritter vom Meerstrom
herübergeführt. Schmerz des Großmeisters. Die Leiche seines
Sohnes.

Ankunft der spanischen Flotte.

Chor	Spitzeder	Ehlers	Benda	Haltenhof
	Berger	Genast	Malcolmi	Eilenstein
La Valette		Graf		
Ademar	} Borgoisch	Vohs		
Crequi		Cordemann		
Biron	} Elmoisch	Heide		
S. Priest		Caspers		
Miranda		Becker		
[Montalto]		[Schall]		

6 a.

1.

Streit um die Griechin, strenge Reform des Großmeisters.

2.

Liebe zwischen einem Elmoischen und Il Borgoischen Ritter.

3.

Anschein von Willkür und Härte im Betragen des Groß=
meisters. Die Tapferkeit selbst, die Menschlichkeit, die Ge=
rechtigkeit, die Vernunft scheint für die widerspenstigen Ritter
zu sprechen. Außerdem wirken noch verzeihliche Antriebe, als
z. B. die Freundschaft, das Mitleiden, der Haß gegen Spanien,
der Nationalgeist, die Weiberliebe, um sie gegen das Verfahren
des Großmeisters zu empören.

4.

Montaltos Insinuationen, um die Ritter gegen den Groß=
meister aufzuwiegeln.

5.

Lockungen des Feindes verführen die Ritter.

Die Freundſchaft der zwei jungen Ritter muß gar nicht oder als ein Höchſtes in ihrer Art vorkommen. Sie muß voll= kommen ſchön, dabei aber wirkliche Leidenſchaft mit allen ihren Symptomen ſein. Der eine von beiden, welchen es trifft, in Borgo zurückzubleiben, wenn er alles getan, um ſich gegen 5 ſeinen Freund auszutauſchen, muß ihm freiwillig in den Tod nachfolgen. Schöner Wettſtreit. Crequi fragt ängſtlich nach ſeinem jungen Geliebten, ob er nicht verwundet ſei uſw.

— Der junge (Elmoiſche) von beiden darf erſt ſpät er= ſcheinen, wenn ſeine Erſcheinung zur höchſten Bedeutung reif 10 iſt und in den Gang der Handlung eingreift.

6 b.

Neue Abgeſandte der Elmoiſchen Ritter. Sie ſind zahl= reicher und erſcheinen als Flehende. Sie bitten ihren Fehler ab, und flehen darum, in Elmo ſterben zu dürfen — La Valette 15 iſt unbeweglich — Neue der andern Ritter — wiederholtes Flehen und Fürſprache der Alten. Freiwillig übernommene Demütigung der ſtrafbaren Ritter. La Valette gibt nach.

Schöne Stunde des Ordens, die an ſeinen Urſprung er= innert. Totalität der Geſchichte des Ordens, werdend, blühend, 20 verfallend. Einſegnung und Abſchied der Todesopfer. La Valette ſegnet ſeinen Neffen, der ſein natürlicher Sohn iſt.

Chor erhebt ſich zum höchſten Schwung.

Erſcheinung des griechiſchen Jünglings, der die Kataſtrophe erzählt, und zugleich eine ſchöne Wirkung derſelben iſt. La 25 Valette überläßt ſich erſt dem Schmerz, über den Verluſt ſo vieler trefflichen Ritter.

Nachricht von dem Gang der Belagerung und dem Fort= gang der Stürme.

La Valette entdeckt ſich dem Ripperda. 30

6 c.

Einzelne Handlungsſtücke.

1. Liebe zur Sklavin und Rivalität der Ritter, die ſich auf alle Jungen erſtreckt.

2. Miranda als exoteriſche Figur. 35

3. Die geiſtlichen Ritter qua Chor und Geſchichte des Ordens.

4. Die ſich liebenden Ritter.

5. Der ganz junge Ritter.
6. Der griechische Jüngling.
7. Montalto wird als Judas verstoßen und zu den Türken geschickt.
8. La Valette als Vater.
9. Die Empörung.
10. Die Unterwerfung.
11 Die Rückkehr, Reue und Reinigung.
12. Der Abschied der Todesopfer.
13. Die Katastrophe.
14. Die Exposition.
15. Die Gesandtschaften.
16. Die dienenden Brüder und der Adelsgeist.
17. Malta der Fels. Der Seekrieg. Die Mahomedaner.
18. Die katholische Religion und das Ritterwesen.
19. Das Mönchswesen, die Gelübde.
20. La Valette läßt einen Gesang anstimmen, der das Leben verachten und den Tod liebgewinnen lehrt.
21. Ein Chor von idealistischem, ein anderer von realistischem Inhalt.

Die Macht und Herrschaft des Gedankens.

22. Die Sitten[re]form des Ordens.
23. La Valette läßt den Renegaten, der gewarnt worden, nicht wieder zu erscheinen, enthaupten, um den Weg zu allen Intrigen und Negotiationen zu hemmen.

7.
Die Malteser.   Ein Trauerspiel.

Personen.

La Valette, Großmeister		Crequi	Ritter, v. S. Elmo
Don Ademar von Leira	Kommandeurs	St. Priest	deputiert.
Don Ripperda	und	Mendoza.	
Chateauneuf	Großkreuze.	Castriotto.	
Montalto		Renegat.	
Don Ramiro Ritter.		Irene.	
Montgomery		Ritter.	

Erster Aufzug.

1. Ademar und Ramiro in einem hitzigen Streit wegen der Irene, der Gefangenen Ademars, welche Ramiro liebt

und an die er Ansprüche vorgibt. Ademars Stolz und Eifer=
sucht. Ramiros Bravour und Liebe. Es schlagen sich von
beiden Seiten Ritter zu ihnen, Degen werden gezogen. Nieder
mit den Arragoniern!

2. Vorige. Ripperda bringt sie auseinander, schilt sie, daß 5
sie den Orden in dem jetzigen gefahrvollen Augenblick durch
Zwiespalt an den Rand des Verderbens führen. Jetzt gerade
sei die höchste Einigung nötig. Man erfährt, daß Malta durch
die ganze türkische Macht belagert ist, daß es ringsum ein=
geschlossen, daß das Fort S. Elmo heftig bedrängt ist. — Die 10
Ritter trösten sich mit einem Entsatz von Sizilien aus.

3. Vorige. La Valette mit Mendoza, der eben angelangt.
La Valette fängt damit an, den Rittern zu erklären, daß sie
ihre Hoffnung von jetzt an nur auf sich selbst zu setzen hätten.
Denket nicht mehr auf irdische Hilfe, sehet nicht mehr nach 15
der sizilischen Küste hin, sehet aufwärts zum Himmel, suchet
Rat in eurem eigenen Mut. Er läßt den Mendoza seinen
Auftrag erzählen, man erfährt, daß vorderhand nichts von
Spanien zu hoffen sei, und unter welcher Bedingung der Vize=
könig von Sizilien eine Flotte schicken wolle. Diese Bedingung 20
ist die Behauptung des Forts S. Elmo; fände die Hilfsflotte
dieses Fort in den Händen der Türken, wenn sie ankäme, so
würde sie wieder zurücksegeln. — Allgemeine Unzufriedenheit
der Ritter mit den Spaniern und Bitterkeit gegen den Men=
doza. Ritterliche Denkart dieses Edelmanns, der sich freiwillig 25
anbietet, das Schicksal des Ordens zu teilen.

4. Vorige. Zwei Ritter von S. Elmo abgeschickt er=
klären im Namen der ihrigen, daß Elmo unhaltbar sei, und
daß sie verlangen, daraus abgeführt zu werden. Sie beschreiben
die Angriffe der Türken, ihre Verluste trotz ihrer Tapferkeit, 30
den desperaten Zustand der Festungswerke. La Valette erklärt,
daß S. Elmo behauptet werden müsse und entläßt die Ritter.

5. Ein Renegat fordert die Übergabe von Malta.

6. Renegat und Montalto zeigen ein geheimes Verständnis.

7. Der Chor tritt auf. 35

Zweiter Aufzug.

1. Valette mit Chauteauneuf und Ripperda. Es ist die Rede von der Griechin, von der Liebe der zwei Ritter zu ihr, von der dadurch erzeugten Spaltung im Orden. Chateauneuf
5 tadelt die bisherige Nachsicht des Großmeisters und bringt auf rigoristische Maßregeln. La Valette verteidigt sein Betragen, ist aber von der Notwendigkeit überzeugt, es jetzt zu ändern und den Orden zu reformieren. Er hat auch zu diesem Zweck schon gehandelt und Befehl gegeben, die Griechin hin-
10 wegzubringen.

2. Vorige. Ademar und Ramiro, welchen die Griechin entrissen werden soll, kommen, dem Großmeister darüber Vorstellungen zu tun. Er führt die Gelübde des Ordens an. Sie verfechten ihre Liebe und wollen, daß eine Ausnahme
15 gemacht werde. Er bleibt standhaft, wiederholt seinen Befehl, zeigt eine ernste Strenge und geht ab mit den beiden Alten.

3. Beide Nebenbuhler sind jetzt interessiert, gegen die gemeinschaftliche Gefahr sich zu vereinigen. Sie finden das Betragen des Großmeisters willkürlich und despotisch, fühlen
20 zugleich, daß er sie beide jetzt notwendig braucht, und daß sie ihn zwingen können, sobald sie gemeine Sache machen.

4. Darin bestärkt sie Montalto, der dazu kommt, sie aufs heftigste hetzt und eine Versöhnung unter ihnen zustande bringt. Zugleich meldet er ihnen, daß der ganze Orden sie unter-
25 stützen werde, der wegen der Elmoischen Sache höchst schwierig gegen den Großmeister sei. Chevalier Crequi kann seinen geliebten S. Priest nicht aufgeopfert sehen.

5. Indem sie noch sprechen, erscheinen viele Ritter, welche eine neue Gesandtschaft von S. Elmo begleiten und heftig auf-
30 gebracht sind. Die Elmoische Besatzung will in einem Ausfall sterben, nicht elend hinter baufälligen Werken zugrunde gehen. Der Unwille gegen den Großmeister wird allgemein, man verschwört sich, ihm nicht zu gehorchen, ihn zu zwingen. Montalto ist sehr geschäftig, es aufs äußerste zu treiben.

35

Rivalität des Ademar und Ramiro.	2	6
Leidenschaft des Crequi und S. Priest.	2	4
Vaterverhältnis des La Valette.	1	2
Intrige des Herodia.	2	5

Die Malteser,

Kindlichkeit des jungen Ritters.	1	3
Castriots Auftrag.	1	2
Mendozas Gesandtschaft und Betragen.	2	4
Meuterei im Orden.	1	6
La Balettes Aufzug mit den Alten.	1	4
Neue der Ritter.	1	2
Schöne Stunde im Orden.	1	4
Abschied der Todesopfer.	1	4
Katastrophe.	2	5
4 Chöre.	4	10

Dritter Aufzug.

1. La Valette erfährt durch einen jungen Ritter die Gefahr, worin er sich befindet, alles was unter den Aufrührern verhandelt worden. Er lobt die Loyauté des Jünglings, gibt ihm gute Lehren und entläßt ihn.

Alle drei Gelübde der Ritter werden vernachlässigt. Sie sind ungehorsam, sie sind unkeusch, sie sind habsüchtig und hängen dem Reichtum nach.

Ich hätte keinen Sohn? sagt La Valette am Ende. Ich habe hundert Söhne. Ich soll keinem näher angehören, ich soll ein Vater sein für alle. — Umarmt mich, umarmt euren Vater! usw. (das Stück schließt mit dieser Gruppe).

Schicksal des Tempelordens.
Die Rede wird von dem kriegerischen Leben auf dem Ozean[1]) — einem jungen Ritter, der zuhört, wird die Insel dadurch enger und enger.

Seefahrten und Seekriege. Schiffe.
Belagerungen. Artillerie. Feu d'artifices.
Türkische Kaper, Gefangne.
Ordensregeln.

---

[1]) Man ist auf der mittelländischen See wie zu Hause. Häfen. Küsten. Inseln. Buchten.

Reichtümer und Revenüen des Ordens.
Katholische Andacht.
Alter Adel der Ritter.
Nationalstolz und Gemeingeist.
5 Ordenskapitel.
Stolz auf die Souveränität des Ordens.

Ob Ademar oder Biron vielleicht ein Elmoischer Ritter ist, der nach Vorgo deputiert war und bei dieser Gelegenheit sein Mädchen aufsuchte.

10 Der Großmeister liebt nichts als seinen Orden, seine Ritter, die er trotz seinem fühlenden Herzen aufopfern muß. Seine Liebe zeigt sich am lebhaftesten, wenn die Opfer zum Tod gegangen sind.

Mendoza entschließt sich, auf S. Elmo mit dem Groß=
15 meister umzukommen, welches die Ritter am tiefsten beschämt.

Eine Episode von der enthusiastischen Liebe zweier Ritter zueinander, davon der eine zu Elmo sich befindet. Sie endigt damit, daß der eine, welcher zu La Valette ist, dem Geliebten nach S. Elmo in den Tod folgt[1]). — Man will dem La
20 Valette diese Liebe verdächtig machen, er verteidigt und billigt sie und erinnert, daß sich der Heroismus nicht zum Laster geselle. Liebe der griechischen Jünglinge zueinander, Not=
wendigkeit eines solchen Gefühls zwischen jungen fühlenden Seelen, die das andere Geschlecht nicht kennen, denn eine edle
25 Seele muß etwas leidenschaftlich lieben und das Feurige sucht das Sanfte auf.

[2]) Der Chor spricht davon, daß das Mittelländische Meer

---

[1]) Dieses kann geschehen, wenn die Todesopfer schon abgegangen, und der bleibende Ritter kann sich für sich allein in S. Elmo werfen.
30 Crequi hat sich am meisten vergangen, aber die Leidenschaft und die Jugend entschuldigt ihn auch am meisten. Er zwingt den Groß=
meister, ihn zu strafen. Der Jüngling wird von den alten Rittern zum Tod verurteilt, weil er den Degen gegen den Großmeister ge=
zogen. Großmeister begnadigt ihn und schränkt die ganze Strafe
35 darauf ein, ihn auszuschließen.
[2]) Die Wälle sind zerstört. Wohinter sollen wir stehen?

mit Schiffen bedeckt sei, halbe Monde, das Kreuz usw. Maltas
Lokale. — Orden schildert seine eigene Ohnmacht, er könne
nichts als beten, Unterschied zwischen geistlichen und weltlichen
Rittern[1].

Wichtigkeit der Person eines einzigen Chevalier.   5
Seine Bravour darf keine Grenzen haben.
Er wiegt ganze Hunderte andrer Männer auf[2].
Desto mehr Bedenken kostet die Aufopferung so vieler
Ritter, aber hier tritt der andere Fall ein, daß an dem Gesetz,
dem Rufe, und der Maxime mehr liegt als an dem be-   10
deutendsten Leben.

Die Kriegsvorfälle auf S. Elmo werden im Fortschritt
der Tragödie erwähnt und haben Einfluß auf die Handlung.
Verwundete Ritter. Eroberte Schanzen. Minen. Getötete Ritter.

Lascaris erzählt die Katastrophe.   15

[3])La Valette lenkt es so, daß die Ritter sich selbst, ihren

Hinter eurer Pflicht. Euer Gelübde ist euer Wall, der Johanniter
braucht keinen andern.
Wir sind Menschen.
Ihr sollt mehr sein.   20
[1]) Unter den Chevaliers sind wilde Seeleute, die alle Schliche
auf dem Mittelländischen Meer kennen.
Miranda.
Medran
[2]) Chevaliers erscheinen als eine höhere Menschenart unter der   25
übrigen Welt, weil sie künstliche Naturen sind, und durch ihre Gelübde
sich ausgeschlossen. Wer sich entschließen kann, weniger zu bedürfen,
sich selbst weniger nachzugeben, sich mehr zu versagen und mehr
aufzulegen, der ist mehr als ein gewöhnlicher Mensch. In den
Stamm schießt der Saft, der sich sonst in den Zweigen erschöpft,   30
und der Mensch kann zum Heroen und Halbgott werden, wenn er
gewissen Menschlichkeiten abstirbt.
[3]) Im Laufe der Tragödie wächst die Gefahr von Elmo und
fallen neue Unglücksfälle dort vor.

Schiller. IX.   4

wahren Ordensgeist finden, und in diesen wie in ihre letzte
Zuflucht getrieben werden. a) Ihre Reinigung und Wieder=
herstellung muß durchaus ihr Werk sein. b) Aber La Valettes
Klugheit und hoher Sinn muß diese Notwendigkeit herbeiführen.

⁵   III. Zweiter Entwurf.

8.

Malta ist von der ganzen Macht Solimans belagert,
der dem Orden den Untergang geschworen. Mit den türkischen
Befehlshabern Mustapha und Pialy sind die Korsaren
¹⁰ Uluzzialy und Dragut, und die Algierer Hascem und
Candelissa vereinigt. Die Flotte der Türken liegt vor den
beiden Seehäfen und ohne eine Schlacht mit ihr zu wagen,
kann kein Entsatz auf die Insel gebracht werden. Zu Lande
haben die Türken das Fort S. Elmo angegriffen und schon
¹⁵ große Vorteile darüber gewonnen. Der Besitz dieses Forts
macht sie zu Herren der zwei Seehäfen und setzt sie instand,
St. Ange, St. Michael und Il Borgo anzugreifen, in welchen
Plätzen die ganze Stärke des Ordens enthalten ist. La Valette
ist Großmeister von Malta. Er hat den Angriff der Türken
²⁰ erwartet, und sich darauf bereitet. Die Ritter sind nach der
Insel zitiert worden, und in großer Anzahl darauf erschienen.
Außer ihnen sind noch gegen 10000 Soldaten auf derselben,
Kriegs= und Mundvorrat genug, die Festungswerke in gutem
Stand. Aber demungeachtet ist auf einen Entsatz von Sizilien
²⁵ gerechnet, weil die Feinde durch ihre Menge und Beharrlich=
keit die Werke zugrunde richten, und die Mannschaft auf=
reiben müssen. In jedem Angriff gehen Ritter und Soldaten
zugrunde und wenn also kein Sukkurs ankommt, so muß es,
wenn die Türken aushalten, doch zuletzt an Verteidigern fehlen.
³⁰ Ebenso ist es mit den Festungswerken, welche einer fortgesetzten
Bestürmung nicht widerstehen können.

La Valette hat alle Ursache, einen Entsatz von Sizilien
aus zu hoffen, da der Untergang von Malta die Staaten
des Königs von Spanien in die größte Gefahr setzt. Philipp II.
³⁵ hat ihm daher auch alle Unterstützung zugesagt, und seinem

Vizekönig zu Sizilien deshalb Befehle gegeben. Eine Flotte ist in den Häfen dieser Insel zum Auslaufen fertig, viele Ritter und andre Abenteurer sind herbeigeströmt, sich auf derselben nach Malta einschiffen zu lassen, die Geschäftsträger des Großmeisters sind bei dem spanischen Vizekönig unermüdet, um das Auslaufen dieser Flotte zu beschleunigen.

Aber die spanische Politik ist viel zu eigennützig, um an diese große Sache etwas Großes zu wagen. Die Macht der Türken schreckt die Spanier, sie suchen Zeit zu gewinnen, wollen mit dem Angriff warten, bis die Türken geschwächt sind, und sich nicht in Gefahr setzen. Es liegt ihnen nichts daran, ob der Orden seine Kräfte dabei zusetzt, wenn er nur nicht ganz untergeht, und die Tapferkeit der Ritter ist ihnen Bürge, daß sie den Türken schon zu schaffen machen werden. Ihre Hoffnung ist, daß die Türken durch den Widerstand des Ordens nach und nach so geschwächt werden sollen, daß sie entweder die Belagerung von selbst aufgeben, oder zuletzt mit weniger Gefahr aus dem Felde geschlagen werden können. Der Vizeroy von Sizilien hält also den Orden mit Sukkursversprechungen hin, aber er leistet nichts.

Unterdessen daß er zögert und La Valette unaufhörlich in ihn dringen läßt, wird das Fort S. Elmo von den Türken immer heftiger bedrängt. Das Fort ist an sich selbst kein sehr haltbarer Platz, wegen des engen Terrains hat man nicht Werke genug anbringen können. Es kann außerdem nicht viel Mannschaft fassen und da diese sich bei jedem Angriff der Türken vermindert, so sind immer neue Zuflüsse nötig. Die Türken haben schon einige Außenwerke im Besitz, ihr Geschütz beherrscht die Wälle, und viele starke Breschen sind schon geschossen. Die Besatzung wird durch die Werke nicht beschützt, und ist aller ihrer Tapferkeit ungeachtet ein leichter Raub des feindlichen Geschützes.

Unter diesen Umständen suchen die Ritter dieses Postens bei dem Großmeister an, sich an einen haltbarern Ort zurückziehen zu dürfen, weil keine Hoffnung da sei, Elmo zu behaupten. Auch die übrigen Ritter stellen dem Großmeister vor, daß er die Elmoischen Ritter ohne Nutzen aufopfere, daß es nicht gut getan sei, die Kraft des Ordens durch eine hoff-

4*

nungslose Verteidigung eines unhaltbaren Plaßes nach und
nach zu schwächen; besser wäre es, die ganze Stärke desselben
an dem Hauptort zu konzentrieren. Die Türken selbst könnten
nichts so sehr wünschen, als daß sich der Großmeister entblöße,
5 seine besten Ritter nach und nach auf diesem entblößten Posten
hinzuopfern usw.

Diese Gründe sind sehr scheinbar, aber der Großmeister
denkt ganz anders. Ob er selbst gleich überzeugt ist, daß
S. Elmo nicht behauptet werden kann, und die Ritter schmerz=
10 lich beklagt, die dabei aufgeopfert werden, so halten ihn doch
zwei Gründe davon ab, den Plaß preiszugeben. 1. liegt alles
daran, daß sich Elmo so lang als möglich halte, um der
sizilischen Hilfsflotte Zeit zu verschaffen heranzukommen, denn
ist jenes Fort in den Händen des Feindes, so kann dieser
15 beide Seehäfen verschließen und der Entsaß ist schwerer; auch
würden die Spanier dann, wie sie gedroht, zurücksegeln.
2. Ist Elmo über, so kann der Feind seine ganze Stärke kon=
zentriert auf das Zentrum des Ordens richten, und indem
er ihm den Sukkurs von außen abschneidet, ihn nach und nach
20 in Kämpfen erschöpfen. — Zwingt man die Türken aber
Elmo im Sturm zu ersteigen, so wird 1. ihre Macht geschwächt
und sie sind zu großen Unternehmungen auf den Hauptort
weniger fähig, und zweitens (was für den poetischen Ge=
brauch das wichtigste ist) man erschreckt sie durch dieses
25 Beispiel verzweifelter Gegenwehr schon an der ersten Instanz,
und gibt ihnen einen solchen Begriff von der christlichen
Tapferkeit, daß sie die Lust verlieren müssen, dieselbe auf
neue Proben zu seßen.

Der Großmeister hat also überwiegende Gründe, einen
30 Teil seiner Ritter, die Verteidiger des Fort S. Elmo der
Wohlfahrt des Ganzen aufzuopfern. So grausam dieses
Verfahren ist, so würde es doch nicht mit den Geseßen des
Ordens streiten, da jeder Ritter sich bei der Aufnahme an=
heischig gemacht, sein Leben mit blindem Gehorsam für die
35 Religion hinzugeben. Aber zu einer blinden Unterwerfung
unter ein so grausames Geseß gehört der reine Geist des
Ordens, weil die Unterwerfung von innen heraus ge=
schehen muß, und nicht durch äußre Gewalt kann erzwungen

werden. Es gehört dazu 1. eine blinde Ergebung in den
Schluß des Großmeiſters, alſo die Überzeugung von ſeiner
Gerechtigkeit und Weisheit, 2. eine fromme, religiöſe, von
allen andern menſchlichen Intereſſen abgezogene Denkart, ver=
bunden mit einem hohen Heroismus. 5

Aber dieſer reine Ordensgeiſt, der in dieſem Augenblick
ſo notwendig iſt, fehlt. Kühn und tapfer ſind die Ritter,
aber ſie wollen es auf ihre eigene Weiſe ſein, und ſich nicht
mit blinder Reſignation dem Geſetz unterwerſen. Der
Augenblick fordert einen geiſtlichen (idealiſtiſchen) Sinn, 10
und ihr Sinn iſt weltlich (realiſtiſch); ſie ſind von ihrem
urſprünglichen Stiftungsgeiſt ausgeartet, ſie lieben noch andere
Dinge als ihre Pflicht, ſie haben ein Intereſſe gegen die
Pflicht des Augenblicks. Sie ſind Helden, aber nicht chriſtliche,
nicht geiſtliche Helden. Die Liebe, der Reichtum, der Ehrgeiz, 15
der Nationalſtolz uſw. bewegen ihre Herzen.

[1])Die Unordnungen im Orden haben im Moment der
Belagerung ihren höchſten Gipfel erreicht. Viele Ritter über=
laſſen ſich offenbar den Ausſchweifungen, denn la Valette, der
eine liberale Denkart beſitzt und ſelbſt von gewiſſen Menſch= 20
lichkeiten ſich nicht frei weiß, hat durch die Finger geſehen.
Jetzt aber, da aus dieſen Unordnungen ſich gefährliche Folgen
erzeugen, da ſie zu Spaltungen und innerm Krieg in dem
Orden Anlaß geben, ſieht er ſich genötigt, den Orden zu
reformieren und in ſeiner erſten Reinheit herzuſtellen. Er 25
läßt eine griechiſche Sklavin wegbringen, um welche ſich zwei
wichtige Ritter ſtreiten und ihre beiden Zungen in ihr Intereſſe
ziehen. Er verbietet die Glücksſpiele, die Pracht in Kleidern
und die Gelage, und bringt durch dieſe Reformen die Ritter
gegen ſich auf, die ſein Betragen willkürlich und tyranniſch 30
finden und behaupten, daß jetzt keine Zeit ſei, ſie einzuſchränken,
daß der Krieg und die Gefahr die Freiheit begünſtige[2]).

---

[1]) Das Stück fängt damit an, zu zeigen, daß die Ritter alles
andre als idealiſtiſche Perſonen und kriegeriſche Mönche ſind. Nur
der Buchſtabe der Regel iſt ſichtbar. Der Großmeiſter muß den 35
Orden erſt erſchaffen.

[2]) Altersſtufen.

15. junger Ritter ₀15

9.

La Valette ist ein schöner menschlicher Charakter und ist in den Fall gesetzt, das Unerträgliche zu tun.

La Valette ist die Seele der Handlung, er muß immer
handelnd erscheinen, auch da wo er nicht handelt, nicht mit
Absicht wirkt, wirkt sein Charakter; besonders aber muß das
Resultat des Ganzen, die Rückkehr der Ritter zu ihrer Pflicht,
und zwar zum höchsten und schönsten Geiste derselben, sein
Verdienst, das Werk seiner hohen Tugend und Weisheit sein.
. Er erscheint den eingenommenen Rittern, aber niemals
den Zuschauern hart, willkürlich, ungerecht; seiner Tapferkeit,
Klugheit, Uneigennützigkeit lassen sie volle Gerechtigkeit wider=
fahren. Es muß also etwas geschehen, was ihnen jenes Vor=
urteil vollkommen benimmt. Zugleich müssen sie die Folgen
ihrer Widersetzlichkeit schädlich empfinden, und durch irgend
etwas von ihrem Unrecht überzeugt werden. Ferner werden
sie durch ein Beispiel von Gehorsam und Mut, welches andere
schwächere Ritter geben, beschämt, ihr Ordenssinn wird rege.

Unter andern hält Ademar den Großmeister für seinen
Feind, und in dieser Voraussetzung beurteilt er das ganze
Verfahren desselben. Er ist stolz und auf seine Vorzüge höchst
eifersüchtig, und will seinem Feind nicht nachgeben. Sobald
er also einen entscheidenden Beweis von dem Gegenteil erhält,
fällt der ganze Grund seiner Widersetzlichkeit.

Es sind zwei verschiedne Handlungen, 1. die Liebe und

18.	S. Priest	$_0$18
23	Crequi	$_0$23
25.	Lascaris	$_0$25
30.	Mendoza $_0$⎰	30
37.	Biron ⎱	
45.	Ademar	$_0$40
50	La Valette	$_0$50
50.	Montalto	$_0$50
60.	Chor	60
65	Castriot	65
75.	Sklav	75
80.	Senior der Ritter	80.

Rivalität zweier Ritter und ihrer Zungen (Sittenverderben) und 2. die Angelegenheiten von Elmo.

— Herodia oder Montalto vereinigt beide in eine, nämlich den Aufstand gegen den Großmeister. Ademar und Biron werden versöhnt und beide ins Interesse der Elmoischen Ritter 5 gezogen. Dies ist am Ende des zweiten Akts.

Der Großmeister hat keinen andern Vertrauten nötig als den Chor.

Der Chor wird von den Aufrührern mit Trotz und Geringschätzung behandelt. Sie verhehlen ihm ihre schlimmen 10 Gesinnungen nicht, er weiß die Gefahr und sieht das Schlimmste kommen, aber ohne es verhindern zu können.

Es häufen sich speziöse Scheingründe gegen La Valette.

1. Eine Privatfehde mit einem der Kommandeure.

2. Seine lange Indulgenz und plötzliche Reform. 15

3. Der Umstand, daß unter den Elmoischen Rittern viele sind, die ihm zur Last gefallen, daß viele aus einer ihm feindlich gesinnten Zunge sind (Auvergne und France).

4. Daß er unter spanischem Einfluß zu stehen scheint.

5. Daß er gern den Despoten spiele. 20

Was für Anträge kann der Muselmann tun, die den Rittern eine Aufmerksamkeit zu verdienen scheinen?

Es kann von Auswechselung eines gefangenen Ritters die Rede sein.

Die Türken versprechen den Elmoischen Rittern einen 25 freien Abzug.

Indem La Valette die Reinigkeit des Ordens wiederher= stellen will, kommt die ganze Degeneration desselben zur Sprache. Reichtümer, Spiel, Luxus, Weiber usw., Abwesenheit, Courmachen an fremden Höfen, Schuldenmachen, Impietäten. 30 Er bringt als Hauptargument, daß der Orden seinem Unter= gang nahe sei, weil er von innen heraus sich selbst überlebt habe.

Einwürfe der Ritter, und ihre Argumente für eine laxe Observanz.

Wann, erwidert er ihnen, wann wurde das Unmögliche 35 geleistet? Da man blind gehorchte, da man ganz dem Orden ergeben war usw.

La Valette muß den Rittern hart und willkürlich er=

scheinen, so gerechtfertigt er vor dem Zuschauer dasteht; dieses falsche Urteil darf sich nicht bloß auf ein leicht zu hebendes Mißverständnis gründen, sondern es muß in der Natur der Umstände tiefer liegen, man muß nicht absehen können, wie
5 es zu rektifizieren ist. Aber aus eben dieser Notwendigkeit der Dinge muß auch zuletzt seine vollkommene Rechtfertigung und sein Sieg hervorgehen.

10.

Der Inhalt dieser Tragödie ist das Gesetz und die Pflicht
10 im Konflikt mit an sich edeln Gefühlen, so daß der Widerstand verzeihlich, ja liebenswürdig, die Aufgabe hart und unerträglich erscheint. Diese Härte kann nur ins Erhabene aufgelöst werden, welches, freiwillig und mit Neigung ausgeübt, das höchste Liebenswürdige ausmacht. — La Valette mag also im
15 Laufe der Handlung hart erscheinen, zuletzt wird er durch den Zusammenhang seiner Natur ganz legitimiert. Die Tugend, welche in dem Stücke gelehrt wird, ist nicht die allgemein menschliche oder das reine Moralische, sondern die zum Moralischen hinaufgeläuterte spezifische Ordenstugend[1]).
20   Die Aufgabe wäre also die Verwandlung einer strengen pflichtmäßigen Aufopferung in eine freiwillige, mit Liebe und Begeisterung vollführte. Es ist also eine Stimmung hervorzubringen, welche dieser Empfindungsart Raum gibt, der Großmeister muß der Urheber davon sein und zwar durch
25 seinen Charakter und dadurch, daß er selbst ein solcher ist.
    Eine moralische Festigkeit bei aller Fühlbarkeit, und bei allen Anlässen dieser die Oberhand zu verschaffen und jene zu erschüttern ist der Inhalt.
    Die Existenz des Moralischen kann nur durch die Totali-
30 tät bewiesen werden[2]), und ist nur durch diese schön und das

---

[1]) Behauptung der Ordenstugend gegen die Natur selbst.

Das Unmögliche muß geschehen, aller Kalkul menschlicher Kräfte muß aufgehoben werden, die Tapferkeit der Ritter muß absolut und unbedingt erscheinen. Darum ist nötig, daß das äußerste Werk wie
35 das innerste mit der Totalität verteidigt werde, es muß nur mit der letzten Kraft fallen.

[2]) Sorge des Großmeisters für die Leidenden und Bedürftigen. Er hat seine Augen überall.

Höchſte. In Begleitung jener Feſtigkeit ſind alſo Zartheit,
lebhafte Beweglichkeit, Wohlwollen, Mäßigung, Weichheit, Milde,
kurz alle ſchöne menſchliche Tugenden. Ihre Verbindung
macht den Großmeiſter zu einem liebenswürdigen und wahr=
haft großen Menſchen.

Auch muß Gelegenheit gegeben werden, ſeine Verſtandes=
klarheit, ſeine Penetration und Klugheit zu zeigen, die ihn
allen überlegen macht[1]).

Vollkommen faßliche Expoſition der Notwendigkeit ſeines
harten Verfahrens[2]). Das Schickſal der Inſel, ja des Ordens
ſelbſt, iſt gefährdet, wenn wegen Elmo nachgegeben wird; der
Orden muß an den Orden gewagt werden.

Zweimal kommen die Deputierten von Elmo, aber in der
Art muß ſehr variiert werden. Das erſtemal läßt ſich der
Großmeiſter noch nicht mit ganzem Nachdruck heraus; aber
fragt ſich nun, wenn er dies das zweitemal tut, wie iſt noch
eine Widerſetzung möglich? Bloß durch die Gewalt der
Paſſionen.

11.

La Valette ſouteniert mit Feſtigkeit ein hartes aber not=
wendiges und heiliges Geſetz gegen den ganzen empörten
Orden, führt ihn zur Pflichtmäßigkeit zurück, und vereinigt
ihn in einem religiöſen und heroiſchen Enthuſiasmus, der ein
Unterpfand des Sieges und der Unüberwindlichkeit iſt.

Er hat alle äußere und innere Hinderniſſe zu be=
kämpfen und ſiegt über alle durch ſeine hohe Tugend; ſein
eigenes Herz muß er ſchweigen heißen, den Schein der fühl=
loſeſten Grauſamkeit muß er bei ſeinem weichen Herzen er=
tragen, der Leidenſchaft einer wütenden Menge, dem Trotz der
Mächtigen, dem Ungeſtüm einer zügelloſen Jugend, der Bos=
heit der Kabale, dem tobenden Widerſpruch der Maſſe muß er

---

[1]) Sein Verſtand zeigt ſich beſonders in der glücklichen Wahl
einfacher und entſcheidender Mittel, in der leichten Auflöſung des
Verwickelten, in der Durchſchauung des Verſteckten.

[2]) Er iſt 47 Jahre, nicht älter. S Prieſt iſt 20. Ademar iſt 42.
Biron iſt 38. Montalto iſt 50. Ripperda iſt 60. Crequi iſt 24.
Der junge iſt 17. Lascaris iſt 26.

die Spitze bieten. Es ist aber nicht damit getan, daß er fest
bleibt; er muß Ursache sein, daß seine Ritter umgestimmt
werden, daß sie an seine hohe reine Tugend glauben, daß sie
ihr Unrecht fühlen und einsehen, daß sie von der Halsstarrigkeit,
5 von der weltlichen, ordenswidrigen Gesinnung zur Nachgiebigkeit,
zur Geschmeidigkeit und zu einer heroischen Begeisterung über=
gehen. Es müssen sich als Folge seines Betragens und der Umstände im Verlaufe des Stücks die wahren Ordensritter erzeugen.

La Valette ist ein Vater seines Ordens; dieses Prädikat
10 verdient er sich in allen Teilen. Was ein Vater für seine
Kinder, tut er für seine Ritter, und überall, wo eine positive
Pflicht es ihm nicht verbietet, zeigt er sich sorgsam, gütig,
nachsichtig, väterlich, selbst gegen die Bösen. Seine Auftritte
mit den verschiedensten Charakteren, mit dem bösen Ritter,
15 mit dem stolzen, mit dem kindlichen, mit dem heftigen.
Väterlich redet er dem Verräter ins Gewissen, und erst wenn
alles unnütz ist, läßt er den Gesetzen den Lauf.

Weil la Valette nicht sich selbst, sondern andere aufopfert,
so könnte sein Heroismus zweifelhaft werden. Es ist also
20 nötig zu zeigen, wie viel schwerer es ihm wird, andre als
sich selbst aufzuopfern[1]).

Die Liebe der zwei Ritter zueinander muß alle Symptome
der Geschlechtsliebe haben, und sie muß eben durch diesen ihren
Charakter auf die Haupthandlung einfließen[2]). Doch ist nur
25 einer der Liebhaber der handelnde; der jüngere und geliebte
verhält sich leidend. Aber der Liebhaber handelt mit einer
blinden Passion, die ganze Welt um sich her vergessend und
geht bis zum Kriminellen. Er will den vermeintlichen Tyrannen,
den Großmeister, ermorden, er ist ein blindes Werkzeug in
30 Montaltos Hand.

La Valette hat zu kämpfen mit allen menschlichen Leiden=
schaften
        a) mit der Weiberliebe (die zwei Ritter und die Gefangene),

---

[1]) Er wagt einmal sein Leben, bloß um einen einzigen Ritter
35 zu retten.

[2]) Crequi bittet in einem der ersten Akte den Großmeister, daß
er ihn statt seines Geliebten nach S. Elmo schicken möchte Jener
verweigert es und nun hört Crequi bloß seine Leidenschaft.

b) mit der Knabenliebe (die zwei Freunde),

c) mit der Vaterliebe (er selbst und S. Priest),

d) mit der allgemeinen Menschenliebe (sein Mitleid mit den aufzuopfernden Rittern),

e) mit der versteckten Bosheit eines Verräters, die er 5 konfondieren muß,

f) mit der Insubordination, der weltlichen Ge=sinnung, der Nationaleifersucht seiner Ritter.

La Valette fühlt die harte Notwendigkeit, strafen zu müssen. Er versucht vorher alles andre, und wenn es un= 10 vermeidlich ist, so tut er es mit der anständigsten Schonung. Er unterscheidet Tücke von Leidenschaft, er stößt den Verräter als ein brandiges Glied ab, obgleich mit Schmerz, daß ein Ritter von S. Johann sich so tief entehrte; aber den heftigen Crequi bringt er zur Erkenntnis. 15

Die innere Begebenheit im Orden droht, ihn der äußern Gefahr zum Raub werden zu lassen. Aber sie löst sich durch die Seelengröße, Weisheit und Rechtschaffenheit des Chefs also auf, daß der Orden gestärkt, mächtig und unüberwindlich daraus hervorgeht und des Sieges über die äußern Feinde 20 gewiß ist. Diese Begebenheit dient also dazu, die Möglichkeit, ja die Unfehlbarkeit des Siegs, den der Orden in dieser Be= lagerung behaupten wird, zu verbürgen. Der Kampf geht eigentlich erst an, wenn das Stück aus ist, aber da die Kraft des Ordens als unbedingt und unendlich da steht, so ist er 25 für den Zuschauer so gut als entschieden. Ein großes Opfer, der Tod einer auserlesenen Schar, erkauft ihn; ebenso war der Persische Krieg so gut als geendigt durch den Tod des Leonidas

12.

Keiner steht im Mittelpunkt des Ganzen, und die allen= falls das Vermögen dazu hätten, wie Ademar, sind durch 30 Passion geblendet.

In einer entscheidenden Szene zwischen Ademar und dem Großmeister führt dieser letztere den ersten vor den Abgrund hin, worin Ademar das Ganze zu stürzen im Begriff war. Er erschüttert ihn durch den Augenschein, er greift ihm ge= 35 waltig ans Herz. Ademar wird in den Standpunkt eines

Fürsten gestellt, wo er fähig ist zu stehen, und wovon nur
die Leidenschaft ihn entfernt hatte. Er kann ihm die Ver=
räterei des Montalto und die Vorteile des Feindes, welche
dieser aus der Mutinerie zu ernten hofft, entdecken. Zu diesem
5 Beweise ist er durch seine große Klugheit und Penetration
gelangt — er hat es als Menschenkenner erforscht und die
schuldige Seele in dem Betragen des Verräters gelesen.

Hier sieht er nun sein eignes Benehmen in seiner wahren
Gestalt, die Privatrücksicht weicht dem Interesse des Ganzen,
10 er muß als Fürst sein Betragen als Ritter verwerflich und
verdammungswert finden. Aber eben diese Fähigkeit einer
fürstlichen Ansicht macht ihn auch geschickt, sich fürstlich wieder
zurechtzufinden.

Verhältnis des Großmeisters zu Biron. Ist dieser der
15 Ausschweifende, und wie wird er zurückgeführt?

Es muß vollkommen einleuchten, warum La Valette den
Orden gerade jetzt reformieren will. Ad extra wirkt schon
das Argument der Religion, daß sie sich von ihren Sünden
reinigen müssen, um auf die göttliche Hilfe Anspruch machen
20 zu können. Die Religion ist aber bei La Valette nur die
Sprache und die Formel zu einer höheren und hellern Weis=
heit. Er reformiert den Orden, um den idealistischen Sinn
und die Exaltation möglich zu machen, welche jetzt so not=
wendig sind, das Außerordentliche zu leisten. Auch um die
25 innere Spaltung des Ordens zu heben, um die Eintracht und
Gehorsam hervorzubringen, hält er für dringend notwendig,
alle Ursache des Streits und der Widersetzlichkeit zu entfernen.

Die Ritter werden zur Erkenntnis gebracht.

1. Durch La Valettes Entschluß, sich selbst mit den Schwachen ins
30   Fort zu werfen.
2. Durch die entdeckte Verräterei des Montalto.
3. Durch La Valettes letzten Willen.
4. Durch die Aufopferung seines Sohns.
5. Durch Mirandas Entschluß.
35 6. Durch Castriots Bericht.

    { Romegas zum Großmeister ernannt.
    { Biron durch Miranda beschämt.
    { Crequi, durch seinen Freund beschämt.
    { St. Priest, durch Worte begeistert, Montalto konfondiert.

13.

1.

Ein Gefecht zwiſchen zwei Rivals und zwei Zungen. Ripperda kommt dazu, trennt die fechtenden, erfährt die Ur= ſache des Streits, ſchilt ſie und ſchildert die jetzige Gefahr des Ordens. Hoffnung, welche ihm die Ritter entgegenſetzen. Siziliens Beiſtand.

2.

La Valette kommt mit Mendoza und raubt ihnen die auf Sizilien geſetzte Hoffnung[1]). Botſchaft des Mendoza. Der Orden iſt auf ſich ſelbſt reduziert. S. Elmo ſoll be= hauptet werden.

3.

Eine Geſandtſchaft. Abgeſandter von S. Elmo. Unhaltbarkeit dieſes Forts. Vorſtellungen der Beſatzung. La Valette gibt eine abſchlägige Antwort. Proteſtation einiger Ritter. Seine heroiſche Erklärung.

4.

Unzufriedenheit der Ritter. Montaltos ſchlimme In= ſinuationen.

5.

Der Chor tritt auf[2]), und ſchildert die Macht der Otto= manen, die Verfaſſung des Ordens, und den Vorzug der Chriſten vor den Türken.

6.

La Valette und Ripperda, der ihm den Streit der zwei Rivals erzählt. Notwendigkeit, den Orden zu reformieren. Auch der Chor ſtimmt bei. La Valettes Denkart. Er muß jetzt rigoriſtiſch handeln.

7.

Vorige. Beide Rivals beklagen ſich darüber, daß ihnen die Griechin entriſſen worden. Valette erinnert ſie an das Gelübde der Keuſchheit[3]). Gründe der Ritter, warum ſie In=

---

[1]) Murren des Ordens, über den König von Spanien.
[2]) Das Mittelländiſche Meer, der Seekrieg.
[3]) Auch von dem Bruch der andern Gelübde iſt die Rede, von der Habſucht und Üppigkeit der Ritter.

dulgenz verlangen. Chor mischt sich darein. La Valette
wiederholt seinen Befehl.

8.

Die beiden Rivals, über den Großmeister aufgebracht,
5 haben jetzt ein gemeinschaftliches Interesse.

9.

Mantalto kommt zu ihnen, stiftet zwischen beiden eine
Versöhnung, um dem Großmeister zu widerstehen.

10.

10 Neuer Verlust auf S. Elmo. Neue Gesandtschaft der
dortigen Ritter. Lebhaftere Bewegung im Orden. Unwille
über den Großmeister.

Chor spricht von den Ordensgelübben und der ersten,
reinen Verfassung des Ordens.

11.

15 La Valette, unterrichtet von den Bewegungen im Orden,
kommt heraus, als Gebieter sprechend. La Valette sendet den
Casriot nach S. Elmo.

12.

20 La Valette warnt den Montalto, der sehr frech ist.

13.

La Valette erhält von einem jüngern Ritter Nachricht
von der Verschwörung.

14.

25 La Valette. Neue Deputierte von S. Elmo. Die auf=
rührerischen Ritter. Er will das Gesetz geltend machen, man
bezeugt sich ungehorsam, die Meuterei bricht aus. La Valette
geht ab.

15.

30 Der Chor ermahnt die Ritter zur Einigkeit und zum Ge=
horsam. Beispiele aus der eigenen Geschichte des Ordens usw.
Ihm wird von den Empörern geantwortet.

16.

La Valette kommt mit den alten Rittern, erklärt sich,
35 daß er sich selbst mit diesen in das Fort S. Elmo werfen

wolle. Erſtaunen der übrigen. Er macht ſein Teſtament und gibt dem Ademar ſeine Stimme zum Großmeiſtertum.

17.

Es kommt Nachricht von der Flucht und Verräterei des Montalto.

Schrecken und Scham der Ritter, welche abgehen.

18.

La Valette.

IV. Dritter Entwurf.

14.

Momente der Handlung.

1. Streit um die Griechin, Rivalität der Zungen, Zwieſpalt im Orden und aufgehobene Diſziplin.
2. Die Belagerung.
3. Miranda als exoteriſche Figur.
4. Verhältnis mit Sizilien und Spanien.
5. Statiſtik der Inſel, des Hafens, der Forts, der Burg.
6. Das Geſetz und die Aufgabe.
7. Der Chriſtenſklav.
8. Der Liebhaber des S. Prieſt.
9. St. Prieſt.
10. Der Seemann Romegas.
11. Die geiſtlichen Ritter als Chor.
12. Geſchichte des Ordens.
13. Der Tempelorden.
14. Die Reforme.
15. Der Herrſcher.
16. Der Orden als Mönch= und Rittertum.
17. Das Gelübde.
18. Montalto der Verräter.
19. Biron.
20. Geſoderte Konnivenz gegen die Weiberliebe.
21. Die Knabenliebe.
22. Koalition der Parteien und Verſchwörung.
23. Der Meiſter und der kindliche Ritter.
24. Der Chor als ohnmächtig dargeſtellt und ſich anbietend.
25. La Valette als Ordensvater.

26. La Valette als S. Priests Vater.
27. Die Deputationen aus Elmo.
28. Castriot der Ingenieur.
29. Lascaris.
[1]) Das Schicksal des Tempelordens wird berührt. Wetteifer beider Gesellschaften.

Perioden des Ordens.

1. Das Hospital zu Jerusalem. Bloße Charité, Pflege.
2. Die Edelleute treten dazu, besiegt von der Schönheit dieser christlichen Pflicht. Gerard.
3. Der ritterliche Geist regt sich in diesen Edelleuten, sie ergreifen das Schwert wieder. Raimund Dupuy.
4. Regel, Kleidung, Ordenskreuz, Gelübde.
5. Zulauf, Schenkungen, Reichtümer, Macht.
6. Rivalität mit dem Tempelorden. Tapfere Taten. Kampf für die Christenheit. Belagerung von Accon.
   Ende der Herrschaft in Palästina.
7. Übergang auf das Meer.
8. Rhodus. Souveränität. Höhe des Ordens.
9. Fall der Templiers. Reichtum und Ausartung des Ordens. Villaret.
10. Belagerung von Rhodus und Abzug, Isle-Adam.
11. Verpflanzung nach Malta, nach großen Schwierigkeiten.
12. Aktueller Zustand des Ordens.

15.

Es sind mehrere sehr verschiedene Handlungen und Ver=
hältnisse zu einer Hauptwirkung zu verbinden; wie ist es
einzurichten, daß sie nicht nur mit= und nebeneinander bestehen
können, und wie müssen sie ineinander verflochten sein, um
den Zweck des Ganzen zu befördern?

a.

1. Die Uneinigkeit der Ritter und der Zungen unter sich.
2. Die eingerissene offenbare Lizenz. Der Streit um ein
   Weibsbild.

---

[1]) Vorangeschickt
   Darstellung des heiligen Landes der Erlösung.
   Mahomedaner und Druck der Christen. Wallfahrten.
   Kreuzzüge. —
   Eroberung des Heiligen Landes. —

3. La Valette entschließt sich, die Sitten zu reformieren, und verdirbt es dadurch mit allen Zungen. Er erscheint will= kürlich und die Ritter vereinigen sich miteinander, ihre Freiheit gegen ihn zu verfechten.

NB. Der Zusammenhang dieser Sittenreform mit der Elmoischen Angelegenheit, als der besondern Handlung des Stücks ist zu zeigen. Er besteht darin, daß der Großmeister durch beide den Orden gegen sich aufbringt, und als ein Tyrann erscheint, indem er nur das Gesetz des Ordens gegen weltliche Rücksicht behauptet. Ohne jene Sittenreform hätte er nur eine Partei, nicht den ganzen Orden wider sich ge= reizt, und diese Partei hätte sich nicht so viel gegen ihn herausgenommen, wenn sie nicht an denen mächtigen Rittern, welche durch die Sittenreform beleidigt worden, Stützen ge= funden hätte.

b.

Die Aufopferung eines Teils der Ritter in dem un= haltbaren Fort von S. Elmo. Sie ist notwendig zur Er= haltung des Ganzen, scheint aber hart, tyrannisch und grausam.

c.

Es kostet dem Großmeister unendlich viel, so brave Ritter anzuopfern, nicht bloß weil er ein zärtlicher Vater aller seiner Ritter ist, sondern weil er auch seinen eigenen Sohn zugleich mit aufopfern muß, was man aber erst in der Folge erfährt.

16.

Ein Hauptbedenken ist, daß die eigentliche Handlung der Tragödie etwas Abwesendes betrifft, daß gerade diejenigen Ritter, welche nicht in Funktion sind, den Inhalt derselben ausmachen. Beide Handlungen werden zu einer

1. durch die persönliche Erscheinung der Deputierten von S. Elmo,

2. dadurch, daß die Ritter von Borgo die Sache des ganzen Ordens machen.

Es würde also erforderlich sein, die Ritter auf Borgo in handelnde Personen zu verwandeln, ihre Identität mit denen auf S. Elmo darzutun, und was in diesem Fort geschieht,

mittelbar, also mit dem, was gesehen wird, zu verflechten,
daß es damit eins und dasselbe ist. Es ist zu wenig, wenn
nur der Anteil überhaupt, den die Ritter auf Borgo an dem
Schicksal derer zu Elmo nehmen, den Stoff der tragischen
5 Handlung hergibt.

Dazu kommt noch, daß eins von diesen beiden erfolgen
muß — Entweder werden die Ritter zu Borgo die Haupt=
personen, und dann würde das ganze Verhandeln mit denen
auf Elmo zur Nebensache, was doch seiner Natur nach die
10 Hauptsache ist, oder es bleibt Hauptsache, und dann entsteht
das Unschickliche, daß die eigentlichen Helden des Stücks die
sind, die man nicht sieht, und diejenigen, welche in Person
erscheinen, nicht das Hauptinteresse anregen.

Kurz: ist die Handlung eine solche, an welcher der ganze
15 Orden Teil hat, so verliert die Elmoische, welche partikular ist,
an der tragischen Wichtigkeit; ist dies aber das tragische Thema,
so haben die Ritter auf Borgo nicht das Hauptinteresse, und
die Handlung verliert von ihrer Einheit dadurch, daß eine
partikulare und eine allgemeine zusammen verbunden sind.

20 Ferner, sind die Ritter auf Borgo nur die Vorfechter
derer von Elmo, so paßt das Mittel nicht recht, wodurch
La Valette die letztern beschämt, es paßt wohl auf die ab=
wesenden, aber nicht auf die zu Borgo, und diesen steht es
nicht an, auf fremde Unkosten heroisch zu handeln. Es wäre
25 denn, daß die auf Borgo sich selbst anböten, Elmo zu ver=
teidigen.

Indem La Valette sich selbst mit den alten Rittern zum
Opfer hingibt, werden die Deputierten aus Elmo und alle
übrigen, welche sich widersetzt, mit Recht beschämt, und alle
30 drängen sich nun zu dem Opfer. Jene von Elmo können
neue Deputierte schicken.

Ein alter christlicher Sklave wird von den Türken geschickt;
man führt ihn mit verbundenen Augen ein — diesem trägt
La Valette an, zu bleiben. Er ist aber so sehr überzeugt, daß
35 die Insel unhaltbar sei, daß er lieber in sein Elend und in
seine Knechtschaft zurückgeht. Dies ereignet sich gleich am
Anfang der Handlung und dient zur Exposition der ver=
zweifelten Lage.

Die griechische Gefangene, um die der Streit entsteht, wird bei Aufziehung des Vorhangs gesehen, aber sie ist bloß eine stumme Person.

Das große Desiderat ist ein entscheidender Akt des Groß= meisters, wodurch er die Ritter ganz herumbringt — Sie werden überzeugt, daß La Valette gut ist und nur das Gute will, daß sie durch ihren Widerstand viel Böses anzurichten im Begriffe waren, dies ist ein Akt der höchsten Unparteilich= keit, Güte und Aufopferung für das Wohl des Ordens.

Ist es vielleicht gut, daß er seinen Sohn hingibt mit 10 Freiheit, und vor der Meuterei — daß diese Handlung von ihm die Ritter besiegt? Widerlegt dadurch den Vorwurf, daß er die Ritter nicht gleich behandle.

Oder besteht jener Akt darin, daß er ihnen die schreckliche Gefahr zu fühlen gibt, in welche sie den Orden gesetzt haben? 15 Beides wirkt zusammen.

Szene mit seinem Sohn; dies ist eben der junge Ritter, der ihm die Bewegungen der Aufrührer verrät.

17.

Zwei Aufgaben sind noch zu lösen. 20

1. Der würdigste und treffendste Gebrauch von dem Motiv der Liebe der beiden jungen Ritter in seinem ganzen Umfang[1]).

2. Ein handelndes Motiv, wodurch La Valette die Em= pörung dämpft und unter den Rittern rein, groß und gerecht= 25 fertigt dasteht. Es muß so beschaffen sein, daß es ihn auf einmal von dem Verdacht der Willkür, Härte, Parteilichkeit befreit und seine väterliche Gesinnung für den Orden, Gerechtig= keit, Güte und hohe Tugend versichtbart, zugleich einen Ordens= enthusiasmus entflammt und die Gemüter zu einer begeisterungs= 30 vollen Nachfolge hinreißt.

Die Ritter müssen mit einer schmerzlichen Selbstverdam= nung gewahr werden, daß sie sich an dem gütigsten Vater

---

[1]) Die Männerliebe ist in dem Stück das vollgültige Surrogat der Weiberliebe und ersetzt sie für den poetischen Zweck in allen 35 Teilen, ja sie übersteigt noch die Wirkung.

5*

und einem schon blutenden Herzen vergangen haben. Er
muß zugleich ein Gegenstand ihres zerfließenden Mitleids und
ihrer erstaunensvollen Bewunderung sein, und die Scham,
das Gefühl ihrer begangenen Verletzung, ihrer Schuld muß
5 ihr Herz zerreißen.

Der Pivot des ganzen Stücks ist, daß La Valette durch
das strenge Gesetz, das er durchsetzt, selbst am schmerzlichsten
leidet, daß er seinen Sohn hingibt. Aber in diesen zerreißenden
Schmerz des Vaters mischt sich zugleich ein herrliches Freuden=
10 gefühl an der heroischen Gesinnung des Jünglings, der wie
ein Engel trefflich und edel sich zu dem Opfer schmückt.

La Valette hat sich dem Jüngling bisher nicht als Vater
zu erkennen gegeben, und auch durch keine väterliche Partei=
lichkeit ihn unterschieden. Seine Regierung war überhaupt
15 väterlich gegen alle Ritter, besonders gegen die jüngern, und
die allgemeine Zuneigung zu S. Priest, welcher sich vor allen
Rittern seines Alters auszeichnete, verbarg die Ursache des
besondern Interesses, das er für diesen liebenswürdigen Jüng=
ling zeigte. Nur der Chor mußte oder erfährt im Stücke
20 früher als der übrige Orden das Geheimnis[2]).

S. Priest ist im Anfang der Handlung noch auf S. Elmo,
und es ist bloß die Rede von ihm. Crequis Leidenschaft be=
zeichnet ihn.

Im Verlaufe des Stücks aber kommt er selbst nach
25 Borgo mit andern Deputierten; man hatte ihn vorzüglich mit
erwählt, um durch den Anblick des liebenswürdigen Jünglings
La Valette desto eher zum Nachgeben zu bewegen. (Er selbst
denkt aber ganz anders als seine Kommittenten, und er vertraut
dem La Valette, daß er keineswegs zurückberufen zu sein
30 wünsche.)

Seine persönliche Erscheinung, welche im höchsten Grade
vorbereitet sein muß, ist für zwei Personen, für seinen Vater
und für seinen Liebhaber von der höchsten Bedeutung und

---

[2]) Dem Chor als einer geistlichen Person, der die Kirche vor=
35 stellt, kann er das Geheimnis unter dem Siegel der Beichte vertraut
haben. Er spielt einmal darauf an, wenn er seine Indulgenz gegen
die Liebe entschuldigt; du weißt es, sagt er zu dem Chor, daß auch
mich in den Zeiten der raschen Jugend die Leidenschaft besiegte.

führt zwei ganz verschiedne aber hochpathetische Situationen
herbei. Der Liebhaber darf seine Zärtlichkeit laut zeigen, ob=
gleich sie verdächtig scheinen könnte; der Vater muß seine
rechtmäßige und natürliche Empfindung zurückhalten. (Er kann
deswegen dem Crequi nicht gram sein, daß er sich gegen ihn 5
selbst, den Großmeister, vergißt, denn er tut es aus Liebe
zu demselben Gegenstand, der auch dem La Valette das
Teuerste ist.)

Es ist schön, daß unter allen widerspenstigen Rittern
La Valettes Sohn gerade allein pflichtmäßig bleibt, und daß 10
er seinem Vater, den er nicht kennt, mit kindlich offenem
Vertrauen und naiver Ehrfurcht begegnet. Nachher, wie
S. Priest in dem Großmeister seinen Vater erfährt, wird sein
Benehmen gegen ihn in nichts geändert, außer daß es noch
respektvoller wird, aber sein Heroismus steigt zu einer be= 15
wundernswürdigen Höhe, und er hat eine Ungeduld, sich dem
Gesetz zu opfern.

Die aufrührerischen Ritter, die schon durch Montaltos
entdeckte Verräterei und La Valettes mächtige Worte zer=
knirscht sind, erfahren nun das ganze Geheimnis von dem 20
Chor und überraschen den Großmeister in dem Tête a tête mit
seinem Sohn, eben wie es die höchste Bewegung erreicht hat.

Indem sie gerührt seiner Weisheit und Tugend Gerechtig=
keit widerfahren lassen, verlangen sie, daß S. Priest von
S. Elmo zurückbleibe, und jeder andre will für ihn hinüber= 25
gehen. Edler Wettstreit. Aber La Valette will keine Aus=
nahme, keine Parteilichkeit, und da der Orden ihn zwingen
will, setzt der junge S. Priest sich heroisch dagegen. Die zwei
Freunde.

Man hat dem La Valette gesucht eine schlimme Meinung 30
von der Liebe der zwei Ritter beizubringen, er hat sie aber
gegen diesen niedrigen Argwohn verteidigt, und nun recht=
fertigen sie wirklich durch einen herrlichen Heroismus seine
günstige Meinung von ihrem Verhältnis. Ihre Liebe ist von
der reinsten Schönheit, aber doch ist es nötig, ihr den sinn= 35
lichen Charakter nicht zu nehmen, wodurch sie an der Natur
befestiget wird. Es darf und muß gefühlt werden, daß es eine
Übertragung der Geschlechtsliebe, ein Surrogat derselben und

eine Wirkung des Naturtriebes ist aber in seiner höchsten und
reinsten Bedeutung, so wie er die Bedingung alles Lebens und
alles Schaffens und alles accomplissement ist. S. Priest heißt
der schöne Ritter und seine Schönheit gibt ihm gleichsam die
5 Qualität eines Mädchens, er flößt einigen gemeinen Naturen
entweder Begierden oder doch eine böse Vermutung ein.
Montalto hat sich umsonst um den Jüngling beworben; der
Chor gehört zu denen, welche Schlimmes vermuten.

18.

10 Die Malteser. Eine Tragödie.

La Valette, der Großmeister	Graff.
Romegas, der Admiral	Cordemann.
Biron, sein Nebenbuhler	Heide.
Montalto, der Verräter	Becker.
15 Crequi ⎱ Ritter die sich lieben	Oels.
S. Priest ⎰	Jagemann.
Castriot, der Ingenieur.	
Ramiro, Wortführer von S. Elmo	Benda.
Miranda, Botschafter aus Sizilien	Ehlers.
20 Der Renegat	Genast.
Alter Christensklave, der türkische Dolmetscher	Malcolmi.
Lascaris, der griechische Überläufer	Unzelmann.
Chor, Die geistlichen Ritter	Heide, Brandt, Eilenstein, Genast.
Die alten Ritter ⎫	
25 Türkischer Herold ⎬ als stumme Personen.	
Irene ⎭	

Die Szene ist eine große, offene Halle.

Biron ist zu charakterisieren und von Romegas zu unter=
scheiden. Dieser ist stolz und gewalttätig, imperiös und
30 eifersüchtig. Biron ist ausschweifend, ein Verschwender und
Spieler. Er will Freiheit, jener will Vorzüge.

Irene.

Crequi ist der hitzigste.

¹)Romegas und Biron streiten um eine gefangene

---

35   ¹) Gleich an der Spitze steht ein Faktum der zerstörten Disziplin,

Griechin. Biron hat sie im Besitz, Romegas will sich ihrer bemächtigen. Jeder wird von seiner Zunge soutenniert, die Parteien verstärken sich, Degen werden gezogen, verworrenes Geschrei; zu Boden mit den Provenzalen, nieder mit den Kastiliern! 5

I.

Im heftigsten Gemeng hört man die Töne, die den Chor ankündigen.

Er kommt alsbald selbst auf die Bühne[1]), aus 16 geist= 10 lichen Rittern bestehend, in ihrer langen Ordenstracht. Er bildet zwei Reihen, die sich auf beiden Seiten des Theaters stellen und so die übrigen umgeben.

Der Chor schilt die Ritter, daß sie sich selbst besehden in diesem Augenblick, da Malta von dem Feind der Christen umzingelt sei. 15

Die zwei streitenden Parteien wollen den Chor zu ihrem Schiedsrichter wählen, und tragen ihre Sache vor. Romegas beruft sich auf das Recht des Kriegs, er habe die Schöne auf der See erbeutet, Biron beruft sich auf die Neigung der Schönen. Der Streit erneuert sich. 20

---

des Zungenhasses, der Gewalttätigkeit, der Unkeuschheit.

Der Orden wird von der türkischen Belagerung zu einer Zeit überrascht, wo alle weltlichen Laster des Säkulums darin im Schwange gehen.

Liebe. 25
Luxus.
Insubordination.
Frivolität.
Spiel und Wetten.

[1]) Chor tritt auf mit einer animierten sinnlich mächtigen 30 Schilderung des umzingelten Malta, des drohenden Mondes, des bedeckten Meers, der angstvoll engen Einschließung, das Meer schäumt vom Schlag der Ruderknechte, die ganze mahomedanische Rotte hat sich um die Brustwehr der christlichen Welt gesammelt.

Der Croissant und das Kreuz, der immer wachsend sich füllende 35 Mond, mit unendlichen Schiffen die Gestade hallen, ein Wald von Masten, das Meer ist mit Schiffen gedielt und gezimmert, fester Boden, ausgegossene Feinde, wühlende Minierer, streifende Spahis, anstürmende Janitscharen.

Chor weist beide ab; in diesem schrecklichen Augenblick sei ·an Privatstreitigkeiten, und vollends von so strafbarer Natur, nicht zu denken.

Die zwei Ritter sprechen mit Verachtung von der Gefahr 5 und verspotten die Zaghaftigkeit des Chors, der den halben Mond noch nie gesehen; sie aber seien oft dagewesen und fürchten die Türken nicht.

Chor verbreitet sich über die furchtbare Macht des Feindes, Zahl ihrer Schiffe, ihrer Anführer, er nennt ihre Namen, be= 10 zeichnet sie mit kurzen Prädikaten und erweckt ein furcht= erregendes Bild von ihrer Übermacht.

Ritter zeigen die Hülfsmittel des Ordens, Zahl der Zungen, der Ritter, der Soldaten, Festigkeit der Werke, Tapferkeit des Ordens, Genie des Großmeisters.

15 Chor erwähnt des bedenklichen Zustandes von S. Elmo.

Ritter zählen auf die nahe Ankunft der sizilianischen Flotte. Interesse des Vizekönigs von Sizilien, daß Malta nicht in feindliche Hände falle.

Chor wirft ein Wort hin von der Unsicherheit der Hoff= 20 nungen, die man auf andre baue und von der Unzuverlässig= keit spanischer Versprechungen.

II.

La Valette kommt mit Miranda, dem spanischen Bot= schafter aus Sizilien. Er kündigt den Rittern an, daß sie 25 nicht mehr auf spanische Hilfe hoffen, nicht mehr nach Sizilien hinübersehen sollen. Der Orden sei ganz allein auf sich selbst reduziert. Er läßt den Miranda seine Botschaft wiederholen, deren Inhalt ist, daß der Vizekönig seine Flotten nicht wagen wolle, wenn S. Elmo, das den Hafen beherrsche, in den 30 Händen der Türken sei.

Allgemeiner Unwille der Ritter über die spanische Eigen= nützigkeit und treulose Politik bricht aus.

Miranda, als ein loyaler Chevalier, bittet, bleiben zu dürfen und an der Verteidigung von Malta Teil zu nehmen.

35 ## III.

Montalto bringt einen alten Christensklaven, dem die Augen verbunden sind; ihn sendet Mustapha an den Groß=

meister, unter dem Vorwand, zu unterhandeln, eigentlich aber, um die Kommunikation mit einem Verräter zu eröffnen. La Valette will nichts von Unterhandlungen hören, zwischen den Rittern und den Ungläubigen dürfe nie ein Vertrag statt=finden. Er droht, den Christensklaven und jeden künftigen 5 Herold töten zu lassen. Christensklave klagt über sein hartes Los, man trägt ihm an, ob er bleiben wolle; er zieht vor, in seine harte Gefangenschaft zurückzugehen, weil er überzeugt ist, daß Malta doch fallen werde[1]).

IV.

10

Eine Deputation der Elmoischen Ritter erklärt die Un=haltbarkeit des Forts und bittet daraus abgeführt zu werden. Der hoffnungslose Zustand des Forts wird einleuchtend ge=macht; aber la Valette besteht darauf, daß es behauptet werde[2]).

Nachdrückliche Remonstrationen der andern Ritter zu= 15 gunsten der Elmoischen. La Valette bedauert die letztern, bleibt aber unerbittlich.

Die Gründe der Ritter sind realistisch; er setzt ihnen aber idealistische entgegen[3]), fodert Gehorsam und geht ab mit den ältern Rittern.

20

V.

[4])Die Elmoische Deputierte bleiben mit dem jüngern Teil der Ritter zurück, und nehmen von diesen einen ewigen Abschied, sagend, daß der Großmeister sie zum Tode bestimme. Unwille der jungen Ritter, besonders Crequis, der um das 25 Leben seines Geliebten besorgt ist. Er fragt mit leidenschaft=lichem Interesse nach diesem jungen Chevalier, freut sich über seine heroische Tapferkeit, aber zittert bei seiner Gefahr[5]).

---

[1]) Eh' er abgeht, läßt er eine Warnung vor Verrätern fallen.
[2]) Romegas ist jetzt noch auf La Valettes Seite. 30
[3]) Crequi fleht um Erlaubnis, nach S. Elmo gehen zu dürfen. Es wird ihm abgeschlagen.
[4]) Montalto. Ramiro. Crequi.
      Biron. Romegas. Miranda.
[5]) Die Elmoischen Ritter gehen ab. Vorher aber könnte La 35 Valette, der sich seines Sohnes wegen ängstigt, noch eine Unterredung mit ihnen haben, bei welcher Crequi zugegen ist.

Montalto, der von Begleitung des Christensklaven zurückkommt, findet die Ritter sehr aufgebracht über den Großmeister,
stimmt in ihren Ton ein, erbittert sie noch mehr, indem er
böse Winke über die Parteilichkeit, Härte und Willkürlichkeit
5 des Großmeisters hinwirft.

VI.

Chor solus spricht von dem strengen Beruf des Ordens.
Lage von Malta, Charakter dieser Insel und Charakter
des Ordens. Dessen Stellung gegen die ganze christliche Welt
10 und gegen die Türken.

Geschichte des Ordens in fünf Hauptperioden bis zu
seiner Niederlassung auf Malta[1]).

VII.

[2])La Valette kommt zu dem Chor und gießt gegen den-
15 selben seinen Kummer aus, den er über Spaniens eigennützige
Politik, über die harte Notwendigkeit und über die Widersetzlichkeit des Ordens empfindet[3]).

Chor tadelt seine Indulgenz gegen die Ausschweifungen
der Ritter und schildert die Verderbnisse im Orden, des heutigen
20 Streits über die Griechin gedenkend.

----

[1]) 1. Unkriegerischer Anfang.
    christliche Charité.
  2. Edelleute treten dazu und ergreifen das Schwert.
  3. Rivalität mit dem Tempelorden.
25   4. Palästina geht verloren, Ritter gehen aufs Meer.
  5. Wohlstand und Macht des Ordens führt sie ins Säkulum
    zurück und Laster reißen ein, Stolz, Schwelgerei und Pracht
[2]) Crequi und der Großmeister. Die Rede ist von S. Priest.
Crequis bewegliche Bitten und La Valettes gütiges aber standhaftes
30 Betragen.
[3]) Er bittet den Chor, für ihn zu beten, daß er Stärke genug
haben möge, auf dem Notwendigen zu beharren.
Sie widersetzen sich mir, sagt er, und wissen nicht, daß ich weit
mehr mit meinem eignen Herzen, als mit ihnen zu kämpfen habe.
35 Darf er dem Chor entdecken und wann, daß sein eigener Sohn
sich auf S. Elmo befinde. Er braucht ihn aber nicht gleich näher
zu bezeichnen.

La Valette geſteht ſeinen Fehler und enſchuldigt ſich wegen
der Notwendigkeit — doch erklärt er, daß er jetzt ernſtlich an
die Reform des Ordens gehen wolle, und mit Wegſchaffung
der griechiſchen Gefangenen bereits den Anfang gemacht habe.
Chor lobt ihn deswegen.   5
La Valette läßt merken, daß noch ſchlimmere Laſter als
die angeführten im Orden ſich eingeſchlichen. Er hat eine
Spur von Verräterei.

VIII.

Romegas und Biron kommen und beklagen ſich heftig   10
über Wegführung der Griechin. La Valette dringt auf die
Diſziplin. Sie ſetzen ihm die lange Obſervanz, das Geſetz
der Natur, die Freiheiten des kriegeriſchen Lebens entgegen
und fodern Indulgenz. Er erinnert ſie an ihre Gelübde, hält
ihnen eine ſtrenge Strafpredigt über die Verletzung derſelben   15
in allen Teilen, erklärt ſeinen Entſchluß, zu reformieren. Sie
erhitzen ſich, er ſpricht als Herr und Superior mit ihnen und
geht ab.

IX.

Beide ſuspendieren nun ihre Eiferſucht und Privatſtreitig= 20
keiten, um ſich gegen den Großmeiſter, den ſie einer willkür=
lichen Herrſchaft beſchuldigen, zu vereinigen[1]). Nur unſere
Trennung, ſagt Biron, macht ihn ſo mächtig; erſt laßt uns
die Freiheit des Ordens gegen den Tyrannen behaupten, und
dann wollen wir wieder von unſern Privathändeln reden[2]).   25

X.

Indem nun die zwei Kommandeurs auf dieſem Weg gegen
den Großmeiſter in Harniſch gebracht werden, hat es ſich
auf S. Elmo zunehmend verſchlimmert, und die Beharrlich=

---

[1]) Crequi kann ſeines Geliebten wegen nicht ruhig ſein.   30
[2]) Unterdeſſen muß ſich etwas ereignet haben, das den Abzug
der Elmoiſchen Ritter dringender und die Beharrlichkeit des Groß=
meiſters verhaßter macht. Das Ravelin iſt erobert, viele Ritter ſind
tot oder verwundet, die Verzweiflung hat ſich aller bemeiſtert. Es
kommen mehr Umſtände zuſammen, die ein gehäſſiges Licht über 35
ihn verbreiten.

keit des Großmeisters, dieses Fort zu behaupten, wird für die grausamste Härte gehalten[1]).

Ein schwerverwundeter Ritter wird herübergebracht, der die Gemüter zum Unwillen aufreizt, er geht ab, um sich in die Kirche bringen zu lassen. Eine neue Gesandtschaft von S. Elmo begleitet ihn, mit einem nachdrücklichen Auftrag der dortigen Besatzung, daß sie entweder abgeführt sein oder in einem Ausfall umkommen wolle.

XI.

Unter dieser Gesandtschaft ist S. Priest, Crequis Liebling und der Günstling (oder Anverwandte) des Großmeisters. — Sein Ansehen, hofft man, werde den Großmeister eher zur Einwilligung vermögen. Crequi tritt mit ihm auf, voll Leidenschaft, entschlossen, sich von dem Geliebten nicht loszureißen. — Seine schwärmerische Freundschaft führt ihn weit über die Grenzen der dem Großmeister schuldigen Ehrfurcht hinaus, er fodert leidenschaftlich alle Ritter auf, sich dem Großmeister zu widersetzen. Montalto schürt durch boshafte Verhetzungen dieses Feuer noch mehr an, und da er auch den Biron und Romegas in die Faktion zieht, so verbindet er den ganzen Orden in ein furchtbares Bündnis gegen seinen Chef. Die Stimme des Chors, der ihn zur Pflicht zurückführen will,

---

[1]) La Valette weigert sich, die neuen Deputierten von Elmo vor sich kommen zu lassen. Die wahre Ursache dieser Weigerung ist, daß er sich nicht Festigkeit genug zutraut, seinen Sohn zu sehen, von dem er sich im Herzen mit großem Kampf schon geschieden hat. Seine Weigerung erscheint hart und grausam, ob sie gleich eine Wirkung seiner Weichheit, seines Gefühls ist. Aber dem Zuschauer darf es ahnden, daß hier etwas anderes im Spiel ist; und indem der ganze Orden sich über seine Unempfindlichkeit entrüstet, fühlt der Zuschauer, daß der Großmeister nur zu tief und zu heftig bewegt ist, und wieviel ihn diese Weigerung kostet. Je mehr sich alles für den herrlichen Jüngling interessiert, weil seine Tapferkeit seiner Schönheit gleich ist, desto auffallender und gehässiger ist die Weigerung des Großmeisters, ihn zu sehen.

Eben diese Weigerung bringt die Ritter so weit, daß sie dem Großmeister sich in pleno widersetzen wollen.

wird von dem gesamten Haufen der Ritter als ohnmächtig verspottet.

XII.

Chor ist wieder allein und verbreitet sich in seinem Ge= sang über die Gelübde des Ordens, die eingerißnen Verderb= nisse usw. — Fall des Tempelordens.

XIII.

La Valette redet dem Montalto ins Gewissen, und läßt merken, daß er um seine Verräterei wisse. Dieser bleibt ver= stockt, antwortet trotzig, und glaubt in der Güte des Groß= meisters nur die Furcht und die Ohnmacht zu sehen.

XIV.

S. Priest kommt und entdeckt mit kindlicher Aufrichtig= keit dem Großmeister alle aufrührerischen Verhandlungen und Verabredungen des Ordens. La Valette lobt die Loyauté des Jünglings, gibt ihm väterliche Lehren, und erteilt ihm die nötigen Aufträge. Der Jüngling geht mit kindlicher Ehr= furcht und Bewunderung von seinem Meister.

XV.

La Valette wendet sich in seiner Bedrängnis an den Chor, der, obgleich unkriegerisch und ohnmächtig, sich ihm bereit= willig anbietet.

Miranda kommt sich anzubieten.

XVI.

Der ganze Orden kommt in pleno, das Gesuch der Elmoischen Ritter erst mit Vorstellungen, dann durch Auto= rität zu unterstützen. La Valette bleibt fest und will das Gesetz geltend machen. — Jetzt werden die Ritter kühn und sprechen als Empörer. Sie wollen, daß er den türkischen Herold anhöre, er erklärt ihnen, daß er ihn habe enthaupten lassen.

La Valette läßt sie reden, ohne ihnen gleich zu ant= worten; wenn aber gesagt worden, daß der Großmeister den Orden durch seinen Eigensinn zum Untergang führe, so hält er sich nicht länger. Der Orden, sagt er, sei untergegangen,

jetzt in diesem Augenblick sei er nicht mehr. Nicht die Macht
der Muselmänner, sondern die Insubordination hat ihn zerstört usw. Er heißt die Ritter seine Befehle erwarten und
entfernt sich mit dem Chor.

XVII.

Sein und des Chors Verschwinden, seine letzte mächtige
Rede, und die Reflexion über das, was sie getan, deconcertirt
die Ritter. Sie werden unter sich uneins, es gibt zwei Par-
teien, einige meinen, man müsse dem Großmeister gehorchen.
Indem sie noch zweifelhaft und bestürzt dastehen, wird
Montalto mitten unter den Rittern als Verräter arretiert.

Biron und Ramiro für   ⎫
                               ⎬ den Großmeister.
Romegas und Crequi wider   ⎭

Sie geraten in das höchste Erstaunen und wollen, da
Montalto Schutz bei ihnen sucht, gegen die Tyrannei des Großmeisters aufbrausen, als sie erfahren, daß er den Orden an
den Feind verraten habe. Der junge Ritter ist's, der diese
Kommission ausführt. Jetzt fangen ihnen die Augen an, über
ihr Unrecht aufzugehen.

XVII.

Miranda kommt gewaffnet. Ritter fragen wozu, er antwortet nicht. Castriot kommt, Ritter wollen von ihm wissen,
wie er die Werke zu Elmo gefunden, er erklärt sich nicht: es
kommen die ganz alten Ritter in weißen Haaren, es kommen
die ganz jungen Ritter, die noch halb Knaben sind und alle
sind bewaffnet; endlich kommt der Chor in seiner geistlichen
Tracht mit Speeren bewaffnet; alle schweigen, und das Erstaunen der Empörer wächst mit jeder neuen Erscheinung.

XVIII.

Zuletzt kommt La Valette auch gewaffnet und gibt den
Aufschluß über alles. Er läßt den Castriot zuerst Bericht
abstatten und wie derselbe erklärt, daß das Fort sich mög-
licherweise noch eine Zeitlang halten könne, so fragt er die
jungen Ritter, dann die ganz alten Ritter, endlich den Chor
und zuletzt den Miranda, ob sie die Verteidigung des Forts
unter seiner Anführung übernehmen wollen. Ein Teil nach

dem andern antwortet mit Ja, und nun bewilligt er den
Elmoischen den Abzug. Ein tiefes Stillschweigen herrscht, so=
lange er spricht. Er heißt nun alle Aufrührer abtreten und
befiehlt dem Romegas, zu bleiben.

XIX.

Jetzt hält er diesem den Spiegel über sein Betragen vor.
Zuerst spricht er als ein Abscheidender von seinem letzten
Willen und erklärt, daß er ihn, den Romegas, zum Nach=
folger bestimmt und ihm die Vota aller alten Kommandeurs
im voraus verschafft habe. Nur Romegas, der den Orden
ins Verderben gestürzt, sei imstande, ihn zu retten. Jetzt aber,
da sich Romegas als Chef ansehen muß, läßt er ihn das Ver=
derbliche seines bisherigen Betragens aus dem höhern Stand=
punkt ansehen, daß Romegas sich selbst darüber entsetzt, und
ergriffen von Scham, hingerissen von La Valettes Großmut,
sich vor ihm demütigt und ihm Abbitte tut.

XX.

[1]) Die aufrührerischen Ritter kommen in flehendem Auf=
zug, La Valette um Verzeihung ihres Fehlers und um die
Verteidigung von Elmo zu bitten. Er läßt sich nicht gleich
erweichen, bis er ganz entschiedene Proben ihrer Reue hat und
bis ihre Sinnesänderung vollkommen ist.

19.

8. La Valette zum Chor. Klagt über den Verfall des Ordens,
über die Spanier und über seine harte Pflicht.
* 9. Romegas und Biron klagen über Entführung der Sklavin.
10. Die streitenden Ritter coalescieren gegen den Großmeister.
* 11. Der verwundete Ritter.
12. Die neue Deputation. La Valette will sie nicht sehen.
* 13. S. Priest und Crequi.
* 14. Koalition des ganzen Ordens gegen den Großmeister durch
Montaltos Verhetzung.
15. Chor.   14.
* 16. La Valette und Montalto.

---

[1]) Die Elmoischen Abgesandten kommen von ihren Kommittenten
zurück. Sie bringen La Valettes Sohn mit.

* 17. La Valette. S. Priest.
* 18. Chor bietet sich an.
** 19. Der Orden will den Großmeister zwingen. Dieser ab.
  20. Perplexität der Ritter.
** 21. Montalto als Verbrecher gebracht. 11.
  22.

20.
A.

1. **Romegas und Biron.** Streit um das Mädchen, Zungen legen sich darein. Bürgerkrieg im Orden.
2. Chor kommt, die Einschließung der Insel und die drohende Gefahr verkündigend — schilt die Ritter, daß sie sich selbst befehden in diesem Augenblick — Mut und Vertrauen der Ritter — Furcht des Chors — Gehoffter Entsatz von Sizilien.
3. La Valette und Miranda. Vereitelte Hoffnung des Entsatzes. Notwendigkeit, das Fort S. Elmo bis auf den letzten Mann zu behaupten. Unwille der Ritter gegen Spanien. Loyauté des Miranda.
4. Der alte Christensklav.
5. Die Elmoische Gesandtschaft. Schlechter Zustand der Werke und Bitte der Besatzung. La Valette besteht auf der Verteidigung, obgleich die Ritter schmerzlich bedauernd. Noch ist Hoffnung, daß Elmo sich halten könne.
6. Die Elmoischen Deputierten klagen bitter darüber, daß man sie hingegeben habe. Erstes Murren gegen den Großmeister und Montaltos böse Insinuationen.
7. Crequi kommt in großer Bewegung, sich nach seinem Geliebten zu erkundigen, der auf S. Elmo mitkämpft. Ramiro sagt ihm, daß S. Priest einen ewigen Abschied von ihm nehme. Crequis heftiger Schmerz und Entrüstung über den Großmeister. Montaltos böser Einfluß.
8. Der Chor allein.

B.

9. La Valette und Castriot. Er erkundigt sich sehr angelegentlich, ob das Fort haltbar. Er kommt mit beküm-

mertem Herzen und schüttet es gegen den Chor aus. Ihn drückt Spaniens Treulosigkeit, die harte Notwendigkeit, seine Ritter aufzuopfern, und die Insubordination im Orden. Chor wirft ihm, mit Ehrerbietung, seine Indulgenz vor. Er verteidigt sich, sagt aber, daß er 5 andere Maßregeln zu ergreifen angefangen. Läßt einen Wink von Verräterei fallen.

10. La Valette, Biron, Romegas. Sie klagen über Wegführung der Griechin, sodern Indulgenz. La Valette zeigt ihnen den Gebieter. 10

11. Biron. Romegas. Chor. Die zwei Ritter versöhnen sich, um gegen den Großmeister zu agieren.

12. Crequi. Biron. Romegas.

13. Montalto, die Vorigen. Er meldet eine neue Deputation an von Elmo. Crequi eilt ihr entgegen. 15

14. Crequi und S. Priest. Szene des Liebhabers mit dem Geliebten.

15. Freude des ganzen Ordens an dem schönen tapfern Ritter.

16. La Valette will die Gesandtschaft nicht vor sich lassen 20 und hat sich eingeschlossen. Wut der Ritter und Ausbruch der Verschwörung[1]). Chors Stimme wird nicht gehört.

17. Chor solus.

C. 25

18. La Valette. Chor. Bitte des Chor[2]).

19. La Valette. Montalto[3]).

20. La Valette. S. Priest.

21. La Valette. Die Aufrührer.

22. Vorige ohne La Valette. 30

23. Montaltas Verräterei entdeckt sich[4]).

24. S. Priest kommt begeistert, und nimmt von Crequi Abschied.

---

[1]) Romegas stellt sich an die Spitze. Montaltos Tätigkeit.
[2]) Castriot. 35
[3]) Miranda. Enthauptung des Renegaten.
[4]) Er wird zur Strafe bloß verstoßen.

25. La Valette erscheint wieder und findet die Ritter von Reue gebeugt. Er will nebst seinem Sohn Elmo ver= teidigen, er schickt die Ritter hinweg.

26. La Valette und Romegas.

27. Die reuenden Ritter wollen alle statt S. Priest nach) Elmo. Hohe Begeisterung des Jünglings. Sein Ab= schied von La Valette — von Crequi — dessen Schmerz und Verzweiflung.

D.

28. Chor solus.

29. La Valette will hinüber, Flehen der Ritter, daß er bleibe.

30. Ungewisses Schicksal von der Belagerung.

31. Crequis Flucht nach Elmo.

32. Der halbe Mond flattert oben.

33. Lascaris Erscheinung.

34. La Valette unter seinen Rittern.

21.

Die Frage ist:

1. Können beide Motive, La Valettes Selbstaufopferung und die Hingebung seines Sohnes, zusammen gebraucht werden?

2. Wenn das Hauptmoment, wie billig, darin liegt, daß La Valette seinem strengen Gesetz selbst das größte Opfer in seinem Sohn bringt, und daß die Ritter dadurch überwältigt werden, kann alsdann noch die Hauptszene mit Romegas noch) stattfinden und wie kann sie auf eine so entscheidende Situation als die zwischen La Valette und seinem Sohn war, folgen? Sie fällt weg, wenn La Valette nicht mehr entschlossen ist, selbst nach Elmo zu gehen.

Alles kommt hier auf die Folge der Situationen an. Diese sind folgende:

1. Die zweite Gesandtschaft von S. Elmo, bei welcher sich S. Priest befindet, zeigt die Unmöglichkeit, Elmo zu be= haupten und erklärt den Entschluß der dortigen Ritter, daß sie abgelöst sein oder in einem Ausfall sterben wollen. Der ganze Orden, oder doch eine entscheidende Majorität, ist auf

ihrer Seite, nachdem sich die rivalen Zungen gegen den
Großmeister vereinigt haben. Man will diesen zwingen,
und Romegas steht an der Spitze der Verschwörung. Crequi
und Montalto haben sich, jeder auf seine Weise, dabei ge=
schäftig gezeigt, und der Chor hat seine schwache Stimme ver= 5
geblich erhoben.

2. Indem das von den Rittern bereitet wird, verfolgt
La Valette die entdeckte Spur von Montaltos Verrat und
nimmt dagegen seine Maßregeln. Zugleich hört er Castriots
Rapport über den Zustand der Elmoischen Werke und über= 10
zeugt sich von der Unhaltbarkeit des Forts, zugleich aber doch
von der Möglichkeit, den Fall desselben durch eine tapfere
Verteidigung teils zu verspäten, teils es desto teurer zu
verkaufen.

Unter den Elmoischen Abgesandten ist ein Volontär, 15
diesem stellt La Valette frei, in Borgo zu bleiben, er will
aber das Schicksal seiner Brüder teilen.

Es hat etwas Unschickliches, daß Männer und zwar be=
jahrte Männer von reifem Geist und Charakter, unter der
Zucht stehen und von ihrer Konduite Rechenschaft geben 20
sollen — Auch releviert es Romegas — Diese Unschicklich=
keit aber ist ein mönchischer Zug und muß deswegen fühlbar
gemacht werden.

Der Streit um die Griechin, die Rivalität der zwei
Ritter und ihrer Zungen muß noch eine engere Verbindung 25
mit der Haupthandlung haben, als bloß diese: die Insub=
ordination und verfallene Zucht darzustellen, und die Unzu=
zufriedenheit gegen den Großmeister zu vermehren.

Auch ist Biron noch nicht beschäftigt genug im Stück,
und sein Charakter noch unbestimmt. Er muß zur Totalität 30
notwendig sein: und wodurch ist er's? Kommt er von S. Elmo?
Und wenn das ist, warum ist er nicht mit den andern Depu=
tierten dahin zurück? Kommt er nicht von S. Elmo, warum
führt er eben jetzt den Raub aus und wo kommt er hin?
Auf alles das ist zu antworten. 35

Die Ausgelassenheit der Sitten ist zugleich als eine Folge
des Kriegszustandes vorzustellen. Es ist wie beim Erdbeben,
die wilde Natur ist in Freiheit gesetzt, die Augenblicke sind

6*

kostbar, sie müssen genossen werden. „Wer weiß, ob wir
morgen noch sind, so laßt uns heute noch leben." — Auch
weil die Verteidigungsanstalten alle Aufmerksamkeit auf das
Äußere richten, so meinen die Ritter, daß man ihnen in ihrem
5 Innern nachzusehen habe. Ferner fühlen sie ihre Wichtigkeit,
man braucht jetzt tapfere Leute und muß ihnen schon etwas
nachsehen. Endlich fodern sie eine gewisse Lizenz als Ent=
schädigung, und als ein Erweckungsmittel des Muts.

22.

10 Es ist ein Grund anzugeben, warum Crequi sich nicht
auf demselben Posten befindet. Er kann bei Gelegenheit der
ersten Deputation von S. Elmo sich von La Valette aus=
bitten, dahingehen zu dürfen; es wird ihm abgeschlagen; oder
er kann bitten, daß St. Priest abgelöst werde, wogegen sich
15 die übrigen setzen; indessen wird dadurch S. Priests erwähnt.
Nachher, wenn La Valette weggegangen, erkundigt sich Crequi
bei den Elmoischen Deputierten sehr leidenschaftlich nach seinem
Geliebten.

Crequi ist eine heftig passionierte Natur, die in ihrem
20 Gegenstand ganz lebt, ihn mit der ganzen Gewalt der Natur
umfaßt und keine Grenzen, kein Maß kennt. Besser, wenn
er ein Italiener wäre oder auch ein heißblütiger Sizilier.
Seine Leidenschaft ist wahre Geschlechtsliebe und macht sich
durch eine kleinliche zärtliche Sorge, durch wütende Eifersucht,
25 durch sinnliche Anbetung der Gestalt, durch andere sinnliche
Symptome kenntlich. Auch die Geringschätzung, welche er
gegen Weiber — und Weiberliebe bei Gelegenheit der Griechin
zeigt, und der Vergleich, den er damit zum Vorteil seines
Geliebten anstellt, gibt den Geist seiner Liebe zu erkennen.
30 Seine Eifersucht erstreckt sich selbst auf La Valette, den er
beschuldigt, daß er den Saint Priest aus Rache aufopfern
wolle, weil er von ihm verschmäht worden. Wenn er sich
von Ramiro erzählen läßt, wie es Saint Priest ergehe und
dieser leidenschaftlich von ihm spricht, so erwacht seine Eifer=
35 sucht auch gegen diesen. Er beneidet die Elmoischen Depu=
tierten, weil sein Geliebter dort ist. S. Priest ist ein jugend=
licher Rinaldo, seine Schönheit ist mit furchtbarer Tapferkeit

gepaart, er übertrifft alle andern Ritter an Mut so wie an
Schönheit. Er ist eine Geißel der Türken, und immer voran,
obgleich man ihn zu schonen suchte; aber es ist, als ob eine
Wache von Engeln ihn umgäbe, oder ob sein Anblick magisch
wirkte, denn mitten in Tod und Gefahr ist er unverletzt und   5
sein Anblick entwaffnet den Feind, man weiß nicht, ob durch
die Schönheit seiner Gestalt oder durch die Furchtbarkeit seines
Muts.

Der alte Christensklav warnt den Großmeister vor
Verrätern, seine Worte, welche nicht deutlich genug sind,   10
scheinen unbemerkt zu bleiben, aber La Valette hat sie wohl
gehört.

Nachher kommt ein Renegat, wieder mit Vorschlägen,
obgleich La Valette alle Verhandlungen abgebrochen. Dieses
fällt ihm auf, er erinnert sich des Wortes, das der Sklav von   15
Verrat hatte fallen lassen und fällt auf den Gedanken, daß
diese Sendung nur ein Vorwand sein könne, um eine Kom=
munikation mit dem Feind zu eröffnen. Er befiehlt, den
Renegaten zu enthaupten, man findet Briefe bei ihm an
Montalto, die alles ans Licht bringen. Auf Montalto hat   20
La Valette schon von selbst Verdacht geworfen, aber sich nie=
manden entdeckt und ihn bloß still bewacht.

Die Türken haben einige Ritter zu Gefangenen gemacht
(Edle Tat des Ritters   , der den Feinden einen falschen
Rapport macht und sein Leben darüber verliert.) Der Vor=   25
wand der Sendung ist die Losgebung der Gefangenen, der
übrige Orden, der einmal gegen den Großmeister aufgebracht
ist, findet es hart, daß er die Ritter nicht auslösen wolle
und will ihn dazu nötigen. Seine Antwort ist die Enthaup=
tung des Herolds, wodurch alle Verhandlungen abgeschnitten   30
werden.

Der Zufall oder vielmehr eine von dem Großmeister nicht
abhängende Ordnung hat gerade diese Ritter und keine andre
zur Verteidigung S. Elmos bestellt. So kam sein Sohn
darunter, den er bei voller Freiheit wohl nicht auf den Todes=   35
posten gestellt haben würde; dies wenigstens muß dem Urteil
frei anheimgestellt bleiben. Nun, da der Posten so gefährlich
worden, ist der Jüngling einmal da und La Valette kann ihn

ohne eine Parteilichkeit nicht zurücknehmen. Dieses alles spricht sich aus, ehe man noch weiß, daß es sein Sohn ist. Allenfalls kann er durch gewisse besorgte ängstliche Erkundigungen nach dem Befinden der dortigen Ritter ein näheres Interesse
5 an einzelnen verraten.

V. Beginn der Ausarbeitung.

23.

Es muß klar sein im Augenblick:
1. Daß der eine Ritter die Sklavin des andern wegführt.
10 2. Der Spanier beruft sich auf die Eroberung.
3. Der Franzose auf die Neigung der Schönen.
4. Der Spanier zeigt den Seemann.
5. Der Franzose den tapfern Verteidiger einer Festung.
6. Der Spanier will etwas voraus haben, nicht bloß der
15 Verlust, die Kühnheit und Beleidigung reizt ihn.
7. Der Franzose läßt jenem seine Ansprüche nicht gelten und wisse, daß ich sie für mein erkläre!
8. Die Zungen nehmen schnellen Anteil, der Streit freut sie, sie ergreifen mit Begierde den Anlaß, miteinander
20 anzubinden. Steh fest, wir stehn zu dir! Auf den Kastilier! frisch!
9. Jede Zunge hält brüderlich zusammen.
10. Die Franzosen vertragen die spanische Anmaßung nicht.
11. Die Spanier dünken sich Herren der Welt, sie
25 12. Romegas fodert Respekt vor seiner Person und Rang.
13. Auch die Eifersucht und Leidenschaft des Spaniers stellt sich dar. Er leidet nicht, daß Biron mit ihr redet, sie anrührt.
14. Einer ist vornehmer als der andre. Der Franzose ist
30 nur ein simpler Kommentur, der Spanier hat eine hohe Würde und fodert schon deswegen Respekt und Nach= giebigkeit.
15. Die französischen Ritter sind zahlreicher.
16. Wilde kriegerische Tapferkeit ist allen gemein.
35 17. Biron ist von S. Elme herübergekommen.

18. Romegas schilt den Franzosen einen Räuber, Verführer, der seinem Posten entlaufen sei, um Mädchen zu ver= führen, zu rauben.
19. Die Zunge von Provence ist verwegner Art, sagt der Spanier.
20. Nicht heimlich, stolzer Spanier! Offenbar führ ich sie weg!
21. Verwegner Provencale! Du wagst es, das Weib zu be= rühren, das ich das meine nenne!
22. Ruhmredig ist die Zunge von Provence.
Scharfschneidend ist sie und ein schneidend Schwert.
Auch scharf ist sie wie ein geschliffnes Schwert!
Verwegner Tat erkühnst du dich
Wo der Spanier liebt, da muß der Franzose, da muß jeder andre Bewerber zurücktreten. Dem spanischen Namen gehört die Welt.

Eine offene Halle, die den Prospekt nach dem Hafen eröffnet.
Der Hospitalier raubt eine griechische Gefangene, welche Romegas verwahrt. Er wird von drei andern Rittern begleitet. Mir folge!

Romegas

Zurück   Verwegener zurück!
Die wohlerworbne Beute raubst du mir.

Hospitalier

Die Freiheit geb ich ihr. Sie wähle selbst
Den Mann, dem sie am liebsten sich ergibt.

Romegas

Des Schmeichelns Künste fragt der Eroberer nicht!
Die Schönheit ist die Beute des Tapfern.

Hospitalier

Des Weibes Neigung zwingt kein edler Mann.

Romegas

Der Reiz der Frauen ist des Sieges Preis.

Hospitalier

D

Romegas
Erobert hab ich sie mit tapferm Schwert.
Mein ist sie durch des Krieges Glück und Recht,
Auf dem Korsarenschiff gewann ich sie.

5 Hospitalier
Mein will sie heißen durch des Herzens Wahl!

Romegas
Auf dem Korsarenschiff gewann ich sie.

Hospitalier
10 Freiheit gibt der Ritter, nicht Ketten.

24.

[1]) Umrungen ist Malta, ein Gürtel von donnergeladenen Schiffen zieht sich, schnürt sich um die Insel zu.

Alle seine heidnischen Völker, die nicht ehren das Kreuz, 15 gießt das ungläubige Morgenland über diese Insel aus. Alle, die das Schlangen ernährende Afrika zeugt, die die aufgehende Sonne umwohnen, und den wachsenden Mond, den ewig sich füllenden, zum Zeichen haben.

Wie des Hagels unendliche Schloßen, wie die Flocken 20 fallen, im Wintersturm, also steigen Völker aus den donner-geladenen Schiffen aus einer Wolke von Heidenstämmen. Das Wasserreich verschwindet unter ihren Flotten, fester Boden ist die See, und das Meer, das allverbreitete, ewig offne, ist

---

[1]) Heran, heran mit
25 Entladen hat sich die Donnerwolke
Und dem Kreuz gegenüber drohend
Hängt der blutige immer wachsende Mond.
Soleiman
Mustapha. Pascha
30 Piali. Admiral
Uluzzial   ⎫
Candelissa ⎬ Mohren.
Dragut.
Hascem.

uns geschlossen. Diese Insel ist ein Gefängnis, verriegelt ist das Meer, das ewig offene.

Der Spahi tummelt sein Roß durch das Feld hin, die Casen brennen, der Janitschar belagert, der Minierer wühlt, alles ist gegen diesen einzigen Punkt gedrängt. Berg Sceberras. ₅ Lage von Elmo. Beide Häfen.

Den Orden, der ihnen vor allen gehässig ist, von Grund aus zu vertilgen, das heilige Kreuz zu zerstören, kommen sie, alle zusammen in schrecklichem Bund, eine zusammen ver= schworene Völkerflut gegen diese einzige Insel, den Sitz des ₁₀ christlichen Ritterordens, die äußerste Brustwehr der christlichen Welt[1]). Wer kann ihrer Macht widerstehen? Wie sollen wir gerettet werden? Die wenigen gegen so viele! Wenn jeder unter uns

25. ₁₅
Chor.

Aber ihr vergeßt die allgemeine Gefahr, und mit grau= samer Erbitterung schlagt ihr euch selber Wunden, und zücket das Schwert auf die Brust eurer Brüder, das ihr gegen die Ungläubigen gebrauchen solltet. Draußen um die Insel ist ₂₀ der Krieg und der Krieg ist im Innern. Seinem Untergang ist der Orden nahe und ihr wütet gegen euch selbst in rasender Zwietracht. Die Schwerter sind gezogen und nicht gegen den Feind, sondern gegen den Christen, gegen den Bruder. Ihr seid nur in sieben Zungen geteilt, nach der Zahl der christ= ₂₅ lichen Länder[2]), sieben Landsmannschaften, und doch seid ihr nicht einig. Ein allgemeiner Glaube verbindet euch), ein gleiches Zeichen des Kreuzes vereinigt euch, ein gleiches Ge= lübde usw., und doch trennt euch die eifersüchtig neidische Ehr= sucht, und ihr strebt euch zu vertilgen untereinander. ₃₀

---

[1]) Die im äußersten Mittelmeer
  Gegen der Heiden Land
  Da steht, die letzte äußerste
  Christliche Insel!
  Schanze! ₃₅
  Schanze des Kreuzes!

[2]) Nach der geheimnisvollen heiligen Zahl.

Romegas.

Höre unsern Streit und sei Richter.

Biron.

Höre mich an.

5   ### Romegas

erzählt die Eroberung des Schiffs, wo er die Griechin in seine Gewalt bekam. Die Erzählung dient dazu, eine Anschauung von dem Seekrieg der Ritter gegen die Ungläubigen zu geben, der Ritter führte einen Convoy, er griff einen 10 Algierer an, enterte ihn und befreite sechzig Christen, die Türken wurden statt ihrer zu Galeerensklaven gemacht.

Biron

erzählt nunmehr seine Ansprüche auf die Griechin, die sich auf ihre Zuneigung gründen. Seine Erzählung gibt eine 15 Idee von dem Nationalunterschied in der Art zu lieben. Eifersucht des Spaniers, Zutulichkeit des Franzosen. Darüber kam die Belagerung, Biron erhielt den Posten von S. Elmo, wodurch er von der Griechin getrennt wurde. Anlaß, der ihn herüberbrachte. Was darauf weiter erfolgt.

20   ### Chor

eifert gegen den ordenswidrigen Gegenstand des Streits noch mehr als gegen den Streit selbst. Durch dergleichen Laster sei der Zorn des Himmels gegen den Orden gereizt worden, und die weltliche Denkart der Ritter stelle sie den Ungläubigen 25 gleich. Ein Weib sollte diejenigen entzweien, die das Gelübde der Enthaltsamkeit abgelegt! —

Romegas

meint, der Orden spreche wie ein Mönch, sie aber seien Soldaten. (Seine weltliche Denkart.)

26.

Eine offene Halle, die den Prospekt nach dem Hafen eröffnet. Romegas und Biron streiten um eine griechische Gefangene; dieser hat sie gefaßt, jener will sich ihrer bemächtigen.

Romegas.

Verwegner, halt! Die Sklavin raubst du mir,
Die ich erobert und für mein erklärt.

Biron.

Die Freiheit geb ich ihr. Sie wähle selbst
Den Mann, dem sie am liebsten folgen mag.

Romegas.

Mein ist sie durch des Krieges Recht und Brauch,
Auf dem Korsarenschiff gewann ich sie.

Biron.

Den roh korsarischen Gebrauch verschmäht,
Wer freien Herzen zu gefallen weiß.

Romegas.

Der Frauen Schönheit ist der Preis des Muts.

Biron.

Der Frauen Ehre schützt des Ritters Degen.

Romegas.

Saint Elme verteidige! Dort ist dein Platz.

Biron.

Dort ist der Kampf und hier des Kampfes Lohn.

Romegas.

Wohl sichrer ist es, Weiber hier zu stehlen,
Als männlich dort dem Türken widerstehn.

Biron.

Vom heißen Kampf, der auf der Bresche glüht,
Läßt sich's gemächlich hier im Kloster reden.

Romegas.

Gehorche dem Gebietenden! Zurück!

Biron.

Auf deiner Flotte herrsche du, nicht hier!

5   **Romegas.**

Das große Kreuz auf dieser Brust verehre!

Biron.

Das kleine hier bedeckt ein großes Herz.

Romegas.

10 Ruhmredig ist die Zunge von Provence.

Biron.

Noch schärfer ist das Schwert.

Romegas.

Ritter (kommen).

15 Recht hat der Spanier — der Übermut
Des Provencalen muß gezüchtigt werden!
D

Andre Ritter

(kommen von der andern Seite).

20 Drei Klingen gegen eine!
Zu Hülf'! Zu Hülf'! Drei Klingen gegen eine!
Auf den Kastilier! Triff, wackrer Bruder.
Wir stehn zu dir! Dir hilft die ganze Zunge!

Ritter.

25 Zu Boden mit den Provencalen!

Andre Ritter.

Nieder

Mit den Hispaniern!
(Es kommen noch mehrere Ritter von beiden Seiten, in der Verwirrung
30   des Gefechts entflieht die Griechin.)

Chor tritt auf.

Er besteht aus sechzehn geistlichen Rittern in ihrer langen
Ordenstracht und bildet zwei Reihen, die sich auf beiden Seiten
des Theaters stellen und so die übrigen umgeben.

Chor.

Entladen hat sich die Donnerwolke
Heran, heran mit unendlichen Schiffen,
Und hochragender Maste Zahl
Zahllos wie die Wellen des Meers
Wie die Sterne sich streun[1])
Durch die ewigen Felder des

Um die bangende Insel her! Unter der
Schiffe Geschwadern schwindet die Wasserwelt
Und die See ist, die offenbare, allverbreitete, allhin ewig
Festgezimmerter Boden! [bewegliche,
Das Meer ist uns geschlossen,
Die allgeöffnete, Länder verbindende
Ist uns verriegelt, und dieser Inselfels
Ist ein Gefängnis.

Eine eichengezimmerte, schwimmende
Und die See die allhin verbreitete
Ewig offene schließt sich zu.

---

[1]) Die Völker unter Soleiman,

Mit den „Maltejern" beginnt das Verzeichnis der dramatischen Pläne Schillers, das der Einleitung als Fakjimile beigefügt ist. An zweiter Stelle steht der „Wallenstein", an dritter „Das Ereignis zu Verona beim Römerzug Sigismonds. Verbrechen seines Günstlings und strenge Justiz des Kaisers." Boxberger hat vermutet, daß Schiller Verona mit Siena verwechselt habe, und daß jenes Ereignis das Liebesverhältnis bezeichne, das Sigismunds Kanzler, Kaspar Schlick, im Jahre 1432 mit einer schönen Frau in Siena unterhielt. Es ist durch seine Schilderung in dem Roman des Äneas Silvius Piccolomini „Amores Euryali et Lucretiae" berühmt geworden, aber von einem Verbrechen Schlicks und einer strengen Justiz des Kaisers verlautet nichts. So müssen wir uns bescheiden, bis einmal die Anekdote, auf die Schiller anspielt, gefunden wird.

Hinter diesem ausführlichsten aller Titel in Schillers Liste steht die „Maria Stuart" und dann: „Narbonne oder die Kinder des Hauses."

Die Papiere zu diesem Thema enthalten zwei Personenverzeichnisse mit den Namen Weimarer Schauspieler. Kettner hat festgestellt, daß das erste dieser Verzeichnisse zwischen dem Januar 1799 und dem April 1800, das zweite nicht vor dem Oktober 1804 niedergeschrieben wurde. Sie deuten auf zwei Perioden der Beschäftigung mit dem Stoffe hin. Die erste von ihnen fällt mit der Vollendung des „Wallenstein" zusammen, die zweite mitten in die Arbeit am „Demetrius". Das erstemal wollte sich Schiller an einem einfacheren Sujet von der Riesenarbeit des großen dreiteiligen historischen Gemäldes erholen. Dann kehrte er zu dem bürgerlichen Stück zurück, als die ungeheure chaotische Masse der polnisch=russischen Welt vorübergehend seinen dahinsiechenden Kräften unbesiegbar erschien. Am 28. Januar 1805 schrieb er in sein Tagebuch: „An die Kinder des Hauses gegangen". Als er sich aber zum letztenmal Herr seiner Kräfte fühlte, wandte er sie von neuem dem „Demetrius" zu.

Zu diesen beiden Hauptstadien der Entstehungsgeschichte der „Kinder des Hauses" kommen zwei Vorstufen, die zeitlich den Anfängen der ersten von ihnen sehr nahe stehen dürften. Es sind die Ansätze zu zwei dramatischen Werken, die beide den Titel „Die Polizei" erhalten sollten. Am 22. März 1799 verzeichnet Goethe in seinem Tagebuch: „Nach Tische kam Hr. Hofrat Schiller. Gespräch über Tragödie und Komödie mit einem Polizeisujet."

Jenseits dieser Notiz verschwimmt das Keimen dieser eng zusammengehörigen Pläne im Dunkeln. Ihre gemeinsame Grundlage, das Interesse an großen Verbrechen und ihrer Sühne, reicht hinab in die Zeiten der „Räuber", des „Verbrechers aus verlorener Ehre", des „Geistersehers". Von 1792—1795 erschien, von Schiller eingeleitet, in Jena eine deutsche Bearbeitung der „Causes célèbres" des Pitaval, unter dem Titel, „Merkwürdige Rechtsfälle als ein Beitrag zur Geschichte der Menschheit". Schillers Vorrede (Band 19, S. 258) rühmt den Kriminalgeschichten nach: „Man erblickt hier den Menschen in den verwickeltsten Lagen, welche die ganze Erwartung spannen, und deren Auflösung der Divinationsgabe des Lesers eine angenehme Beschäftigung gibt. Das geheime Spiel der Leidenschaft entfaltet sich hier vor unsern Augen, und über die verborgenen Gänge der Intrige, über die Machinationen des geistlichen sowohl als weltlichen Betruges wird mancher Strahl der Wahrheit verbreitet. Triebfedern, welche sich im gewöhnlichen Leben dem Auge des Beobachters verstecken, treten bei solchen Anlässen, wo Leben, Freiheit und Eigentum auf dem Spiele steht, sichtbarer hervor, und so ist der Kriminalrichter imstande, tiefere Blicke in des Menschen Herz zu tun."

Der Kriminalrichter, in früherer Zeit zugleich das Haupt der Polizei, ähnelt in gewissem Sinne dem dramatischen Dichter. Beide decken geheime Zusammenhänge großer Taten der Leidenschaft auf. Gewaltige, die Kreise von Gesetz und Sitte durchbrechende Vergehen werden bis zu ihren tiefsten Wurzeln verfolgt und ge= sühnt; Szene und Tribunal vollziehen an den Schuldigen als ir= dische Vertreter der göttlichen Gerechtigkeit die verdiente Strafe.

Freilich dürfen beide Instanzen nicht gleich gewertet werden. Die Rechtsprechung kann nur menschlicher, von Zeit und Ort bedingter Satzung folgen, bleibt dem Irrtum und dem Zufall anheimgegeben, ihre Urteile vollstrecken Galgen und Schwert ohne Ansehen der Person. Das Gericht, das die Dichtung vollzieht, ist ein inneres. Sie überläßt den Schuldigen der Pein, im Untergange sühnt er, was er an den ewigen, himmlischen Mächten verbrach. Die tragische Wirkung erscheint um so reiner, je unabhängiger von aller menschlichen Satzung das Schicksal sich vollendet.

Deshalb gilt das Kriminaldrama als minderwertige Ab= art der echten Tragödie, als eine Domäne kluger, mit kleinen Mitteln niedere Leidenschaften aufreizender Theatralik. Schiller selbst hat die Gattung verhöhnt, deren Helden den Pranger und mehr wagen (s. Shakespeares Schatten Band 2, S. 149). Wir haben gesehen, daß ihn trotzdem starke Neigung zu ihr hinzog. Als er nun nach einer Fabel suchte, die so beschaffen wäre, wie der Stoff des „Königs Ödipus", des Sophokles, also nicht die Handlung vor den Augen des Zuschauers geschehen, sondern nur das Geschehene, Unabänderliche aufdecken und sühnen ließe, da geriet er in das Bereich des Kriminellen.

Zuerst versucht er, den großen Stil des „Wallenstein" auch einem solchen, ganz anders gearteten Stoffe aufzuprägen. Eine ebenso vielgestaltige, imponierende Welt soll sich vor dem Beschauer auftun: das Paris Ludwigs XIV., die Haupt= stadt der Welt. Schon am 27. November 1788 hatte Schiller an Karoline von Beulwitz geschrieben: „Wer Sinn und Lust für die große Menschenwelt hat, muß sich in diesem weiten, großen Element gefallen; wie klein und armselig sind unsre bürgerlichen und politischen Verhältnisse dagegen! Aber freilich muß man Augen haben, die an großen Übeln, die unvermeidlich mit einfließen, nicht geärgert werden. Der Mensch, wenn er vereinigt wirkt, ist immer ein großes Wesen, so klein auch die Individuen und Details ins Auge fallen. Aber eben darauf, dünkt mir, kommt es an, jedes Detail und jedes einzelne Phänomen mit diesem Rückblick auf das große Ganze, dessen Teil es ist, zu denken, oder was ebensoviel ist, mit philo= sophischem Geiste zu sehen ... Paris freilich dürfte auch dem philosophischen Beobachter vielleicht einen widrigen Eindruck geben; aber einen kleinen gewiß nie, denn auch die Ver= irrungen eines so feingebildeten Staats sind groß ... Mir, für meine kleine stille Person, erscheint die große politische Gesellschaft aus der Haselnußschale, woraus ich sie betrachte, ungefähr so, wie einer Raupe der Mensch vorkommen mag, an dem sie hinaufkriecht. Ich habe einen unendlichen Respekt für diesen großen drängenden Menschenozean, aber es ist mir auch wohl in meiner Haselnußschale. Mein Sinn, wenn ich einen dafür hätte, ist nicht geübt, nicht entwickelt, und solange mir das Bächlein Freude in meinem engen Zirkel nicht ver= siegt, so werde ich von diesem großen Ozean ein neidloser und ruhiger Bewunderer bleiben."

Es gab damals eine Schilderung dieses großen Ozeans, die den Zustand der vorkommenen Pariser Gesellschaft photo= graphisch genau darstellte: Merciers „Tableau de Paris", erschienen 1781—1789 in zwölf Bänden. Ohne den sittlichen Ernst eines Balzac oder Zola, aber mit ähnlicher dokumenta= rischer Genauigkeit, zeichnet Mercier auf, was ihm die Straßen und die Plätze, die öffentlichen Gebäude und die Höhlen des Lasters, der Tag und die Nacht zeigen. Alle Stände schildert er in ihrer Genußsucht, ihrer Gier nach Ehre und Geld, die vor keinem Verbrechen zurückschreckt und nur von der eisernen Gewalt der Polizei und der Gerichte im Zaum gehalten wird.

Aus dem „Tableau de Paris" schöpfte Schiller die genaueste Kenntnis der Großstadt, die er nie betreten hatte. Die folgenden Notizen im ersten Abschnitt der Vorarbeiten des Trauerspiels „Die Polizei" stammen von dort her:

Notizen aus Merciers „Tableau de Paris".

Abbés, Kurtisanen, Ludwigsritter, Rentiers, Mousquetaire, Advokaten, Autoren, Exempts, Lakaien, Savoyarden, Porte-faix, Fiaker, Wasserträger, Fats, Devotes, ein Duc oder Comte, Parlaments=
5 räte, Bijoutier,

Contrebandier,

Druck geheimer Schriften unter den Holzbeugen. Drucker als Holzsäger.

Feuerwerk. Unglück dabei.

10 Paris, der Frauen Paradies, der Männer Fegefeuer, Hölle der Pferde.

Mortalität zu Paris jährlich 20 000.

Schneller Volkszusammenlauf, schneller Ablauf.

Promenade zu Long=Champ.

15 Paris unterhöhlt, die Steine sind über der Erde, es steht auf Höhlen.

Aussicht vom Turm Notre=Dame.

Paris ist ein Gefängnis, es ist in der Gewalt des Monarchen, er hat hier eine Million unter seinem Schlüssel.

20 Fiacres sind numeriert. Was man darin liegen läßt, ist wieder zu bekommen.

Pontneuf. Hier lauern die Mouchards. Wer in einigen Tagen hier nicht gesehen wird, ist nicht in Paris. Hier die Statue Henri IV.

25 Unaufhörliche Verkleidungen der Polizeispione. Degen und Rabat — Ludwigskreuz — Marmiton — taciturne Gäste in den Kaffeehäusern.

Kolporteurs.

Polizeispione werden wieder durch andre beobachtet.

Escroc. Filou.

30 Das Signalement eines Menschen, den die Polizei aufsucht, ist bis zum Unverkennbaren treffend.

Haß der Sozietäten gegen die Werkzeuge der Polizei.

Bureau de sureté.

Man duldet kleine Filoux und läßt unbedeutendere Diebstähle geschehen, um den größern auf die Spur zu kommen.

Vaudeville.

Ein Reicher ist an ein Mädchen attachiert, er wünscht, daß die 5 Kinder, die sie ihm gibt, einen Namen und Rang haben möchten. Er sucht also einen armen Edelmann aus der Provinz auf, daß dieser das Mädchen heirate, wofür ihm eine Pension bezahlt wird. Dieser muß sich aber anheischig machen, seine Frau nie als einen Augenblick vor dem Altar und den vier Zeugen zu sehen, wo die 10 Trauung geschieht, sodann muß er gleich fort in die Provinz und darf seine Frau nicht wieder sehen.

Savoyarden, die Schlotfeger und Kommissionärs zu Paris, machen ein eigen Korps aus, das sich nach eignen Gesetzen selbst richtet. Sie schicken alljährlich von ihrer Ersparnis an ihre arme Familien. 15 Sie sind in ihren Bestellungen sehr treu.

Die Tagesstunden.

Früh 7.

Früh 9. Frijeurs, Limonadejung.

Früh 10. Schwarzer Zug von Justizoffizianten nach dem 20 Palais und dem Chatelet.

Früh 11—1 Agioteurs, Wechselagenten strömen nach der Börse, die Müßigen nach dem Palais royal. Das Quartier St. Honoré, wo die Financiers und Hommes en place wohnen, ist sehr besucht von Sollicitanten usw. 25

Nachmittags 2 Uhr les Dineurs en ville, aufgestutzt, ziehen auf den Fußspitzen fort, Fiacres rollen.

3. Augenblickliche Ruhe in den Straßen.

5 Uhr. Ungeheures Gewühl und Geräusch, man eilt nach den Spectacles usw. 30

7 Uhr. Wieder Ruhe, fast allgemein, die Pferde an den Kutschen stampfen den Boden. — Gefahr dieser Stunde im Herbst. Es dunkelt dann schon und die Nachtwache ist noch nicht aufgezogen.

8 Uhr. Heimziehende Handwerker.

9 Uhr. 10. Lärm hebt wieder an. Man kommt aus den 35 Spectacles. Man gibt kurze Visiten vor dem Abendessen. Stunde der Kurtisanen.

11 Uhr. Neue Stille. Souper. Die Scharwache reinigt die Straßen von den liederlichen Dirnen.

12 Uhr. Heimkehrende Gäste, die nicht spielen. 40

1 Uhr nachts kommen 6000 Bauern mit Gemüse, Früchten, Blumen nach der Halle. Hier ist niemals Stille des Nachts. Erst

7*

die Marager, dann die Poissonniers, dann Coquetiers, usw. — La
Hotte — der vielzüngige Lärm, der des Nachts hier tobt, kontrastiert
mit der allgemeinen Stille, in der noch die übrige Stadt liegt.

6 Uhr gehen die Handwerker, Taglöhner usw. an ihr Tagwerk,
5 kommen die Libertins aus den Freudenhäusern, die Spieler aus
ihren Winkeln usw.

Die Polizei besoldet Masken an den Festen, um ein Schau=
spiel der öffentlichen Freude zu geben, besonders wenn ein öffent=
liches Unglück befürchten läßt, daß das Volk von selbst sich still ver=
10 halten werde.

Für das achtzehnte Jahrhundert verkörperte sich der
Begriff einer unerbittlichen, allwissenden, die Weltstadt völlig
beherrschenden Polizei in dem Namen Marc=René d'Argensons,
des Polizeileutnants von Paris unter Ludwig XIV. In Merciers
großem Werk ist er die einzige Persönlichkeit, die mit liebe=
voller ausführlicher Charakteristik gezeichnet wird. Er war
1652 in Venedig geboren, wo sein Vater damals Frankreich
als Gesandter vertrat. Seit 1697 stand er an der Spitze
der Pariser Polizei. Die Weltstadt verdankte ihm eine Ord=
nung und eine öffentliche Sicherheit, von der man vorher
nichts gewußt hatte. Die ernste Würde, der Scharfblick und
die unermüdliche Wachsamkeit Argensons verbreiteten um ihn
den Nimbus, daß kein Verbrecher seiner Allwissenheit ent=
gehen könnte, während seine Milde gegen leichtere Über=
tretungen der Gesetze ihm die allgemeine Sympathie sicherte.
Bis 1720 waltete er, gefürchtet und bewundert, seines Amtes
und starb im folgenden Jahre. Durch die Lobrede, die ihm
Fontenelle hielt, ein Muster ihrer Gattung, lebte der Ruhm
Argensons auch in der französischen Literatur fort.

So trat das Bild dieses Mannes gleichsam selbstverständ=
lich in den Mittelpunkt des dramatischen Bildes, in dem
Schiller die Pariser Polizei als Werkzeug der unerbittlichen
Nemesis darstellen wollte. Wie Wallenstein erscheint Argenson
gestellt auf einen Herrscherplatz, unbeschränkt waltend über
einer vielgestaltigen zahllosen Masse, als Beschützer der Un=

schuld, Bändiger wilder Triebe, Verfolger und Richter jeder
Missetat. Davon gehen die weiteren Notizen Schillers zu
dem Trauerspiel „Die Polizei" aus.

Das Trauerspiel „Die Polizei".

Die Handlung wird im Audienzsaal des Polizeileutnants
eröffnet, welcher seine Kommis abhört und sich über alle
Zweige des Polizeigeschäfts und durch alle Quartiere der
großen Hauptstadt weitumfassend verbreitet. Der Zuschauer 5
wird sonach schnell mitten ins Getriebe der ungeheuren Stadt
versetzt und sieht zugleich die Räder der großen Maschine in
Bewegung. Delatoren und Kundschafter aus allen Ständen.

Die Polizei wird durch jemand aufgefordert, sich zur Ent=
deckung irgendeiner Sache in Bewegung zu setzen; der Fall 10
ist äußerst verwickelt und scheinbar unauflöslich, aber der
Polizeileutnant, nachdem er sich gewisse Data hat geben lassen,
verspricht im Vertrauen auf seine Macht einen glücklichen
Erfolg und gibt sogleich seine Aufträge.

Es ist eine ungeheure Masse von Handlung zu verarbeiten 15
und zu verhindern, daß der Zuschauer durch die Mannigfaltig=
keit der Begebenheiten und die Menge der Figuren nicht ver=
wirrt wird. Ein leitender Faden muß da sein, der sie alle
verbindet, gleichsam eine Schnur, an welche alles gereiht wird;
sie müssen entweder unter sich, oder doch durch die Aufsicht 20
der Polizei miteinander verknüpft sein, und zuletzt muß sich
alles, im Saal des Polizeileutnants, wechselseitig auflösen.

Die eigentliche Einheit ist die Polizei, die den Impuls
gibt und zuletzt die Entwicklung bringt. Sie erscheint in
ihrer eigentlichen Gestalt am Anfang und am Ende; im Laufe 25
des Stücks aber handelt sie zwar immer, aber unter der Maske
und still.

Die Offizianten und selbst der Chef der Polizei müssen
zum Teil auch als Privatpersonen und als Menschen in die
Handlung verwickelt sein. 30

Argenson hat die Menschen zu sehr von ihrer schändlichen
Seite gesehen, als daß er einen edlen Begriff von der mensch=
lichen Natur haben könnte. Er ist ungläubiger gegen das Gute
und gegen das Schlechte toleranter geworden; aber er hat

das Gefühl für das Schöne nicht verloren, und da, wo er es
unzweideutig antrifft, wird er desto lebhafter davon gerührt.
Er kommt in diesen Fall und huldigt der bewährten Tugend.
Er erscheint im Lauf des Stücks als Privatmann, wo er
5 einen ganz andern und jovialischen, gefälligen Charakter zeigt,
und sich als seiner Gesellschafter, als Mensch von Herz und
Geist Wohlwollen und Achtung erwirbt. Ja er kann trotz
seiner strengen Außenseite liebenswürdig sein, er findet wirklich ein Herz, das ihn liebt, und sein schönes Betragen erwirbt
10 ihm eine liebenswürdige Gemahlin.

Paris, als Gegenstand der Polizei, muß in seiner Allheit
erscheinen, und das Thema erschöpft werden. Ebenso muß auch
die Polizei sich ganz darstellen und alle Hauptfälle vorkommen.
Dies mit den einfachsten Mitteln zu bewerkstelligen, ist die
15 Aufgabe. Die Geschäfte der Polizei sind:

1. für die Bedürfnisse der Stadt so zu sorgen, daß das
Notwendige nie fehle und daß der Kaufmann nicht willkürliche
Preise setze. Sie muß also das Gewerbe und die Industrie
beleben, aber dem verderblichen Mißbrauch steuern.

20 2. Die öffentlichen Anstalten zur Gesundheit und Be-
quemlichkeit.

3. Die Sicherheit des Eigentums und der Personen.
Verhütend und rächend.

4. Maßregeln gegen alle die Gesellschaft störende Miß-
25 bräuche.

5. Die Beschützung der Schwachen gegen die Bosheit und
die Gewalt.

6. Wachsamkeit auf alles, was verdächtig ist.

7. Reinigung der Sitten von öffentlichem Skandal.

30 8. Sie muß alles mit Leichtigkeit übersehen, und schnell
nach allen Orten hin wirken können. Dazu dient die Abteilung
und Unterabteilung, die Register, die Offizianten, die Kundschafter, die Angeber.

9. Sie wirkt als Macht, und ist bewaffnet um ihre Be-
35 schlüsse zu vollstrecken.

10. Sie muß oft geheimnisvolle Wege nehmen und kann
auch nicht immer die Formen beobachten.

11. Sie muß oft das Üble zulassen, ja begünstigen und

zuweilen ausüben, um das Gute zu tun, oder das größre Übel zu entfernen.

Poetische Schilderung der Nacht zu Paris, als des eigentlichen Gegenstandes und Spielraums der Polizei.

Wenn andre Menschen sich der Freude und Freiheit über=   5
lassen, an großen Volksfesten usw., dann fängt das Geschäft der Polizei an.

Der Mensch wird von dem Polizeichef immer als eine wilde Tiergattung angesehen und ebenso behandelt.

Szene Argensons mit einem Philosophen und Schrift=   10
steller, sie enthält eine Gegeneinanderstellung des Idealen mit dem Realen. Überlegenheit des Realisten über den Theoretiker. Diskussion der Frage, ob man die Wahrheit laut sagen dürfe.

Argenson macht sich wenig aus den Individuen, aber sobald die Ehre der Polizei im Spiel ist, dann ist ihm das   15
unwichtigste Individuum heilig und fodert alle seine Sorg= falt auf.

Über die Freiheit der Satire. Xen[ien]. Geheime Gesellschaften.

Das delikate Kapitel von dem Unterschied der Stände.   20
Der Adel ist als ein Besitztum zu respektieren wie der Reich= tum, aber persönliche Achtung kann er nicht erwerben. Argenson hängt ein klein wenig nach dem Volk. Szene mit einem Edeln, Szene mit einem Bürger.

Charakter eines Pariser Schmarotzers, eines Ubique, der   25
wirklich auch überall vorkommt, dem man überall begegnet.

Die bekannte Replik. Ich muß aber ja doch leben, sagt der Schriftsteller. — Das seh' ich nicht ein, antwortet Argenson.

In der Suite der Handlung treten auf:

1. der Sohn der Familie, debauchiert, zur Verzweiflung gebracht,   30
   aber noch davon gerettet.
2. Die fromme Tochter.
3. Der Vater aus der Provinz.
4. Der biedre aber arme Noble.
5. Der übermütige, schlechtdenkende reiche Roturier.   35
6. Der mutwillige Mousquetaire.
7. Der Fat, als Parlamentsrat.
8. Der Schmarotzer, ubique.

9. Die Kurtiſane.
10 Der Escroc und Filou in allen Geſtalten.
11. Der Broſchürenſchreiber.
12. Der Philoſoph.
13. Die Savoyarden.
14. Die Devote.
15. Der Abbé oder Ludwigsritter.
16. Der Polizeiminiſter.
17. Der Mörder.
18. Der Exempt.
19. Der Höfling.
20. Der wohldenkende Bürger von Paris.
21. Der Porte-faix, Fiacre, Suisse.
22. Der Schreiber oder Clerc.
23. Die Ehfrau und der Ehmann.
24. Der Ausländer.
25. Die Scharwache. Guet.
26. Marchande de Modes.
27. Poiſſarden.
28. Der Illuminat und geheime Geſellſchafter.
29. Der Mönch.
30. Der Duc und die Duchesse.
31. Der Bettler.
32. Der kleine Dieb und ſeine Gehülfen.

Eine Gewalttat wird in einem, der Polizei ſchwer zugäng=
lichen Hauſe verborgen. Man unterdrückt darin eine Unſchuld;
Ein Leichnam wird von jungen Ärzten geſtohlen.
Ein künſtlich veranſtalteter Leichenzug.
Ein Teſtament.

Der Polizeiminiſter kennt, wie der Beichtvater, die
Schwächen und Blößen vieler Familien und hat ebenſo wie
dieſer die höchſte Diskretion nötig. Es kommt ein Fall vor,
wo jemand durch die Allwiſſenheit desſelben in Erſtaunen
und Schrecken geſetzt wird, aber einen ſchonenden Freund an
ihm findet.

Er warnt auch zuweilen, die Unſchuld ſowohl als die
Schuld. Er läßt nicht nur den Verbrechern, ſondern auch
ſolchen Unglücklichen, die es durch Verzweiflung werden können,
Kundſchafter folgen. Ein ſolcher Verzweifelnder kommt vor,
gegen den ſich die Polizei als eine rettende Vorſicht zeigt.

Ein andres Verbrechen wird verhütet, ein andres wird
entdeckt und bestraft. Die Polizei erscheint hier in ihrer
Furchtbarkeit, selbst der Ring des Gyges scheint nicht vor
ihrem alles durchdringenden Auge zu schützen. Ein Mörder
wird so von ihr durch alle seine Schlupfwinkel aufgejagt und   5
fällt endlich in ihre Schlingen.

Argenson verliert nach langem Forschen die Spur des
Wildes und sieht sich in Gefahr, sein dreist gegebenes Wort
doch nicht halten zu können. Aber nun tritt gleichsam das
Verhängnis selbst ins Spiel und treibt den Mörder in die   10
Hände des Gerichts.

Auch die Nachteile der Polizeiverfassung sind darzustellen.
Die Bosheit kann sie zum Werkzeug brauchen, der Unschuldige
kann durch sie leiden, sie ist oft genötigt, schlimme Werkzeuge
zu gebrauchen, schlimme Mittel anzuwenden. — Die Verbrechen   15
ihrer eignen Offizianten haben eine gewisse Straflosigkeit.
Argensons Strenge gegen seine eignen untreuen Werkzeuge.

Ein verloren gegangener Mensch beschäftigt die Polizei.
Man kann seine Spur vom Eintritt in die Stadt bis auf
einen gewissen Zeitpunkt und Aufenthalt verfolgen, dann aber   20
verschwindet er.

Ein ungeheures, höchst verwickeltes, durch viele Familien
verschlungenes Verbrechen, welches bei fortgehender Nach=
forschung immer zusammengesetzter wird, immer andre Ent=
deckungen mit sich bringt, ist der Hauptgegenstand. Es gleicht   25
einem ungeheuren Baum, der seine Äste weitherum mit
andren verschlungen hat, und welchen auszugraben man eine
ganze Gegend durchwühlen muß. So wird ganz Paris durch=
wühlt, und alle Arten von Existenz, von Verderbnis usw.
werden bei dieser Gelegenheit nach und nach an das Licht   30
gezogen.

Die äußersten Extreme von Zuständen und sittlichen
Fällen kommen zur Darstellung, und in ihren höchsten Spitzen
und charakteristischen Punkten. Die einfachste Unschuld wie die
naturwidrigste Verderbnis, die idyllische Ruhe und die düstre   35
Verzweiflung.

In allen diesen Einzelzügen und allgemeinen Erwägungen ist noch kein Keim einer dramatischen Handlung enthalten. Argenson bleibt, wie bei Mercier, die einzige individuelle Gestalt. Aber er konnte in dem beabsichtigten Trauerspiel nur den Willen des Schicksals vollziehen. Der Erfindung des Dichters blieb die Tat überlassen, die diesen Willen heraufbeschwor. Sie war um so schwerer zu konstruieren, da sie zugleich der zweiten Hauptabsicht eines Gesamtbildes der Pariser Welt zu dienen hatte.

Das wollte sich nicht fügen, und noch dazu mochten Schiller wohl Bedenken kommen, ob in diesem Stoffbezirk überhaupt die große tragische Wirkung sich einstellen würde.

Ohne den Gedanken an das Trauerspiel aufzugeben, bedenkt er deshalb sehr bald daneben ein Lustspiel „Die Polizei".

In der dramatischen Preisaufgabe von 1800 (s. Bd. 19 unserer Ausgabe, S. 318) hatte er den Mangel an deutschen Lustspielen festgestellt und als einzige in Deutschland mögliche Gattung das Intrigenstück bezeichnet. Der Aufsatz über naive und sentimentalische Dichtung (s. Bd. 17, S. 513) hatte der Komödie das wichtigere Ziel, der Tragödie den wichtigeren Ausgangspunkt zugesprochen. (Vgl. auch „Tragödie und Komödie", Bd. 17, S. 643.) Und in demselben Jahre schrieb Schiller an Goethe, daß er die Komödie immer für das höchste poetische Werk gehalten habe, bis der Gedanke der Idylle, des Höhepunkts sentimentalischer Poesie, ihr den Rang streitig machte. Es versteht sich von selbst, daß diese von Schiller gemeinte Komödie nichts mit dem deutschen Lustspiel seiner Zeit gemeinsam hatte, von dem es in den „Xenien" hieß:

„Toren hätten wir wohl, wir hätten Fratzen die Menge;
    Leider helfen sie nur selbst zur Komödie nichts."

Schillers Lustspiel „Die Polizei" sollte keine Toren und Fratzen auf die Bühne bringen. In der bescheideneren Welt

einer französischen Provinzialstadt wollte er durch das Walten
eines feinen, geistvollen und zugleich imposanten Polizei=
kommissars ein eng verschlungenes Gewebe von Verbrechen,
Intrigen und Irrtümern aufdecken und auflösen lassen. Statt
der kaum zu bewältigenden Milieuschilderung des Trauer=
spiels sollten dem Lustspiel zahlreiche Episoden Fülle und
Interesse verleihen. Auf ihre Erfindung war Schiller des=
halb vor allem bedacht. Anfang und Ende der Handlung
stand ihm im allgemeinen schon fest. Auf der Suche nach
einem gestohlenen Gegenstand sollte eine Anzahl Unbeteiligter,
die mit Recht oder Unrecht irgendeiner Schuld verdächtig
sind, entdeckt und verhaftet werden. Im fünften Akt erfolgt
durch den Polizeikommissar, vor dem alle erscheinen, die voll=
kommene Aufklärung.

Das Lustspiel „Die Polizei".

1.

[1]) Polizei kann entweder etwas Abhandengekommenes
aufsuchen, oder dem Täter einer Übeltat nachspüren, oder
einen Verdächtigen beobachten, oder gegen Gefahr und zu be= 5
fürchtende Verbrechen Maßregeln nehmen.

Ob es nicht gut wäre, wenn das Lustspiel davon aus=
ging, daß man die Spuren eines Kapitalverbrechens auf=
sucht[2]) und auf lustige Verwicklungen stößt, und das Trauer=
spiel davon, daß man etwas Verlorenes aufsucht, was keine 10
kriminelle Bedeutung hat, und auf diesem Weg zu Entdeckung
einer Reihe von Verbrechen geführt wird. Letzteres gibt der
Fatalität mehr Raum. Ersteres erleichtert im Lustspiel die
Mittel der Polizei, welche sonst zu brutal handeln müßte.

Es kann die Furcht in eine kleine Stadt, während der 15
Messe, kommen, daß sich eine Bande Räuber darin aufhalte.

Der Leser muß niemals Furcht empfinden, er muß immer
wissen oder ahnen, daß für niemand zu fürchten ist, aber den

---

[1]) Polizeirecht.
[2]) z. B. eines Mordes, sei es nun eines geschehenen oder eines 20
vorhabenden.

Augen der Polizei oder ihrer Diener müssen die Übeltaten und Verbrechen immer zu wachsen scheinen.

Es geht ein Mensch verloren, er hat viel Geld gezeigt, an einem öffentlichen Ort, (er ist aber plötzlich unsichtbar ge=
5 worden, man findet Spuren von Blut irgendwo,) man findet ein blutiges Werkzeug. Der Gastwirt oder sonst eine dabei interessierte Person klagt es ein —

1. Seine Kleider usw.
2. Wo er hingegangen
10 3. Wer mit ihm vorher zusammen gewesen.

2.

Die Polizei sucht die Spur eines Diebstahls oder andern Verbrechens[1]). Es ist ein körperliches Kennzeichen vorhanden. Falsche Edelsteine.

*

15 1. Ein Liebhaber hat eine nächtliche Zusammenkunft. Strickleiter.

* -

2. Eine Frau betrügt ihren Mann und hält es mit einem andern.

---

[1]) Zeit und Ort sind bestimmt, wo es geschehen. Werkzeuge.
20 Man hält Nachsuchungen an den Orten, wo das Gestohlne ver= kauft werden konnte.

Man erkundigt sich da, wo das Gefundene gemacht worden sein konnte.

Man untersucht, wer zu einer bestimmten Stunde an einem
25 bestimmten Ort erblickt wurde.

Polizei hat schon lange ihre Augen auf gewisse verdächtige Per= sonen und Häuser.

Ein Frauenzimmer ist an einem Ort versteckt, wo die Polizei Haussuchung tun läßt.
30 Man findet eine Strickleiter in der Tasche eines jungen Herrn oder auch ein Brecheisen.

Der Betrug oder Diebstahl, dessen Spur gesucht wird, kann als etwas Unschuldiges befunden werden.

Alle Stände müssen in die Handlung verwickelt werden.
35 Es kommt bei dieser Gelegenheit heraus, wie ein Aufschneider oder ein sich für vornehm ausgebender Mensch arm und dürftig ist.

Eine Spielergesellschaft.

Eine verbotene Gesellschaft.

Eine Verschwörung.

Falschmünzer.

Verkäufer und Käufer gestohlner Waren.   5

*

3. Ein unschuldiges liebenswürdiges Paar, von harten
Verwandten eingeschränkt.

Eine Entführung oder Flucht.

*

4. Frau oder Tochter des Polizeioffiziers ist selbst darein
verwickelt.   10

Polizei wirkt auch etwas Gutes, löst einen Knoten.

*

5. Ein Freudenmädchen, welches von einem Heuchler be=
sucht wird. Dieser Heuchler ist streng gegen ein un=
schuldiges Paar.

Ein Eifersüchtiger.   15

¹) Alle eingezogene Personen sind im Hause der Polizei,
und eine vollkommene Auflösung geschieht in der Stube des
Polizeikommissairs. Dieses kann den ganzen fünften Akt aus=
füllen. Der Polizeikommissair ist ein feiner, geistvoller und
jovialischer Mann, der Lebensart und Gefühl hat, zugleich 20
aber gewandt, listig und, sobald er will, imposant ist. Es
wird im Stücke nichts bestraft als durch die natürliche Folgen

---

¹) Das Verbrechen, welches gesucht wird, ist gerade nichts und
löst sich unschuldig. Es kommt durch einen Umweg durch die ganze
Stadt in das Haus des Klägers selbst zurück, auf seine Frau oder 25
Tochter, und löst sich als eine unschuldige, wenigstens verzeihliche
Handlung auf.

Ein paar lustige Weiber, die durch ihren Leichtsinn und Humor
Irrungen veranlassen.

Eine Privatkomödie   30
Ein Privatball.

der Handlung selbst. Polizeikommissair kann selbst verliebt worden sein, und als Freier auftreten.

Ein Vornehmer ist auch darin verwickelt, der einen falschen Namen führt, aber von dem Polizeikommissair recht gut gekannt wird.

3.

Es kommt ein Kistchen mit Pretiosen weg, welches einem Kaufmann in Depot gegeben worden. Er klagt den Diebstahl bei der Polizei ein, das Kästchen nebst seinem Inhalt werden beschrieben, auch die Tagesstunde, wo es ohngefähr mußte geschehen sein, das Lokal, wo es gestanden, das Personal des Hauses usw. werden ad protocollum genommen.

Der Polizeikommissair instruiert also seine Untergebenen, auf das Kistchen Jagd zu machen.

1. Außenseite des Kistchens.
2. Tagesstunde.
3. Inhalt.
4. Fußtapfen und etwas Verlorenes, welches der Dieb dagelassen.
5. Notwendigkeit eines Einbruchs entweder durch einen Passe partout oder auf einer Leiter durchs Fenster.
6. Anstalten zu einer heimlichen Flucht.
7. Einer, der plötzlich Geld zeigt und Schulden bezahlt.
8. Einer, der die Haussuchung verweigert.
9. Einer, der in der Nähe des Hauses, wo der Diebstahl geschah, unter verdächtigen Umständen gesehen worden.
10. Ein Bedienter oder sonst jemand vom Hause ist unsichtbar worden.
11. Ein lüderliches Haus, worin wirklich einer gefunden wird, der etwas Verdächtiges bei sich führt.

Die Nichte des Kaufmanns war entschlossen, in dieser Nacht mit einem jungen Menschen durchzugehen und hat deswegen ihre Hardes in einem Kistchen zusammengepackt, welches sie ihrem Mädchen zu bestellen auftrug, die es auch zu besorgen geht.

Nun hatte der Kaufmann an demselben Tag ein Kistchen von einem Korrespondenten zur Spedition erhalten, welches a peu près ebenso aussah und dieses Kistchen ließ er in dasselbe Zimmer setzen, wo das andere gestanden.

Bald darauf kommt die Nichte, im Gespräch mit dem Bedienten ihres Liebhabers in dasselbe Zimmer, sieht ein Kistchen da stehen, und sendet es dem Liebhaber durch den Bedienten zu. 5

Das Kammermädchen hat auch einen Liebhaber. Auf dem Weg zu dem Liebhaber ihrer Herrschaft begegnet sie diesem.

Es muß motiviert werden, daß Henriette nichts von einer Verwechslung argwohnt. Entweder dadurch), daß ihr das Wegkommen des pretiosen Kistchens gar nicht bekannt 10 wird, oder dadurch, daß sie, wenn sie auch von dem vermißten Kästchen gehört hat, keine Verwechslung vermuten kann.

Der Kaufmann, ihr Vormund, ist's, der sie durch einen ihr aufgedrungenen fatalen Freier aus dem Hause treibt.

Dieser fatale Freier ist ein Heuchler, und die Polizei 15 entlarvt ihn an diesem Tage.

Das Kistchen mit Hauben u. dgl. kommt in andere Hände auch durch ein Versehen.

Ein Offizier muß der Polizei sein Ehrenwort geben.

Der Kaufmann, welcher den Diebstahl einklagt, hat auf 20 eine gewisse Person Verdacht, oder dieser Verdacht wird doch natürlich auf sie geleitet.

Es ist in der Stadt eine zweideutige Person, eine Art von Avanturier, welchen die Polizei sich schon gemerkt hat.

Bei Gelegenheit jener Nachsuchungen kommen allerlei 25 Existenzen und Haushaltungen an den Tag. Poeten und Schriftstellerwirtschaft — akademische und andere Orden — Pretia affectionis und andere Empfindsamkeiten — Eine Privatkomödie — Geheimgehaltene Barschaften.

Es sind in dem Stücke noch andre Sachen verloren ge= 30 gangen, welche nicht eingeklagt wurden und bei dieser Gelegen= heit aufgefunden werden.

Ein eben ankommender Fremder im Gasthof. Es kann derselbe sein, an den das Kästchen spediert werden sollte, und durch ein qui pro quo wird es ihm zugestellt. 35

Ein Ehepaar, das auf dem Punkt war, sich zu scheiden, wird wieder vereinigt.

Ein Paar wird getrennt, das vereinigt werden sollte.

Ein vornehmer Lüderlicher wird ertappt bei einer Dame.

Einer hat einen falschen Namen und dies setzt ihn bei den Polizeiuntersuchungen in Verlegenheiten.

Ein anderer hat wegen einer andern Sache ein bös Gewissen und nachdem er arretiert worden, wird er sein eigener Verräter.

Die Frage entsteht, wie werden mehrere voneinander unabhängige Handlungen, die in einem gemeinschaftlichen Denouement zuletzt verbunden werden, in der Exposition eingeleitet und fortgeführt, ohne daß zu große Zerstreuung entsteht?

1. Ein gemeinschaftliches Haus[1]).
2. Reziproke Familienverhältnisse.
3. Domestikenverbindung.
4. Nachbarschaft der Häuser.

Teilnehmer[2]).

Hehler.

Man findet einen Dolch bei einer Person, die Komödie damit spielte, oder die Empfindsame machte.

Kontrebandiers.

Giftpulver.

Eine angesetzte Leiter.

Ein durchsägtes Gitter.

Angelegtes Feuer.

6.

Zwei lustige Frauen, die einen necken und dadurch selbst genceft werden.

Es werden drei, anfangs voneinander unabhängige Ge-

---

[1]) Gasthof.
Reiches Privathaus.
Armes Bürgerhaus.
Junggesellen-Haushalt.
Witwe.
Polizeiwohnung.
[2]) Gefundener Dolch. Pistolen.
Gefundenes Brecheisen. Schlüssel.
Strickleiter.

ſchichten im erſten Akt eingeführt. An dieſe knüpfen ſich noch
3 oder 4 andere natürlich und ſowohl dieſe neue als die Polizei=
unterſuchungen verknüpfen alle und löſen ſie zuſammen auf.

. . . .
Polizei läßt an einem Orte nachſuchen, wo das Geſtohlene
hätte verkauft werden können. Hier findet ſich [eine Frau,
die ihren Mann beſtohlen]

. . . .
. . . Perſonen beobachtet,

Rechenſchaft von dem Aufenthalt an einem gewiſſen Ort
und zu einer beſtimmten Zeit gefodert werden.

7.

1. Ein ſchönes liebenswürdiges Mädchen Sophie, durch
ihren Vormund[1]) genötigt, einen fatalen Kerl zu heuraten, will
mit ihrem Geliebten einem durchgehen. Das Pländchen wird entdeckt,
zugleich aber entdeckt ſich auch die Nichtswürdigkeit des andern
Freiers und der Reichtum ihres wahren Geliebten.

2. Eine liebenswürdige Frau[2]) hat einen Eiferſüchtigen
zum Mann, der ſie ſehr quält, beſonders mit einem jungen
Menſchen, dem ſie doch keinen Zutritt gibt. Um ihre Treue
auf die Probe zu ſetzen, verkleidet er ſich, und dieſe Ver=
kleidung bringt ihn in die Hände der Polizei.

3. Sophiens Freier hat den Geliebten Sophiens ver=
leumdet, für den Verfaſſer eines Pasquills und für einen
lüderlichen Menſchen ausgegeben. Das Pasquill aber hat er
durch einen elenden Poeten anfertigen laſſen, und liederlich
iſt er ſelbſt mit einer verrufenen Perſon. Beides wird durch
die Polizei entdeckt.

4. Sophiens Liebhaber wohnt in einem Gaſthof, wo ſich
auch ein Avanturier aufhält, der in der Stadt viel Wind
macht. Er iſt's, den zwei luſtige Weiber necken, und dadurch
ſie ſelbſt in Verlegenheit kommen.

---

[1]) Charakter des Vormunds, er iſt ein eigenſinniger, wiewohl
braver Mann, der eine Grille hat.
[2]) Dieſe Frau iſt eine Freundin Sophiens.

Schiller. IX. 8

5. In demselben Gasthofe befindet sich auch eine Person oder ein Paar, die Ursache haben, unbekannt zu sein, die Nachsetzung zu fürchten haben. Ihre Geschichte ist mit der übrigen verschlungen und hilft sie auflösen.

6. Ein alter mürrischer Herr wird auch beunruhigt.

7. Der Befehl an den Toren, daß jeder angehalten werden soll, erschreckt zwei bis drei Parteien. Anstalten zu heimlicher Flucht.

8. Nachricht, daß sich eine Gaunerbande in der Stadt befinde[1]).

9. Eine Person wird verdächtig, weil sie sich unsichtbar gemacht. Sie ist aber ganz gegen ihren Wunsch irgendwo versteckt worden.

10. Die Polizei wird ersucht, jemand beobachten zu lassen, daß er nicht entwische, weil er Schulden hat.

11. Spur einer Kindermörderin oder eines andern Mords.

12. Zwei Duellanten.

13.

---

[1]) Falsche Namen.

Pistolen. — Duellanten.

Strickleiter — Liebhaber.

Brecheisen.

Verkleidung — Eifersüchtiger.

Chiffern oder sonst ein Brief.

Versuch, zu entfliehen oder sich zu verbergen.

Corpus delicti.

Siegel. Handschrift.

Man sieht, daß Schiller für sein Lustspiel kaum mehr als einige Richtungslinien der Handlung aufgezeichnet hat. Außer dem Polizeikommissar erschienen auch hier die Gestalten schemenhaft; wie und an welchen Punkten die Episoden sich kreuzen und mit dem Hauptverlauf verschlungen werden sollen, bleibt noch unerörtert.

Ehe es dazu kam, zog der Dichter von diesem Plane seine Hand ab. Doch gab er ihn noch nicht völlig verloren. Im Jahre 1801 schrieb er an Körner, jedenfalls mit Bezug auf das Lustspiel „Die Polizei": „Außer einigen andern, noch mehr embryonischen Stoffen habe ich auch eine Idee zu einer Komödie, fühle aber, wenn ich darüber nachdenke, wie fremd mir dieses Genre ist. Zwar glaube ich mich derjenigen Komödie, wo es mehr auf eine komische Zusammenfügung der Begebenheiten als auf komische Charaktere und auf Humor ankommt, gewachsen, aber meine Natur ist doch zu ernst gestimmt; und was keine Tiefe hat, kann mich nicht lange anziehen."

Weil sich somit weder das Trauerspiel noch das Lustspiel als die geeignete Form des Polizeistückes erwiesen haben, unternimmt Schiller einen dritten Versuch, indem er aus beiden früheren Entwürfen die wirksamen ernsten und heitern Motive mit neuerfundenen vereinigt. So entsteht ein Drama jener mittleren modernen Gattung, ein Schauspiel. Jetzt läßt Schiller alle theoretischen Erwägungen beiseite. Er wendet sich sogleich der Erfindung der Handlung und der Hauptgestalten zu. Die Polizei, nach der ursprünglich auch dieses Schauspiel genannt werden sollte, büßt nun die beherrschende Stelle ein. Zwar handelt es sich immer noch darum, daß Verbrechen aufgedeckt werden, aber der Schuldige und seine Opfer, ihre inneren und äußeren Erlebnisse geben

8*

dem Drama seinen Inhalt, und es erhält von ihnen den neuen Titel „Narbonne oder die Kinder des Hauses". Später beseitigte der Dichter den ersten Teil des Doppeltitels. Hier geht die Erfindung mit sicheren Schritten auf das Ziel los, ein modernes Seitenstück zum „Ödipus" des Sophokles zu schaffen. Ein Mörder fühlt sich lange Jahre nach der Beseitigung des Bruders und der Kinder desselben völlig sicher und genießt des höchsten Ansehens. Ein Schmuck, den er zum Brautgeschenk für die Tochter des Polizeichefs der Stadt bestimmt hat, wird gestohlen. Vergebens warnt ihn seine alte Geliebte, die Mitwisserin eines Teils seines Geheimnisses, die Polizei in Bewegung zu setzen. Sie hat die Kinder, die angeblich bei einem Feuer ums Leben gekommen sind, einer alten Zigeunerin übergeben, beide sind dem verkommenen Weibe entflohen. Der Jüngling Saintfoix, in den letzten Entwürfen Charlot genannt, ist von seinem Oheim, dem Mörder seines Vaters, als Pflegesohn aufgenommen worden, hat zu der Schwester Adelaide, die im Elend lebt, innige Zuneigung gefaßt, ohne zu ahnen, daß sie eines Blutes sind. Jetzt will er das Haus des Pflegevaters verlassen, weil er eine heiße Neigung zu dessen Verlobter, Victoire von Pontis, hegt, und Adelaide soll ihn begleiten. Beide kommen in den Verdacht, den Diebstahl begangen zu haben. Auch die Zigeunerin wird von dem eifrigen Polizeichef eingezogen, die Abkunft der Kinder des Hauses kommt an das Licht und jubelnd bringt die Menge die Wiedergefundenen zu Narbonne, der inzwischen mit einer neuen Untat belastet ist. Als die Entdeckung unmittelbar bevorstand, hat ihn Madelon gedrängt, die Kinder zu adoptieren und ist von ihm aus Furcht, durch die einzige Mitwisserin verraten zu werden, ermordet worden. Sein Ansehen steht so fest, daß ihn auch jetzt kein Verdacht trifft. Aber noch ist der gestohlene Schmuck nicht aufgefunden und die Polizei sucht weiter nach dem Diebe. Endlich wird er entdeckt und in ihm der Helfershelfer, durch den Narbonne den Bruder aus dem Wege räumen ließ. Sie werden einander gegenübergestellt. Der Mord und die Beseitigung der Kinder kommt ans Licht, und nach einem vergeblichen Selbstmordversuch wird Narbonne dem Gericht übergeben. Mit dem Herzensbunde Charlots und Victoires klingt das Schauspiel beruhigend aus.

Im Zeitalter Jfflands und Kotzebues hätten die Zu= schauer in einem Stücke dieses Inhalts den breiten krimi= nellen Einschlag und die allzu bereitwillige Mitwirkung des Zufalls nicht störend empfunden. Helden von der Art Narbonnes, denen die Maske bürgerlicher Ehrbarkeit durch eine prompt ausgleichende höhere Vollstreckungsgewalt abge= rissen wird, zählten zu den beliebtesten, und ein Liebespaar edler Art mußte überall durch Wasser= und Feuerproben die Stärke seiner Neigung bewähren und wurde dann zum Lohne am Schlusse vereinigt.

Von dem großen gigantischen Schicksal, welches den Menschen erhebt, wenn es den Menschen zermalmt, ist hier nichts zu spüren. Narbonne darf nicht dem König Ödipus verglichen werden; von der Absicht, ein modernes Seitenstück zu der furchtbarsten aller Schicksalstragödien zu schreiben, ist Schiller in die niedere Region unterhaltender und rührsamer Theatralik hinabgeglitten. Und warum sollte der Meister nicht einmal in diesem Gefilde mit leichterer Mühe den sicheren Erfolg suchen? Solche Arbeit, gleich den Über= setzungen von Gozzis Märchenspiel und der beiden geschickten Komödien Picards, füllte dem Rastlosen die Stunden der Krankheit. Als immer neue Anfälle, die Vorboten des nahen Endes, den „Demetrius" stocken ließen, verdeutschte er in den sechsundzwanzig Tagen, vom 17. Dezember 1804 bis 14. Januar 1805, Racines „Phädra". Dann suchte er eine neue leichte Beschäftigung und geriet an die „Kinder des Hauses", mit denen er sich wohl seit dem Februar 1799 nicht mehr befaßt hatte. Am 28. Januar 1805 schrieb er

in sein Tagebuch: „Heute an die Kinder des Hauses gegangen."
Damals mögen diejenigen Niederschriften entstanden sein, die
unter der Bezeichnung „Dritter Entwurf" auf S. 144—150
nach Kettners Vorgang zusammengestellt sind. Auf dem
ersten dieser Blätter wird in einem Verzeichnis von Schillers
fertigen Dramen bereits die „Phädra" erwähnt und die
Namen Charlot statt Saintsoir und Thierry statt Jaques
sind erst jetzt eingesetzt; denn in dem ersten Personenverzeich=
nis Seite 142, Anmerkung 1, das, wie Kettner gezeigt hat,
erst nach dem 27. Oktober 1804 entstanden sein kann, stehen
noch die alten Namen.

Wenn also Schiller damals an die Ausführung ging,
so hat er doch bald die „Kinder des Hauses" von neuem
zurückgelegt und die Kalendernotiz über die begonnene ernst=
hafte Arbeit daran gestrichen. Er glaubte zu genesen, und
die neuen Kräfte sollten dem großen Unternehmen des
„Demetrius" gehören. Hätte er noch einmal eine Periode
geminderter Produktivität erlebt, so wären vermutlich die
„Kinder des Hauses" von neuem vorgenommen und in kurzer
Frist vollendet worden, denn unter allen hinterlassenen Ent=
würfen Schillers war keiner mit gleich geringem Kraftaufwand
auszugestalten. Sein schneller Tod hat die deutsche Bühne
um dieses Stück gebracht. Es hätte unter den Geschwistern
aus der letzten Periode des Dichters schwerlich als eben=
bürtiger Sprößling gegolten, den Ruhm seines großen Schöpfers
nicht erheblich gemehrt, aber das allzu idealisierte Bild seines
letzten Schaffens vor der Mit= und Nachwelt um eine charak=
teristische Linie bereichert.

Zwei Unberufene haben später die „Kinder des Hauses"
nach Schillers Skizzen ausgedichtet, ein Anonymus in dem
Buche „Schillers dramatischer Nachlaß. Nach dessen vor=
liegenden Plänen ausgeführt" (Nürnberg 1842) und ohne
eine Spur Schillerschen Geistes (nach Kösters Urteil) Alexander
Wald (Preßburg 1892).

Narbonne oder die Kinder des Hauses.
I. Entwicklung des Plans.

1.

Louis Narbonne hat den Pierre vergiften laffen und die Schuld des Mordes auf feinen eigenen Sohn zu lenken ge= wußt, deffen Aufführung ihm dabei fekundierte. Er mußte es zu machen, daß diefer an demfelben Tage entfloh, vielleicht aus Desperation über ein anderes Vergehen, und fo wurde er für den Mörder gehalten, indem der wahre Mörder in den Befitz aller feiner Rechte trat und nach fechs oder acht Jahren um die Braut warb, welche jenem Unglücklichen beftimmt war.

An dem Tage, da er fie heiraten follte, kommt der Sohn verborgen zurück, auch der Gehilfe der Mordtat muß durch ein Verhängnis da fein, und Narbonne muß bei den Gerichten felbft den Anlaß geben, die Entdeckung herbeizuführen.

Alles muß zufammen kommen, den Vatermord evident zu machen, und auch die Flucht des Mörders zu erklären.

Alles muß zufammen kommen, den wahren Mörder außer alles entfernten Verdachts zu fetzen.

Philippe Narbonne kann eines Duells wegen entflohen fein, er glaubt feinen Gegner ermordet zu haben. Er ift nach den Infeln gegangen und kommt zurück, teils durch die Macht der Liebe zu feiner Braut, teils aus kindlicher Pietät, um feine Eltern zu fehen. Er hält fich verborgen, verborgen fieht er feine Braut, eine fchreckliche Szene, weil fie einen Vatermörder in ihm zu erblicken für möglich hält, obgleich fie nie davon überzeugt wurde. Szene mit einem alten Diener des Haufes, der auch an feine Unfchuld glaubte. Was er er= fährt, nimmt ihm allen Mut, Gerechtigkeit zu fuchen, er ift entfchloffen, wieder zu gehen.

Und fo würde er wirklich gegangen fein, wenn nicht Ludwig Narbonne felbft, durch etwas andres dazu veranlaßt, die Gerichte in Bewegung gefetzt hätte. Diefer hält fich näm= lich für ganz ficher, ja, er hat an demfelben Tag den Toten= fchein des einzigen, den er fürchtete, erhalten ufw. Nun mußte es fich fügen, daß er eines Diebftahls wegen die Polizei in Bewegung fetzte. Diefe findet den Sohn auf dem Grabe des Vaters.

Philippe Narbonne kommt mit dem Handlanger des Louis zusammen, den dieser letztere an diesem Tage zu einer heimlichen Zusammenkunft herbeibeschieden hatte, in der Absicht, ihn zu ermorden. Er führt wirklich die Tat aus, aber durch
5 ein eigenes Verhängnis muß Philippe in der Nähe sein, ihm zu Hülfe eilen, die Entdeckung geschieht.

2.

[1]) Die Nemesis treibt einen, Untersuchungen gegen einen Feind anzustellen und hitzig zu verfolgen, bis dadurch sein
10 eigenes längst veraltetes Verbrechen ans Licht kommt.

Eine Person, die er längst aus der Welt glaubte und die sein Geheimnis ans Licht bringen kann, wird ihm zu seinem Schrecken konfrontiert.

Nachdem die Sachen diese Wendung nehmen, tut er alles,
15 die Untersuchungen zu hemmen[2]), welche aber jetzt in vollem Laufe sind und einer fürchterlichen Entdeckung zueilen.

[1])		
1.	Narbonne	Becker
2.	Saintfoix	Bohs
3.	Victoire von Pontis	Jagemann
4.	Madelon	Teller
5.	Jaques	Weihrauch
6.	Adelaide	Mlle. Malcolmi
7.	Raoul Kapitän	Graf
9.	Zigeunerin	Beck
10.	Louison	
8.	Herr von Pontis	Malcolmi
	Frau von Pontis	
	Eilenstein	
	Schall	
	Becker	
	Weihrauch	

[2]) Der alte Diener hilft zur Entwicklung.

Narbonne, sobald er die wahren Personen in Saintfoix und Adelaide erkennt, will ihnen zur Flucht behilflich sein, auch
35 dies legt man ihm als eine Großmut und Nachsicht aus.

Endlich ist die Entdeckung unvermeidlich und er muß sie als seine Kinder anerkennen. Sie wollen ihn aber nicht depossedieren.

Und nun erst kommt der wahre Dieb des Schmucks ans Licht, es ist eine Person, die Narbonnes Verbrechen in der Gewalt hat.

Es ist nur nötig, daß in der Exposition dem Zuschauer alles verraten werde, damit die Furcht immer herrsche.

Der Held der Tragödie muß ein sicherer und mächtiger Bösewicht sein, den die Reue und Gewissensbisse nie anwandeln; zugleich ist er geehrt, durchaus nicht beargwohnt, 5 wird für einen exemplarischen Mann gehalten.

Gerade die Achtung, die man vor ihm hat, erhitzt nachher die Untersuchungen und macht sein Verderben unvermeidlich[1].

Es erscheint eine unglückliche Unschuld, welche durch 10 jenen beraubt und unterdrückt worden und nun Gerechtigkeit erhält[2].

Anfangs liegt die Sache so, daß man glauben muß, jenem sei großes Unrecht geschehen, daß man sich dafür interessiert, ihn gerächt zu sehen. 15

Charakter des Helden. Er ist ein verständiger, gesetzter, sich immer besitzender, sogar zufriedener Bösewicht. Die Heuchelei ist nicht bloß eine dünne Schminke, der angenommene Charakter ist ihm habituell, ja gewissermaßen natürlich geworden, und die Sicherheit, in der er sich wähnt, läßt ihn sogar 20 Großmut und Menschlichkeit zeigen.

---

[1] Es schlägt übel für ihn aus, daß er der Nemesis die Hände losbindet.

[2] Er ist, in den Augen der Welt, der Wohltäter eines unwürdig scheinenden Menschen, man tadelt sogar seine Nachsicht und 25 Milde gegen diesen. Aber eben dieser Mensch ist es, den er beraubt und ins Elend gestürzt hat durch ein Verbrechen: er ist der geborene Eigentümer des Besitzes, den jener frevelhafterweise usurpiert, kurz, er ist der Sohn des rechtmäßigen Besitzers, dem jener die Eltern ermordet hat, und in dem Hause, worin er Wohltaten emp= 30 fängt, sollte er regieren. Er wurde als Bettelkind darein aufgenommen. [Jener hat eine Tochter oder Nichte, welche der junge Mensch liebt.] Der Bösewicht möchte ein Mädchen besitzen, welches der junge Mensch liebt und von der dieser auch wieder geliebt wird. Er ist aber seines Ansehens und seiner Macht wegen ein furchtbarer Nebenbuhler. Das 35 Mädchen ist die einzige Person, welche durch einen inneren unerklärlichen Abscheu vor ihm gewarnt wird. Er ist ein 45jähriger, der Sohn ist 25 Jahr alt.

Neben ihm steht eine leichtsinnige und immer Blößen gebende, aber reine Natur.

3.

Narbonne läßt seinen Bruder ermorden, eben da dieser eine neue Heurat tun wollte. Weil er aber sehr behutsam ist[1]), so richtet er es so ein, daß die Entdeckung unmöglich wird. Entweder muß Pierres Tod natürlich erscheinen und die Spur der Gewalt von außen entfernt werden, ein glühend Eisen in den Schlund. — Oder der Verdacht der Gewalttat muß anderswohin geleitet werden.

Zu beiden braucht aber Narbonne Werkzeuge. Wie sichert er sich nun gegen diese, daß sie ihn nie verraten können?

Er kann sie selbst ermorden oder ermorden lassen.

Er kann sie in einen andern Weltteil schicken.

Er kann sie durch Belohnungen an sich binden.

Er kann sie in Furcht erhalten.

Wie wurden die Kinder weggeschafft?[2])

1. Sollten sie ermordet werden und wurden erhalten ohne Louis Wissen?

2. Wurden sie nur für tot ausgegeben, und mit Wissen Louis Narbonnes erhalten?

3. Oder verloren sie sich nur?

---

[1]) Madelon, die er im Haus behalten, weiß um den Kinderraub. Sie hat aber alle möglichen Motive, um zu schweigen.

Zigeunerin.

Durch eine fatale Konkurrenz erscheint noch der Kapitän, der einen Teil des Geheimnisses in der Gewalt hat, zu derselben Zeit, als man der Entdeckung der Kinder auf der Spur ist.

Madelon.

Der Schmuck.

Der Kapitän. Pierres Mörder.

Der alte Diener.

[2]) Kinder sollten aus der Welt geschafft werden und wurden ohne Wissen Narbonnes gerettet.

Man verkauft sie an eine Zigeunerin. Von dieser lief Saint-foix weg. Wo brachte sie das Mädchen hin?

4.

Louis war etwa ein Jahr vor dem Verschwinden der Kinder auf einen Besuch dagewesen, und hatte in dieser Zeit mit der Madelon, die damals ein junges Frauenzimmer war, verbotenen Umgang gehabt und die Beiseitebringung der Kinder 5 mit ihr verabredet.

Motive, wodurch sie zu diesem Verbrechen verleitet wird. Aussicht etwas in diesem Hause zu bedeuten. Neigung zu Louis.

Nachdem Louis Besitzer des Hauses geworden, hat er Madelon große Gewalt darin gegeben, zugleich hat er ihr ver= 10 sprochen, nie zu heuraten.

Wie er aber nun auf Heiratsgedanken gekommen war, mußte er darauf denken, sich mit ihr abzufinden und ihr selbst einen Mann zu schaffen[1]). Sie wünschte selbst eine Ver= änderung und hatte ihre Gedanken auf Saintfoix gerichtet; 15 dagegen hatte Louis nichts. Saintfoix war freilich zwölf Jahr jünger, obgleich man sein wahres Alter nicht wußte.

Nachdem aber Louis von der wahren Person Saintfoix' unterrichtet worden, konnte er an eine Heirat desselben mit der Madelon nicht mehr denken. 20

Madelon hatte die zwei Kinder einer Zigeunerin verkauft oder übergeben, und ausgesprengt, daß sie bei einem Brand umgekommen. Adelaide war bis in ihr zwölftes Jahr bei der Zigeunerin, Saintfoix aber entlief ihr schon in seinem zehnten Jahr, nachdem er fünf Jahre bei ihr zugebracht. Art, wie er 25 in die Vaterstadt und zu Narbonne kam. Er ist damals ge= rade vierzehn Jahr alt, also neun Jahre älter, als er sich daraus verloren. Er kann also den Ort nicht, ihn selbst kann niemand erkennen.

Adelaide wurde von ihrem Bruder gleich getrennt und 30 blieb so lange bei einer Zigeunerin, bis sie anfing, in die mannbaren Jahre zu treten. Da trieben die Verfolgungen, die sie von den Männern auszustehen hatte, sie zur Flucht. Wie sie in die Vaterstadt und zur Kenntnis Saintfoix' kam — Ein Liedchen — 35

---

[1]) Sie war zur Zeit des Stücks 34 Jahr und gab sich für 27 aus. Saintfoix ist 20, aber wird für 23 ausgegeben.

Madelon und die Zigeunerin. Sollen sie einander eher als vor Gericht zu sehen bekommen?

Madelon hat Gewissensbisse und wie sich die Herkunft Saintfoix' entdeckt[1]), so ergreift sie dieses Evenement mit Heftig= keit, um dem Kinde das Seinige zu restituieren. Szene mit Narbonne deswegen. Sie will, er soll ihn an Kindesstatt an= nehmen und zu seinem Erben einsetzen. Dies erscheint ihr wie ein himmlischer Ausweg. Narbonne ist in großer Ver= legenheit. Er muß alles versprechen und ist entschlossen, nichts zu halten.

In der großen Extremität verfällt er darauf, die Madelon aus der Welt zu schaffen. Dies führt er auch aus, aber sie hat noch Zeit, eh sie stirbt, ihre Beichte in die Hände eines Dritten abzulegen. Dies ist auch eine Fatalität für Narbonne, die er nicht verhindern kann, daß sie nicht gleich stirbt. — Oder es glückt ihm wirklich, sie gleich zu töten, aber selbst dieser Mord beschleunigt durch eine Fatalität die Entdeckung. In dieser Zeit kann sich die Geburt der zwei Kinder entdeckt haben, und das Volk bringt sie im Triumph zu Narbonne — gerade im Augenblick, da der Mord geschehen. Er muß die Kinder anerkennen, sie sind aber großmütig und bestehen darauf, daß er im Besitze, sie selbst aber seine Erben bleiben. Es scheint einen heitern Ausgang zu nehmen.

Madelons Tod kann als Selbstmord erscheinen.

Durch die Aufrufung der Polizei[2]) befruchtet Narbonne

---

[1]) Madelon sieht die Zigeunerin und erkennt sie für dieselbe, der sie die Kinder gegeben. Sie darf aber nicht von jener gesehen werden.

[2]) Madelon warnt ihn, die Polizei nicht aufzurufen.

Betrachte den Verlust als eine Expiation. —

Schon lange ängstigt mich euer großes Glück. —

Dieses kleine Unglück schickt euch der Himmel zu, wir wollen es schweigend ertragen.

Es ist kein kleines Unglück.

Es ist ein kleiner Teil eures Glücks — und ihr wißt selbst, ihr könntet euch nicht über Unglück beklagen, wenn euch das Ganze entrissen würde.

gleichsam das Schicksal, daß es von der schrecklichen Entdeckung entbunden wird. Es gibt den Anstoß, daß sich die bereit= liegenden Umstände wie ein Räderwerk in Bewegung setzen und den furchtbaren Aufschluß herbeiführen, daß er selbst ihn nicht mehr hemmen kann.

Es muß also dargestellt und motiviert werden

1. daß alles schon verhängnisvoll bereit liegt und nur auf den Anstoß wartet.

2. daß gerade diese Aufrufung der gerichtlichen Macht diesen Anstoß gibt, jene Ereignisse herbeiführen konnte.

3.

II. Erster Entwurf.

5a.

Narbonne ist ein reicher, angesehener, mächtiger Parti= kulier in einer französischen Provinzialstadt (Bourdeaux, Lyon oder Nantes), dabei ein Mann in seinen besten Jahren, zwischen 40 und 50. Er steht in allgemeiner öffentlicher Achtung durch seinen Charakter und sein rechtliches Betragen, die Neigung, die man zu seinem verstorbenen Bruder Pierre Narbonne gehabt, hat sich schon auf seinen Namen fortge= erbt, er ist der einzige übrige dieses Hauses, weil sein Bruder keine Erben hinterließ; denn zwei Kinder, welche Frau von Narbonne geboren, verbrannten bei einer Feuersbrunst[1]) durch Sorglosigkeit der Bedienten. Nach dem Tode Pierres war Louis der einzige Erbe, er war damals abwesend und

---

Eine Banknote von tausend Pistolen.

Bei eben dieser Unterredung kommt etwas vor, welches die nachherige Erscheinung des Hauptzeugen vorbereitet. Er sagt der Madelon, daß er an ihn geschrieben, oder daß dieser ihm geschrieben oder dgl.

Laßt den Arm der Gerichte ruhen.
Mir graut, wenn ich daran denke.
[1]) oder ertranken.

kam zurück, die große Erbschaft anzutreten und seinen be=
ständigen Aufenthalt in derselben Stadt zu nehmen.

Seit dieser Zeit sind zehn Jahre verflossen, und Nar=
bonne ist nun im Begriff, eine Heirat zu tun und sein Ge=
5 schlecht fortzupflanzen. Er hat eine Neigung zu einem schönen
edlen und reichen Fräulein, Victoire von Pontis, deren
Eltern sich durch seine Anträge geehrt finden und mit Freuden
ihre Tochter zusagen.

Nun ist zu merken, daß vor ohngefähr sechs Jahren ein
10 junger Mann, namens Saintfoix, in Narbonnes Haus als
Waise aufgenommen worden, viele Wohltaten von ihm er=
halten und wohl erzogen worden. Der junge Mensch, damals
14 Jahr, war sehr liebenswürdig und durch seine Hilflosig=
keit ein Gegenstand des Mitleids für die ganze Stadt. Nar=
15 bonne öffnete ihm sein Haus und übernahm es, für sein Wohl
zu sorgen. Er lebte bei ihm, nicht auf dem Fuß eines Haus=
bedienten, sondern eines armen Verwandten, und die ganze
Stadt bewunderte die Großmut Narbonnes gegen diesen jungen
Menschen, den man schon zu beneiden anfing.

20 Saintfoix machte schnell große Fortschritte in der Bil=
dung, die ihm Narbonne geben ließ. Er zeigte ein treffliches
Naturell des Kopfes und Herzens, zugleich aber auch einen
gewissen Adel und Stolz, der ihm wie angeboren ließ und
dem armen aufgegriffenen Waisen, der von Wohltaten lebte,
25 nicht recht zuzukommen schien. Er war voll dankbarer Ehr=
furcht gegen seinen Wohltäter, aber sonst zeigte er nichts ge=
drücktes noch erniedrigtes, er schien, indem er Narbonnes
Wohltaten empfing, sich nur seines Rechtes zu bedienen. Sein
Mut schien oft an Übermut, eine gewisse Naivität und Fröh=
30 lichkeit an Leichtsinn zu grenzen. Er war verschwenderisch,
frei, fier und eifersüchtig auf seine Ehre.

Victoire hatte öfters Gelegenheit gehabt, diesen Saint=
foix zu sehen, bald empfand sie eine Neigung für ihn, welche
aber hoffnungslos schien; die Bewerbungen Narbonnes um
35 ihre Hand, vor denen sie ein sonderbares Grauen hatte, ver=
stärkten ihre Gefühle für Saintfoix um so mehr, da dieser
von Narbonne selbst bei dieser Gelegenheit öfter an sie ge=
schickt wurde. Saintfoix betete Victoire von dem ersten Augen=

blicke an, als er sie kennen lernte, aber seine Wünsche wagten sich nicht zu ihr hinauf.

Er hatte ein anderes Mädchen kennen lernen, welches so wie er selbst elternlos war, und dem er einen großen Dienst geleistet hatte. Für diese hatte er eine zärtliche Freund= schaft; Leidenschaft und Anbetung hatte ihm Victoire einge= flößt. Zwischen beiden war sein Herz geteilt, aber ohne daß er seine Gefühle konfundiert hätte.

Von den zahlreichen Hausgenossen Narbonnes, worunter ein einziger alter Diener Pierre Narbonnes sich noch er= halten hatte, wurde Saintfoix zum Teil gehaßt und beneidet; nur eine weibliche Person unter denselben hatte für ihn eine Neigung und Pläne auf seine Hand. Sie war viel älter, ohne einen andern Anspruch auf ihn als das kleine Glück, was sie mit ihm teilen konnte und das nicht aufs beste er= worben war. Ihr Name war Madelon[1]).

So verhielten sich die Sachen, als die Handlung des Stückes eröffnet wurde.

Narbonne vermißte einen prächtigen Schmuck, den er seiner Braut bestimmt hatte. Da er keinen bestimmten Verdacht haben konnte, so klagte er die Sache bei der Polizei ein, und diese setzte sich in Bewegung[2]), das Verlorene oder Gestohlene wieder zu schaffen und den Täter zu entdecken.

Da die nächsten Vermutungen auf einen Hausdieb sein mußten, so war das erste, die Hausgenossen Narbonnes auf ihren Gängen und in ihren Verhältnissen zu beobachten.

Dieses traf auch Saintfoix, auf den ein Schatten des Verdachts insofern geleitet wurde, als er bei Narbonne den freiesten Zugang hatte, als er im Rufe des Leichtsinns und der Verschwendung stand, und außerdem etwas geheimnis= volles und leidenschaftliches in seinem Betragen wahrgenommen wurde.

Narbonne selbst bezeigte gar kein Mißtrauen, er ließ nur der Polizei freien Lauf. Übrigens setzte er seine Bewerbungen um das Fräulein von Pontis fort, schloß ab mit den Eltern

---

[1]) Melancholie der Madelon.
[2]) Ausführliche Befehle.

und bediente sich des Saintfoix selbst bei einigen Aufträgen
an das Fräulein.

Victoire erklärte ihren Widerwillen gegen Narbonne, die
ganze Welt ist wider sie, auch Saintfoix hält sie für ungerecht
5 und spricht warm für seinen Wohltäter.

Victoire zeigt ihm einen großen Anteil, ein dritter hätte
ihre Neigung zu Saintfoix entdecken müssen, aber dieser hatte
keine Ahnung seines Glücks, weil er nie eine solche Hoffnung
gewagt hatte.

10 Die Polizei ist unterdessen in voller Tätigkeit, dem weg=
gekommenen Schmuck nachzuspüren. Man hat Saintfoix nach=
gespürt und entdeckt, daß er mit einer jungen Person de basse
condition et sans aveu vielen heimlichen Umgang habe.

Auch Madelon, die ihn scharf bewacht, ist auf diese Spur
15 gekommen, macht ihm bittere Vorwürfe darüber und reizt ihn,
ihr rund heraus seine schlechte Meinung von ihr zu sagen,
wodurch sie seine erbitterte Feindin wird.

Er hat einen Auftritt mit einem alten Bedienten des
vorigen Hausbesitzers.

20 Adelaide wird von der Polizei angehalten, gerade da
Saintfoix zugegen ist. Man findet bei ihr zwar nichts von
Narbonnes Schmuck, aber etwas anderes kostbares, welches
bei einer so geringen Person Verdacht erregen muß. Sie
wird eingezogen und vor den Bailli gebracht, welches Victoires
25 Vater ist. Saintfoix kommt zu dem Bailli, der ihn nicht
vorläßt, er geht zu Victoire und bittet sie um ihr Fürwort
für Adelaiden. Victoire ist überrascht, Eifersucht und Zärtlich=
keit entreißen ihr deutlichere Äußerungen ihrer Leidenschaft,
es kommt zu einer positiven Erklärung, auch von seiner Seite.
30 — Im Moment der Passion tritt Narbonne mit dem Bailli
ein, sie sind Zeugen der Szene, und beiden muß Saintfoix
als ein Undankbarer und als ein Impius gegen seinen Wohl=
täter erscheinen.

Der Bailli und Narbonne sind zusammen, um über das
35 Schicksal Adelaidens und Saintfoix' zu beschließen. Man bringt
die Kostbarkeit, welche sich bei Adelaiden gefunden, worüber
Narbonne in eine sichtbare Unruhe versetzt wird. Er besteht
nun darauf, die bösen Sujets baldmöglichst nach den Inseln

zu schicken, der Bailli hingegen bringt auf eine weitere Untersuchung und will dem Narbonne eine vollständige Genugtuung
leisten. Zugleich treibt ihn sein Amtseifer und seine Inquisitions-
lust dazu, die fehlenden Stücke auszukundschaften.

Narbonne verlangt ein Gespräch mit Adelaiden und mit 5
Saintfoix — die Folge davon ist, daß er ihnen seine Hilfe zu
einer heimlichen Flucht anbietet. Natürlich schlagen sie es aus.

¹)Madelon hat die zwei Kinder an eine Zigeunerin verkauft, da das älteste nur vier Jahre alt war.

Diese Zigeunerin ist durch ein sonderbares Schicksal in 10
dieser Stadt, wird durch Madelon erkannt, wird durch die
Polizei aufgestöbert, Adelaide erkennt sie auch mit Schrecken,
und dadurch entdeckt sich, daß Adelaide die Tochter des Pierre
Narbonne ist.

Dieselbe Zigeunerin kann auch die Entdeckung des Sohns 15
veranlassen. Doch hat Narbonne diesen schon vorher erkannt,
nämlich während des Stücks.

---

¹) Auszudenken sind:

1. Der Diebstahl oder andere Versuch, der den Narbonne veranlaßt,
die Polizei aufzufodern. 20
2. Die Entwendung der Kinder.
3. Die Trennung der Kinder.
4. Ihre Herbeischaffung in die Stadt.
5. Der Mörder.
6. Die Zigeunerin. 25

Unwahrscheinlichkeiten.

1. Wie Charlot ins Narbonnische Haus kam, ohne daß Narbonne
oder Madelon etwas von seiner Geburt vermutet.
2. Warum Charlot Adelaiden verbirgt und diese Sache allein auf
sich nimmt. 30
3. Wie ein kleines Mädchen in dem Alter, worin Adelaide bei dem
Kinderraub war, eine Kostbarkeit bei sich habe und trotz den
Zigeunern behalten konnte.
4. Was die Zigeunerin veranlassen kann, die Person, von der sie
die Kinder empfing, zu verschweigen, oder, wenn sie die Madelon 35
angab, was
5. verhindern kann, daß man gar nicht auf Narbonne verfällt.
6. Wie Madelon von Pierre Narbonnes Ermordung wissen kann,
ohne den Urheber zu erraten.

Schiller. IX. 9

Es muß motiviert werden, daß Raoul gerad an diesem verhängnisvollen Tag zurückkommt.

Zigeunerin.

Raoul

5   Madelon

Alter Diener

Der Schmuck.

Adelaide.

Die Polizeiforschungen sind es auch, die den Mörder
10 aufjagen und an dem verhängnisvollen Tag herbeibringen.
Dies muß aber sehr motiviert sein, man muß die Nähe dieser
Person erfahren, ehe sie der Polizei in die Hände fällt[1]),
und der Grund ihrer unzeitigen Ankunft muß einleuchtend sein.
Alles muß grade in den unglücklichsten Moment für
15 Narbonne fallen, daß es aussieht, als wenn das Schicksal
unmittelbar es dirigierte, obgleich das Zutreffen jedes einzelnen
Umstands hinreichend motiviert sein muß.

Es kann sein Unstern wollen, daß er einen Brief falsch
überschreibt oder zwei Briefe, welches zwei höchst fatale Folgen
20 für ihn hat. In dem einen schreibt er einem Freund, ihm
den Kapitän vom Hals zu schaffen. In dem andern schreibt
er dem Kapitän, sich an einem gewissen Ort einzufinden. Diese
Briefe verwechselt er in einem Moment großer Unruhe. Der
Kapitän erfährt also den Mordanschlag auf seine Person. Der
25 andere wird bestellt, eiligst zu kommen. Es kann ein großer
Wechselbrief sein, der ihm wegkommt, er hat ihn in der Zer=
streuung statt eines Briefs weggeschickt, und zwar an den
Mörder, dem er einen kleinen hatte schicken wollen.

Der Aufenthalt unter den Zigeunern hat Saintfoix ein
30 gewisses unstetes Wesen gegeben, besonders haßt er die Ruhe
im Hause und liebt sich ein freies Wandern. Auch hat er
vom Mein und Dein unschuldigere Begriffe.

Sobald die Polizei aufgefodert ist, so werden die Aus=
und Eingänge Saintfoix' nachgespürt, Adelaide entdeckt, auf=
35 gebracht.

---

[1]) Der Mörder kommt zu gewissen Zeiten, um Geld zu holen.
Verdacht entsteht aus einem Versuch, zu entfliehen.

Die Zigeunerin wird aufgefunden und mit Adelaiden konfrontiert.

Mabelon und die Zigeunerin sehen einander —
Die Kinder werden von dieser und Narbonne erkannt —
Mabelon dringt in Narbonne, sie anzuerkennen oder doch 5
als Erben einzusetzen —
Seine Absichten auf Victoiren verhindern diesen Ent=
schluß —
Mabelon droht mit der Entdeckung —[1]
Narbonnes ernstliche Verlegenheit. 10

Die Kinder sind unterdessen erkannt, die ganze Stadt
weiß es, man führt sie im Triumph zu Narbonne.
Kluges Betragen des letzteren, in dessen Busen Wut und
Verzweiflung toben.

5 b. 15

Zigeunerin.	Narbonne.
	Victoire.
	Saintfoix.
Adelaide.	Mabelon.
Saintfoix.	Adelaide. 20
Mabelon.	Zigeunerin.
Alter Diener.	Kapitän.
Mörder.	Alter Diener.
	Bailli.

Diebstahl oder [2] Eine Banknote — Einbruch — Weg. 25
gekommener Schmuck — Anschlag auf sein Leben — Ein Prozeß
mit einem Dritten — Verschwindung eines Hausdiebs — Wild=
dieb — Böser Schuldner. Narbonne ist beleidigt und sodert die
Gerechtigkeit gegen den Beleidiger auf — Er hat eine Schmähung
erfahren und will den Täter herausgebracht haben. Er verfolgt 30
einen Betrüger hitzig durch den Arm des Gerichts — Er übergibt
einen Diener dem Arm des Gerichts und will die Mitschuldigen
herausgebracht haben. Er will, rachgierig, einen Feind ausfindig
machen und findet, was er nicht sucht. Er ist in etwas, was seine
Liebesbewerbung angeht, beleidigt worden, seine Eitelkeit ist gekränkt, 35
sein Stolz verletzt.

---

[1] Erscheinung des Mörders.
[2] Siehe S. 129 Z. 19.

9*

Saintfoix ist schon längst in seinem Hause und lebt da von seinen Wohltaten.

Es ereignet sich etwas (was auf diesen den Schein des Undanks und eines Verbrechens wirft) gegen die Person Narbonnes[1]), keiner will es getan haben, er besteht darauf, es zu wissen, und ruft den Arm der Gerichte zu Hilfe. Es muß etwas sein, das mit Dingen und Personen außer dem Hause zusammenhängt.

Das Entwendete muß selbst eine verhängnisvolle Bedeutung haben, es muß ein altes Erbstück der Narbonnischen Familie sein, und das Wegkommen muß ominös sein. Saintfoix hat Anteil an der Verschwindung. Bildnis der Frau von Narbonne ist drauf. Dieses gleicht ganz Adelaiden.

Die fromme Mutter hat ihrer Tochter ein goldenes Kreuz oder sonst etwas auf Religion sich beziehendes umgebunden. Kurz, die Andacht ist im Spiel, die Entdeckung herbeizuführen.

Die Familienähnlichkeit tut auch das ihrige, den Glauben an die Herkunft der Kinder zu begründen.

Maler und Goldschmied.
Saintfoix trägt Adelaidens Bild, dieses gleicht demjenigen welches Narbonne vermißt.

6.

1. Saintfoix mit Jaques

Er erklärt, daß er in dem Hause nicht bleiben könne, zeigt eine unglückliche Leidenschaft, eine heftige Unruhe, strebt ins Weite fort, nimmt in einem Brief von seinem Wohltäter Abschied.

2. Narbonne und Madelon

Der Schmuck wird vermißt. Narbonne erfährt die Flucht des Saintfoix. Anstalten, ihm nachzusetzen. Er setzt wider den Rat Madelons den gerichtlichen Arm in Bewegung.

---

[1]) Entwendung einer Sache, die ihm vorzüglich lieb ist. Ein Tier. Ein Siegelring. Eine Gemme. Eine Dose.
Anschlag gegen sein Leben. Ein Angriff auf der Straße, bei Nacht.
Verletzung seiner Ehre. Spott. Eine Betrügerei im Spiel oder im Handel.
Verlarvte Personen überfallen ihn.

3.

Adelaide läßt eine Kostbarkeit verkaufen.

Saintfoix kommt zu ihr und erklärt, daß er mit ihr entfliehen wolle. Sogleich. Sie erwartet das Geld für die Kostbarkeit. Laß sie fahren, sagt er, ich besitze, was wir brauchen.

Die Polizei arretiert beide. Saintfoix zieht und läßt seine Geliebte nicht mißhandeln.

Zweiter Akt.

Victoire von Pontis. Die Frau von Pontis. Es ist die Rede von ihrer bevorstehenden Heirat, wovor ihr graut, von Saintfoix' Verschwindung und dem weggekommenen Schmuck. Sie verteidigt Saintfoix mit heftiger Wärme.

Pontis meldet, daß man Saintfoix mit einer verdächtigen Frauensperson aufgehoben habe und beide eben bringe.

Saintfoix und Victoire. Er spricht für Adelaidens Unschuld mit Wärme und reizt dadurch ihre Eifersucht schmerzlich.

Narbonne erscheint, gegen ihn setzt Saintfoix seine Versicherungen fort, und als man ihm Diebstahl schuld gibt, gerät er in ein ungeheures Erstaunen und verstummt, welches man für Schuld hält.

III.

Zigeunerin wird gebracht.

Bei ihrem Anblick gerät Adelaide außer sich und will lieber ins Gefängnis als in die Gewalt dieser Person geraten.

Man erfährt, daß sie dieser Zigeunerin entflohen sei.

Narbonne wird betroffen und will die Untersuchung abbrechen.

Pontis bringt auf weitere Erörterung.

Bekenntnis der Zigeunerin.

Saintfoix und Adelaide erkennen sich als Bruder und Schwester.

Victoire lebt auf.

Narbonne wird immer begieriger, die Sache zuzudecken[1].

Man will nun wissen, wem die Kinder gestohlen worden.

Narbonne wird abgerufen, Madelon sei in Todesnöten usw.

---

[1] Der Schmuck.

IV. Akt.

Madelon und Narbonne.

Er ermordet sie.

Die Entdeckung ist durch den Schmuck geschehen, Pontis
und Gefolge bringen die Kinder im Triumphe zu Narbonne[1].

Frohe Einführung in das Haus.

Narbonne mit dem blutigen Messer brennt sich weiß und
erscheint jetzt noch als unschuldig.

V.

Großmut des Saintfoix.

Des Mörders Erscheinung.

Narbonne wird überwiesen.

Victoire und Saintfoix.

III. Zweiter Entwurf.

7.

Narbonne.

Narbonne und Madelon. Der Schmuck hat sich nicht
gefunden. Narbonne beschließt, die Polizei zu Hülfe zu nehmen,
Madelon warnt ihn, den gerichtlichen Arm zu brauchen[2].
Man ahnt ein schlimmes Geheimnis. Narbonne ist voll Sicher-
heit und spricht von seiner Heurat, von seinem zwölfjährigen
Glück, von dem Ende seiner Furcht.   [a.

Sein Schwiegervater Pontis erscheint, der zugleich Bailli
ist. Er unterrichtet ihn von dem Diebstahl, und dieser, nach
den nötigen Erkundigungen, geht auf der Stelle, seine Anstalten
zu machen.

____

Saintfoix und ein alter Hausbedienter. Saintfoix zeigt
ein unruhiges, leidenschaftliches Wesen, es ist ihm zu eng in
diesem Haus, seine Lage drückt ihn, er fühlt sich sehr unglücklich, man merkt, daß er mit einem Entschluß umgeht.   [b.
Der alte Diener zeigt ihm viel Anteil. Man spricht

____

[1] Victoire muß entfliehen, ihrem Geliebten nach. Auf der
Flucht fällt sie dem Mörder in die Hände oder der Zigeunerin.

[2] Besonders, da eine Zigeunerin genannt wird.

von dem alten Herrn, von der Geschichte des Hauses, von Saintfoix' Aufnahme in demselben und seiner bisherigen Behandlung darin. Wie die Rede auf die bevorstehende Heurat kommt, so ist Saintfoix außer sich und verläßt den alten Diener mit Zeichen von Verzweiflung. Letzterer bekämpft den 5 ihm aufschießenden Verdacht, daß Saintfoix den Diebstahl möchte begangen haben.

———

Victoire von Pontis und ihre Mutter. Sie freut sich, daß der Schmuck verloren gegangen, der für sie bestimmt war, und zeigt ihren Abscheu vor der Heirat, um welche die ganze 10 Welt sie beneidet. Man entdeckt an ihr außer einem unbegreiflichen Grauen vor Narbonne auch Spuren einer Leidenschaft für einen andern, Ärmern, den sie nicht hoffen kann zu besitzen. [c.

[1]Pontis, ihr Vater, kommt dazu und meldet, daß man dem Dieb auf der Spur sei. Man habe die Gänge des Saint- 15 foix ausgekundschaftet, er sei liederlich, habe mit einer hergelaufenen Frauensperson heimliche Zusammenkünfte, es sei schon Befehl gegeben, sie aufzuheben. Victoire zeigt einen heftigen Anteil.

———

Saintfoix mit Adelaiden[2]). Spuren einer unschuldigen 20 Neigung, Dankbarkeit des Mädchens, Mitleiden des Jünglings. Sie erzählt ihre Schicksale, er die seinigen. Sie zeigt ein Angebinde. [d.

———

[1]) Madelon. Narbonne.
    Saintfoix. Pierre.   25
    Adelaide. Saintfoix.
    Verhaft[ung].
    Victoire. Pontis.
    Victoire. Saintfoix.
    Narbonne. Saintfoix.   30
    Zigeuner. Adelaide.
    Madelon. Narbonne.
    Mordmesser.

[2]) Sie hat aus Armut ihren einzigen Reichtum, ein Pretiosum, 35 verkaufen wollen, der Goldschmied, dem es gebracht wird, erkennt es für eine Arbeit, die er selbst der Frau von Narbonne gefertigt, gibt es an, und dies veranlaßt die Einziehung Adelaidens.

Die Polizeidiener erscheinen und fodern von Adelaiden,
daß sie ihnen zum Bailly folgen soll.

Saintfoix widersetzt sich vergebens.   [e.

Adelaide wird zum Bailli gebracht.

5 Saintfoix bittet bei diesem vergebens um Gehör.

Er kommt voll Verzweiflung zu Victoire, fällt ihr zu
Füßen

Rührende Szene.   [f.

Entdeckung der Liebe.

10 Narbonne kommt dazu, bald darauf Pontis.   [g.

Erfolg des Verhörs.

Pontis zeigt den Schmuck, Narbonne zeigt Bestürzung. [h.

Dritter Akt.

[Madelon und Narbonne. Jene hat die Zigeunerin erkannt,
15 und man erfährt von ihr, daß Adelaide das Kind sei, welches jener
Zigeunerin übergeben worden. Noch ist unbekannt, wo der Knabe
hingekommen.

Narbonne erfährt mit Schrecken die nahe Ankunft des
Kapitäns, der sein Geheimnis in der Gewalt hat.

20 Pontis kommt und meldet, daß sich Adelaide und Saintfoix
als Bruder und Schwester erkannt haben, daß die Zigeunerin
beide Kinder vor 16 Jahren erhalten habe usw., daß man]

Adelaide tut einen Fußfall vor Pontis und fleht ihn,
sie von dieser fürchterlichen Frau, der Zigeunerin, zu trennen,
25 die sich für ihre Mutter ausgebe — Sie wolle lieber ins
Gefängnis und in den Tod.   [k.

Man frägt die Zigeunerin, ob das ihre Tochter sei.

Sie erwidert, nein. Das Kind sei ihr, nebst noch einem
andern, übergeben worden.

30 Wo das andre hingekommen?

Das habe ihr Bruder nach Spanien mitgenommen. Wie
sie aber höre, so sei er in Biskaya gestorben.

Saintfoix stutzt und frägt weiter.

Es entdeckt sich, daß er es sei.

35 Erkennung des Bruders und der Schwester.

Narbonne will nun dazwischentreten und das Ganze zu=

decken, Pontis aber will die Eltern des Kindes entdeckt haben[1]),
er erinnert sich an den Schmuck[2]).

Ein Brief von dem Kapitän[3]), der seine unglückselige
Ankunft meldet. Narbonne wendet alles an, die Tätigkeit der
Justiz zu hemmen.   5

Er schlägt dem Saintfoix usw. eine heimliche Flucht vor,
welche nicht darein willigen.   [l.

Szene mit der Madelon, welche die Kinder erkannt hat
und in ihn bringt, sie anzuerkennen.   [m.

Er ermordet sie.   10

Die Kinder sind erkannt.

Man kommt in sein Haus, gerad nach dem Mord.   [n.

8a.

Erster Akt.

Narbonne ist über einen Totenschein erfreut.   15
Madelon, die von einer kleinen Wallfahrt zurückkommt.
Sie zeigt ein unruhiges Gemüt, er ein zufriedenes.
Rede von einem weggekommenen Schmuck.
Verdacht auf eine Zigeunerin, welche im Hause gewesen.
Schrecken der Madelon.   20
Narbonne will die Gerichte zu Hilfe nehmen.

Madelon widerrät es. Er spottet ihrer Furcht, spricht von
seiner bevorstehenden Heirat, dem Ende seiner Furcht, seiner zwölfjährigen Sicherheit. Sein künftiger Schwiegervater, Herr von

---

[1]) Eine Kupplerin.   25
[2]) Wo kommt der wahre Schmuck hin?
[3]) Die Polizeientdeckungen wachsen fürchterlich.
Man bringt den Kapitän ein.
Man bemächtigt sich einer Kupplerin, welche die Erkennung
Adelaidens herbeiführt.   30

Der Mörder kennt eine geheime Tür zu Narbonnes Zimmer.
Er ist auf diesem Weg heimlich hereingekommen, hat den Schmuck
liegen sehen und ist mit demselben davongegangen. Dem Narbonne
ließ er ein paar Zeilen zurück, wo er ihm anzeigt, daß er nun in
die weite Welt ginge, denn er müsse einer Mordtat wegen fliehen. 35
Auf dieser Flucht wird er angehalten, welches wieder eine Folge der
Polizeigeschäftigkeit ist.

Pontis, kommt. Er klagt den Diebstahl ein, und dieser geht,
Anstalten zur Auffindung des Gestohlenen zu machen.

Narbonne und Saintfoix. Dieser erhält den Auftrag von Nar=
bonne, seiner Braut ein Geschenk zu überbringen.

5 Saintfoix und ein alter Diener. Jener zeigt ein unruhiges,
leidenschaftliches Wesen, es ist ihm zu eng in dem Hause, man
hört, wie er hereingekommen, man hört von dem alten Herrn und
der Geschichte der Familie. Wie von der bevorstehenden Heirat die
Rede ist, zeigt Saintfoix ein tiefes Leiden und geht.

10 Der alte Diener, der ihm sonst sehr gewogen, weiß nicht, was
er davon denken soll. Er spricht mit Wehmut von der alten Herr=
schaft, und seine Reden geben allerlei über den neuen Besitzer zu denken.

I a.

15 Narbonne.	Madelon.	(Bruder und Schwester erkennen sich.)
Narbonne.	Pontis.	
Narbonne.	Saintfoix.	
Saintfoix.	Jacques.	
Jacques allein.		

IV.

Narbonne allein.
Madelon. Narbonne.
(Madelon getötet.)
Narbonne. Saintfoix.
Adelaide. Pontis.
Diener. (Kinder sind erkannt
und restituiert.)

b.

20 Adelaide. Hauswirtin.
Adelaide. Saintfoix.
Adelaide. Saintfoix. Polizei.

II.

Victoire. Frau von Pontis.
25 Vorige. Pontis.
Victoire. Saintfoix.
Vorige. Narbonne.
Narbonne. Saintfoix. Pontis.
Nachricht von der Zigeunerfrau.

V.

Saintfoix und Victoire.
Narbonne versucht, sich heimlich zu
entfernen. Polizeianstalten, die er
selbst veranlaßte, entdecken und
hindern seine Flucht.
Murmeln der Bedienten.

III.

30 Adelaide. Saintfoix. Narbonne.
Vorige. Pontis. Zigeunerin.

Erscheinung des Kapitäns.
Entdeckung des Ganzen.
Narbonne tötet sich.

8 b.

Erster Akt.

35 Madelon, Haushälterin des Herrn von Narbonne, kommt
von einer Wallfahrt zurück und erfährt von ihrem Herrn,
daß er den Schmuck vermisse, der zum Geschenk für seine
Braut bestimmt gewesen. Da er keinen bestimmten Verdacht

habe, so habe er einstweilen die Polizei aufgefodert, sowohl die Gänge seiner eigenen Hausgenossen zu bewachen, als dem verlorenen sonst nachzuspüren. Madelou äußert ihre Unruhe darüber, daß er den gerichtlichen Arm in Bewegung setze. Lasset ihn lieber ruhen, sagt sie. Mir graut, wenn ich daran 5 denke. — Nehmt dieses kleine Unglück willig hin. Seid froh, daß Euch der Himmel diese Züchtigung zuschickt. Schon lange hat mich die ununterbrochene Dauer Eures Wohlstands bekümmert usw. — Narbonne meint, daß er sein Recht nur verfolge. Euer Recht! unterbricht sie ihn und läßt in ein Geheimnis blicken. 10 Noch mehr Unruhe zeigt sie, als sie weiter erfährt, daß die Hausbedienten eine Zigeunerfrau in Verdacht hätten, welche dieser Tage im Hause gewesen und Wahrsagerkünste getrieben. Sie beklagt es, daß sie nicht hier gewesen. Indem sie eine ferne fruchtlose Wallfahrt angestellt, um ihr Herz zu beruhigen, 15 habe sie vielleicht die einzige Gelegenheit darüber versäumt, wo sie das Ende ihres Kummers finden konnte. Narbonne schilt ihre grillenhafte Andacht und erklärt, daß er für seine Person ein zufriedener Mann sei, daß er jetzt nichts mehr fürchte, indem er des einzigen, der sein Geheimnis noch in 20 der Gewalt gehabt, entledigt zu sein hoffen dürfe. Er habe zum erstenmal aufgehört, sein jährliches Geld zu empfangen, wahrscheinlich sei er tot usw.

Herr von Pontis, Baillif und zugleich sein künftiger Schwiegervater kommt, wegen des weggekommenen Schmucks 25 die nötigen Erkundigungen einzuziehen, wobei von Narbonnes Hausgenossen die nötigen Notizen gegeben werden, besonders von Saintfoix, dem jungen herkunftlosen Menschen, den er in sein Haus aufgenommen. Es fällt nun auch die Rede auf die bevorstehende Heurat, ein Wort über die Weigerungen der 30 Braut usw. Pontis gibt zu erkennen, wie hoch Narbonne von ihm und der ganzen Stadt geachtet sei.

Nun trägt Narbonne dem Saintfoix auf, dem Fräulein von Pontis ein Bukett zu bringen, und geht ab.

Saintfoix und ein alter Diener im Narbonnischen Hause, 35 der an dem jungen Menschen viel Anteil zeigt. Saintfoix zeigt ein unruhiges leidenschaftliches Wesen, es ist ihm zu eng in dem Hause, er will wandern, man hört, wie er herein=

gekommen, man erfährt die Schicksale des Hauses, den Tod des vorigen Herrn und seiner Kinder, die Geschichte des jetzigen Besitzers. Wie von der Heurat die Rede ist, wird Saintfoix unruhiger und entfernt sich. Der alte Diener, welcher zurück=
5 bleibt, weiß nicht, was er davon denken soll, er spricht mit Wehmut von der alten Herrschaft, und mit zweideutiger Zurück=
haltung von dem neuen Besitzer.

Adelaide schickt eine alte Mutter mit einer Kostbarkeit zum Goldschmied. Sie trennt sich ungern davon.
10 Saintfoix kommt. Man entdeckt eine unschuldige Neigung von seiten des Mädchens, Dankbarkeit, Mitleid von seiten des Jünglings. Sie erzählen einander von ihren Schicksalen, Saintfoix schlägt ihr vor, mit ihm zu gehen.
Man pocht an von seiten der Polizei. Adelaide wird
15 zum Bailly gefordert. Saintfoix, der sich für sie verbürgen will, kann nichts ausrichten, und geht mit dem Entschluß, beim Bailly oder seiner Tochter sich ihretwegen zu verwenden.

Zweiter Aufzug.

Victoire und ihre Mutter. Jene zeigt ihren Abscheu vor
20 der Bewerbung Narbonnes, um welche die ganze Welt sie beneidet. Man bemerkt an ihr, außer diesem Widerwillen vor Narbonnes Person auch eine geheime und hoffnungslose Neigung.
Pontis kommt und berichtet, daß man dem gestohlenen
25 Schmuck auf der Spur sei.
Adelaide wird gebracht, und wie Pontis fortgeht, um sie zu verhören, kommt Saintfoix in großer Bewegung zu Victoire, um ihren Beistand und Verwendung für Adelaiden aufzurufen.
Eine bewegte Szene zwischen beiden, die zu gegenseitiger
30 Entdeckung ihrer Liebe führt.
Narbonne kommt zu dieser Szene und findet in Saint=
foix seinen Nebenbuhler[1]).

----

[1]) Wozu dieser Auftritt?

Nun kommt Pontis nach geendigtem Verhör und erklärt Saintfoir für mitschuldig.

Narbonne erfährt von ihm, daß ein Teil bes Schmucks sich gefunden.

Wie Narbonne diesen Schmuck sieht, gerät er in große 5 Bestürzung.

Szene zwischen ihm und Pontis, er macht ben Groß= mütigen und will die Untersuchung fallen lassen, beibe ver= bächtige Personen nach ben Inseln schicken.   [i.

Pontis besteht auf der strengsten Untersuchung[1]).   10

Wie sie noch beisammen sind, wird dem Bailli gemeldet, daß man die Zigeunerin aufgebracht habe, und daß Adelaide bei Erblickung derselben in Schrecken geraten sei.

Dritter Akt.

Saintfoir und Adelaide sind bei dem Baillif in Ver= 15 wahrung, wenn die Zigeunerin dahin gebracht wird. Madelon hat diese erblickt, als man sie hinbrachte, und kommt voll Schrecken zu Narbonne, der auf seinem Zimmer ist und mit Erstaunen wahrnimmt, daß jemand barin gewesen, obgleich er es selbst verschlossen.   20

Madelon entdeckt ihm, daß sie die Zigeunerin für dieselbe erkannt, die sie längst gesucht, daß sie ihr Kundschaft von ben Narbonnischen Kindern geben müsse usf.

Die Zigeunerfrau hat sich verdächtig gemacht, und zeigt, wie sie zum Baillif geführt wird, große Angst.   25

Saintfoir und Adelaide versichern ihre Unschuld und verwerfen Narbonnes Vorschlag, zu entfliehen.

Pontis bringt eine Zigeunerfrau. Beim Anblick derselben erschrickt Adelaide und beschwört ben Herrn von Pontis, ihr Schutz gegen diese Frau zu verschaffen, die sich für ihre Mutter 30 ausgebe.

---

[1]) Narbonne und Saintfoir allein. Er will ihn mit dem Mäd= chen entfernen.

Narbonne ahnt nun den ganzen Zusammenhang des Ge=
heimnisses. Er will die Untersuchung abreißen, aber Pontis
dringt auf eine vollständige Entdeckung. Jener verlangt, daß
Adelaide und Saintfoix in sein Haus gebracht werden[1]).

5

8c.

Mabelons Melancholie muß sich indessen auffallend gezeigt
haben[2]). Sie kann Szenen haben 1. mit Charlot, 2. mit
Thierry, 3. mit andern Hausbedienten[3]).

---

[1])

† Narbonne	† Graff	2 Narbonne	Graff	Iffland
10 † St. Foix	† Oels	1 Charlot	Oels	Bethmann
† Pontis	† Becker	6 Pontis	Becker	
† Kapitän	† Heide	9 Kapitän	Heide	
† Honorat.	† Malcolmi	8 Thierry	Malcolmi	
† Mabelon	† Teller	10 Schreiber	Wolf	
15 † Adelaide	† Becker	12 Gerichtsdiener	Genast	
† Victoire	† Sille	3 Mabelon	Teller	Unzelmann
† Zigeunerin	† Blumau	4 Victoire	Sille	Fleck
Polizeidirektor	Genast	5 Adelaide	Beck[er]	Meiern
Hauswirtin	Beck	7 Zigeunerin		
20 Narbonnes Diener	Benda	11 Frau	Beck	
	Eilenstein			
	Werner			
	Unzelmann			
	Dirzla			
25	Wolf			

[2]) Narbonnes Heurat kann Anlässe geben, Mabelons Schwer=
mut zu zeigen.

[3])

Narbonne.	Charlot.	Mabelon.	Adelaide. Victoire.
N. und Mabelon.	mit Thierry.	mit Narbonne.	
30 mit Pontis.	allein.	mit	
bei Victoire.	mit Adelaide.	mit	
mit Pontis.	mit Victoire.	mit	
mit Charlot.	mit Pontis.	mit Narbonne.	
mit Mabelon.	mit Narbonne.		
35 allein.	mit Zigeunerin.		
mit allen.	beim Mörder[?]		
mit dem Mörder.	ein valet[?]		

Madelon hat die Zigeunerin gesehen und für dieselbe erkannt, der sie die Kinder übergeben. Angst und Freude bestürmen sie, noch weiß sie nicht, daß die Kinder sich gefunden. Zwischen jener Erkennung und dieser Entdeckung liegen noch Situationen.

Narbonne fürchtet die Reue der Madelon und trifft frühe Anstalten dagegen.

Madelon hat eine heftige Szene mit Charlot oder Adelaide gehabt, welche höchst seltsam aufgefallen. Sie hat ihn nämlich für das gestohlene Kind erkannt. Alle Welt muß sie für eine Verrückte halten.

Madelons Verhältnis im Hause ist auch höchst sonderbar und führt auch Situationen herbei[1]).

8d.

Narbonne befruchtet das Schicksal, daß es sich von der schrecklichen Entdeckung seines Frevels entbindet. In dem prägnanten Moment, wo die nötigen Requisiten parat liegen, gibt er selbst den Impuls, daß sie sich zu der Entdeckung in Bewegung setzen. Seine Sicherheit führt ihn zum Fall.

Aber sein Ruf ist so fest gegründet, daß selbst die Nemesis daran zu scheitern scheint. Die Kinder sind gefunden, seine Vertraute ist von seiner Hand ermordet, er selbst ist mit blutigem Messer gefunden und noch fällt es keiner Seele ein, ihn zu beargwohnen. Die Kinder verehren ihn, er soll sogar im Besitz ihres Erbteils bleiben usw. usw.

Bis sich, durch das nämliche verhängnisvolle Triebwerk, welches er anregte, die ganze Wahrheit entfaltet und er sein furchtbares Los zieht.

Daß das einmal in Lauf gekommene Triebwerk wider seinen Willen und wenn er es gern wieder aufhalten möchte

---

[1]) Das Hausgesinde Narbonnes hat ein Verhältnis zu der Madelon.

Madelons altes Liebesverhältnis zu Narbonne ist nicht ohne Wirkung.

Die neu zu erwartende Frau des Hauses bringt ein Interesse hervor, besonders wird Madelon durch den Gedanken geängstigt, daß jetzt erst die Kinder um ihr Erbe gebracht werden.

Madelon.

fortgeht, ist von tragischem Effekt. Er selbst holt sich das Haupt der Gorgone herauf.

Der Schmuck, den er vermißt und suchen läßt, ist gleich=
sam ein abgeschossener Pfeil, der die vorigen Pfeile findet.
5 Er sucht seinen Schmuck und findet etwas, das er nicht sucht,
eins nach dem andern. Endlich findet er auch den Schmuck,
aber zu seinem Verderben.

Es ist von tragischer Kraft, daß etwas Furchtbares, was
man nicht erwartet, etwas noch viel Schlimmeres als was
10 man weiß, noch zurück ist und ans Licht kommt. Der Raub
der Kinder und die Usurpation ihres Erbteils ist das be=
kannte Unrecht, es ist der Stoff der Handlung, es scheint, daß
dies alles ist, und Madelon hat an diesem Verbrechen schwer
genug zu tragen, aber ein noch fürchterlicheres Faktum, um
15 welches selbst Madelon nicht weiß, liegt im Hinterhalt und
dieses, durch die Schmuckuntersuchung an den Tag gebracht,
dient zur Enthüllung aller übrigen.

Dieses noch Fürchterlichere, welches nicht eigentlich er=
wartet wird, wird dadurch angekündiget, daß, wenn doch schon
20 alles aufgelöst ist, der Schmuck noch immer fehlt.

IV. Dritter Entwurf.

9 a.

I. Akt.

25   Madelon von der Wallfahrt zurück, ohne Trost.
        Der vermißte Schmuck, der zum Brautschmuck bestimmt war.
        Narbonne will gerichtlich danach forschen lassen.
    3 Madelon warnt ihn vor den Gerichten.
        Eine Zigeunerin, die indes da war, fällt der Madelon auf.
        Pontis jetzt wegen des gestohlenen Schmuckes sein Amt in
30   Bewegung.

        Nachfrage wegen der Hausgenossen.
        Charlots Verhältnis im Hause.
    4 Narbonnes großes Ansehen.
        Pontis' Stolz, ihn zum Eidam zu bekommen.

35   5 Charlot, aus dem Narbonnischen Hause wegstrebend.
        Thierry, der alte Diener.

II. Akt.

Victoire hat ein Grauen vor dem allgemein verehrten Narbonne.
Geheime Neigung zu Charlot.

5 { Pontis meldet Charlots Flucht oder zeigt sonst einen Verdacht
gegen ihn.   5

Victoire verteidigt ihn lebhaft.

Ein Stück von dem Narbonnischen Schmuck kommt an den
Tag, es sollte an einen Goldschmied verkauft werden.

5 { Adelaide den Charlot erwartend. Sie hat etwas Kostbares in
die Stadt verkaufen lassen.   10

Charlot kommt, die Zigeunergeschwister.

Polizei nimmt Adelaide fort. Charlot folgt ihr.

22

III. Akt.

Charlot fleht die Victoire an um Adelaides willen.   15

4 Es kommt zwischen beiden zur Erklärung.

1 Sie werden in zärtlicher Gruppe von Narbonne überrascht. An=
schein gegen Charlot.

1 Pontis mit dem Kleinod der Adelaide, er erschreckt damit den
Narbonne nicht wenig, der die Untersuchung will gehemmt   20
wissen. Ein furchtbares Incidens. (Narbonne erhält also
2 Schläge auf einmal in seiner Liebe und in seinem Ge=
wissen)

1 Charlot wird von Pontis in Adelaidens Sache verwickelt.

2 Victoire entdeckt in Narbonnes Beisein ihre Liebe zu Charlot 25
ihrem Vater.

1 Incidens mit der eingebrachten Zigeunerfrau und dem Schrecken
Adelaidens.

Madelons Gemütsbewegung beim Anblick der Zigeunerin neben=
her erwähnt ist ein Dolchstich für Narbonne.   30

Narbonne bittet den Pontis vergebens die Untersuchung ein=
zustellen.

2 Narbonne trägt dem Charlot vergebens an, ihm mit Adelaiden
zur Flucht zu verhelfen.

2 Adelaides Furcht vor der Zigeunerin.

Narbonne erhält Botschaften.   35

4 Zigeunerin konfrontiert.

Die Geschwister werden entdeckt.

1 Narbonne will umsonst die Untersuchung hemmen.

Pontis will wissen, woher die Kinder.

Narbonne wird abgerufen.   40

IV.

Madelon.

4 Narbonne und Madelon. Er ermordet sie.
4 Die Kinder des Hauses erkannt und zurückkommend.

V. Akt.

5

1 Narbonne auf seinem Zimmer findet die Spuren des Mörders.

10 Pontis meldet triumphierend den gefundenen Schmuck.
Narbonne sucht umsonst zu entfliehen.

10 Narbonne und der Mörder konfrontiert.
Madelon und sein Liebesverständnis entdeckt sich.
Narbonne macht einen vergeblichen Versuch sich zu töten.
Er wird ganz entlarvt und dem Gericht übergeben.
(Adelaide.)

15 Charlot und Victoire machen den Schluß.

60

9 b.

Die Kinder des Hauses.

Schauspiel.

20

1. Akt.

Madelon die von einer kleinen Wallfahrt zurückkommt.

Sie zeigt eine melancholische gequälte Seele. Narbonne ist ruhig
und sicher, da ihm alles nach Wunsch zu gehen scheint.

Rede von einem weggekommenen Schmuck.

25   Verdacht auf eine Zigeunerin, die in dem Hause gewesen,
während daß Madelon weg war; und

Ihre Bewegung bei dieser Nachricht. Ach, vielleicht indem ich
diese fruchtlose Wallfahrt anstellte, um mein Herz zu beruhigen, habe
ich hier die einzige Gelegenheit verfehlt meines Kummers los zu werden!

30   Narbonne will die Gerichte zu Hilfe nehmen.

Madelon warnt ihn. Lasset die Gerichte ruhen, sagt sie. Mir
graut, wenn ich daran denke. Nehmet das kleine Unglück willig hin,
schon lang hat mich die ununterbrochene Dauer Eures Wohlstandes
bekümmert. — Narbonne meint, daß er sein Recht verfolge. Euer

35 Recht! unterbricht sie ihn.

Besonders verdrießt ihn, daß er seiner Braut nun das Geschenk
nicht machen kann, das er ihr bestimmt. Für sie war der Schmuck
bestimmt.

10.

Die Kinder des Hauses.

Ein Schauspiel.

Erster Akt.

Madelon kommt von einer kleinen Wallfahrt zurück, wo sie für ihre Unruhe Trost gesucht. Ein begangenes Unrecht quält sie, sie bringt keinen Trost zurück.

Sie findet Narbonne zufrieden, mutig und sicher, alles scheint ihm nach Wunsch zu gehen.

Nur ist er ärgerlich über einen weggekommenen Schmuck, den er seiner Braut hatte verehren wollen, und er will die Gerichte deswegen in Bewegung setzen.

Madelon erschrickt. Lasset die Gerichte ruhen, sagt sie. Nehmt das kleine Unglück willig hin. — „Es ist kein kleines Unglück." — Nehmet's an als eine Buße. Schon lang hat mich die ununterbrochene Dauer Eures Wohlstandes bekümmert. — „Ich will aber mein Recht verfolgen." — Euer Recht, seufzt Madelon.

Noch größere Unruhe zeigt Madelon, wie sie hört, daß eine Zigeunerin im Haus gewesen, welche man des Schmuckes wegen in Verdacht habe. Sie beklagt sehr, daß sie nicht hier gewesen. Ach, vielleicht indem ich meine fruchtlose Wallfahrt anstellte, um mein Herz zu beruhigen, habe ich die einzige Gelegenheit verfehlt, meines langen Grams los zu werden.

Ihr Gemütszustand ist bang und ängstlich und spannt die Furcht. Damit steht Narbonnes Sicherheit und Ruhe in einem interessanten Kontrast.

Wie weit darf man jetzt noch in den wahren Zustand hineinblicken?

11.

Erster Aufzug.

Die melancholische Madelon kommt von einer Wallfahrt zurück, ohne Trost.

Sie findet, daß Narbonne, der Herr des Hauses, einen Schmuck vermißt, den er seiner Braut zum Geschenk bestimmte.

Er will die Gerichte danach in Bewegung setzen.

10*

Sie mißrät ihm, warnend, die Gerichte aufzuregen. Er ver=
lacht ihre Bedenklichkeiten mit einer großen Sicherheit.

Sie hört von einer Zigeunerfrau, die seitdem im Haus gewesen
und beklagt, daß sie sie verfehlt. — Vielleicht hätte sie ihr den Trost
5 verschafft, den sie bei der Wallfahrt vergebens suchte.

Madelon scheint von dem Bewußtsein eines Verbrechens
gepeinigt, dessen Mitschuldiger Narbonne ist. Dieses Ver=
brechen ist zwar noch nicht ganz deutlich, es besteht aber in
dem unrechtmäßigen Besitz des Narbonnischen Erbes.

10 Narbonne tröstet die Madelon mit seiner guten Ver=
wendung dieses Erbes, wie er sagt.

Seine Anfrage bei ihr, ob sie keine Ansprüche auf seine
Hand mache, deutet auf ihr früheres Liebesverständnis. Sie
entläßt ihn aller Verpflichtung und will ihr Leben der Reue
15 widmen für ihn und sich selbst.

Herr von Pontis, Bailli des Ortes und sein künftiger
Schwiegervater, kommt, wegen des weggekommenen Schmucks
die nötigen Erkundigungen einzuziehen. Dies kann mit einiger
Förmlichkeit geschehen und mit Zuziehung eines Gerichts=
20 schreibers. Der Schmuck wird beschrieben, die Hausgenossen
werden aufgezählt, und bei dieser Gelegenheit exponiert sich
ein Teil der Geschichte.

Besonders ist die Rede von Charlot, dem jungen Menschen,
welchen Narbonne vor fünf Jahren ins Haus genommen. Diese
25 Geschichte wird erzählt und zeigt den Narbonne im Licht
eines Wohltäters. Er scheint keinem Verdacht gegen den=
selben Raum zu geben.

Nach diesen offiziellen Dingen ist die Rede von der
Heurat. Pontis zeigt, wie sehr er und die ganze Stadt den
30 Narbonne verehre, und ist glücklich in dem Gedanken einer
Verbindung mit ihm.

Charlot im Gespräch mit dem alten Thierry[1]). Der
junge Mensch zeigt die leidenschaftlichste Unruhe, es ist ihm
zu eng in dem Hause, er strebt ins Weite fort[2]), seine Agi=

35   [1]) Charlot hält sich für den Sohn schlechter Eltern.
    [2]) Das Heimatlose schildert sich auf eine rührende Art in dieser
Szene. Charlot hat die ganze Erde frei vor sich liegen.

tation ist die heftigste. Dabei hat er etwas Geheimnisvolles,
Unsicheres, Scheues, Gewaltsames, was aussieht wie Gewissens=
angst. Besonders scheint er sich eines großen Undanks gegen
Narbonne anzuklagen. Wie von der Heurat desselben die Rede
ist, steigt seine Unruhe aufs höchste.   5

Seine Szene mit Thierry sieht völlig aus, wie ein ewiger
Abschied, er nimmt auch Abschied von den leblosen Gegen=
ständen und so reißt er sich los in der gewaltsamsten Stim=
mung.

Thierry schüttelt das Haupt, und scheint sich mit Macht   10
gegen einen aufsteigenden Verdacht zu wehren. In seinem
Monolog spricht sich's aus, wie es in alten Zeiten hier war,
und wie es jetzt ist.

Er und Madelon sind die einzigen Reste des alten Hauses.

(Das Haus im Walde.)   15

Adelaide ist einer gefährlichen Zigeunerin entsprungen,
von der sie tyrannisiert und zum Bösen verleitet worden.
Charlot hat sie in einer hülflosen Lage gefunden und zu guten
Leuten gebracht, bei denen sie sich noch heimlich aufhält. Sie
hält die Zigeunerin, wo nicht für ihre Mutter, doch für ihre   20
Tante.

Charlot ist ihr einziger Schutz, aus Furcht entweder vor
der Zigeunerin oder vor mächtigen Personen will sie sich nie=
mand anderm anvertrauen. Zu Charlot zieht sie eine starke
Sympathie, die aber entschieden nicht Liebe ist. (Darf sie wissen, 25
daß er schon liebt?)

Sie hat eine Kostbarkeit bei sich, ihr einziger Reichtum,
diese entschließt sie sich zu verkaufen und gibt sie zu dem
Ende ihrer Wirtin, um damit nach der Stadt zu gehen.

Indem sie die Zurückkunft dieser Frau erwartet, kommt 30
Charlot, um ihr anzukündigen, daß sie miteinander entfliehen
müssen.

Sie ist dazu bereit und erwartet bloß die Zurückkunft der
Frau, welche ihr Kleinod zu Geld machen sollte. Laß sie
fahren, sagt er, ich besitze was wir brauchen.   35

Will er mit Adelaiden entfliehen oder was hat er sonst mit
ihr vor? Ähnlichkeit ihrer Herkunft verbindet sie.

Die Polizei kommt Adelaiden mit fortzunehmen.

Charlot macht sich durch ihre Verteidigung höchst verdächtig und folgt ihr zu dem Richter.

Zweiter Aufzug.

(Im Hause des Baillif.)

Victoire von Pontis mit einer vertrauten Person.

Das Fräulein hat ein geheimes Grauen vor dem ihr bestimmten Gatten, den alle Welt verehrt. Sie hat eine lebhafte Neigung zu Charlot, wiewohl ohne Hoffnung. Ihr Zustand ist also peinlich, wiewohl sie das härteste noch nicht kennt, nämlich in ihrer Liebe selbst gekränkt zu sein.

Sie verrät ihre Abneigung gegen die Heurat mit Narbonne durch die Freude, die sie über den verloren gegangenen Schmuck äußert.

Herr von Pontis kommt und meldet mit heftigen Ausbrüchen über den Undank, die Flucht Charlots und seinen wahrscheinlichen Anteil an dem entwendeten Schmuck. Victoire verteidigt ihn mit leidenschaftlicher Wärme.

Goldschmied bringt die Kostbarkeit, welche Adelaide hatte verkaufen wollen, er hat sie für Narbonnischen Schmuck erkannt.

Victoire triumphiert über diese Entdeckung, durch welche Charlot scheint gerechtfertigt zu werden.

In der großen Liste künftig zu bearbeitender Stoffe notierte Schiller nach den „Kindern des Hauses" den Titel „Der Hausvater". Aus der Stellung in der Liste ist zu schließen, daß der Gedanke an ein Stück dieses Namens ihm während der Vollendung des „Wallenstein" kam. Jedenfalls war es auch dabei auf ein bürgerliches Schauspiel aus der Gegenwart abgesehen; ob es sich um eine eigene Erfindung oder um eine deutsche Bearbeitung von Diderots „Père de famille" handelt, läßt sich nicht sagen. Das zweite ist wahrscheinlicher; für ein neues Stück konnte Schiller kaum den Namen des damals allbekannten Dramas Diderots und der häufig aufgeführten deutschen Nach=ahmung Gemmingens verwenden.

Auch der in der Liste Schillers folgende Titel „Ver=schwörung gegen Venedig" scheint auf eine ähnliche Ab=sicht hinzudeuten. Der englische Dramatiker der Restaurations=zeit Thomas Otway hatte aus den Erzählungen St. Reals einen „Don Carlos" und sein bestes und letztes Trauerspiel „Venice preserved, or, a Plot discovered" (1682) ent=lehnt. Das wirksame Drama war schon 1754 in der „Wiener Schaubühne" gedruckt worden unter dem Titel „Die Verschwörung wider Venedig". Nicht weniger als acht deutsche Übersetzungen bezeugten die Beliebtheit des Stoffes in Deutschland während des letzten Viertels des achtzehnten Jahrhunderts, fünf davon stammten aus den neunziger Jahren. Später hat auch Schreyvogel daran gedacht, es neu zu bearbeiten, Grillparzer 1819 eine metrische Übersetzung begonnen, und noch 1905 ist das „Gerettete Venedig" von Hofmannsthal in seiner Art für die Bühne der Gegenwart zugestutzt worden.

Die Vorlage Otways, St. Reals „Verschwörung des Marquis von Bedemar gegen die Republik Venedig im Jahre 1618" hatte Schiller 1788 seiner „Geschichte der merk= würdigsten Rebellionen und Verschwörungen" einverleibt (s. Bd. 16, S. 7). Alles das mochte zusammenwirken, ihn an diesen Stoff denken zu lassen, als er mit Goethe Umschau hielt, um den Spielplan des Weimarer Theaters aus den Schätzen der dramatischen Literatur aller Zeiten und Völker zu bereichern.

Vor der „Jungfrau von Orleans" nennt Schillers Dramenliste „Die Sizilianische Vesper", einen Gegen= stand, über den nichts Weiteres bekannt ist. Man weiß, daß die Sizilianische Vesper der Name des allgemeinen Aufstands ist, der am Abend des 30. März 1282 in Palermo gegen die französischen Bedrücker Siziliens ausbrach und dem 24000 von ihnen zum Opfer fielen. Jede dramatische Behandlung dieser leidenschaftlichen Volkserhebung hätte ihrem Wesen nach ein Seitenstück zum „Wilhelm Tell" ergeben müssen: Ver= teidigung des Rechtes nationaler Selbstbestimmung gegen ausländische Eroberer, siegreiche Bewährung des Freiheits= gedankens.

Der nächste unausgeführte Plan führt in der Liste den Namen „Agrippina. Tragödie". Racine hatte die jüngere Agrippina in seinem „Britannicus" auftreten lassen. Schiller, der dem großen Tragiker als dem einzigen unter den Franzosen niemals seine Bewunderung versagte, begann Ende 1804 vor der „Phädra" den „Britannicus" zu über= setzen (s. Bd. 11, S. 431 ff.). Daß aber der Gedanke, die verworfene Mutter Neros und ihre Ermordung durch den Sohn im Drama vorzuführen, nicht erst im Gefolge der Britannicusübersetzung aufkeimte, bezeugt die Stellung des Titels in der Liste. Es ist nicht bedeutungslos, daß ihm dort die „Jungfrau von Orleans" und „Macbeth", die beiden dramatischen Arbeiten des Jahres 1800, vorausgehen. In der Königin Jsabeau und der Lady Macbeth hatte Schiller dämonische weibliche Verbrechernaturen auf die deutsche Bühne gestellt. Der Hinweis Racines auf seine Quelle, das 12. bis 14. Buch der „Annalen" des Tacitus, führte Schiller zum Studium des größten Historikers des Altertums, und in dessen Schilderung trat ihm die von Germanicus erzeugte Julia Agrippina als riesengroße tragische Gestalt entgegen. Die „Annalen" schildern ihr schmähliches Ende durch den eigenen Sohn als Gipfel und Sühne beispielloser ungeheurer Frevel. Hier blieb jedes weichliche Mitleid ausgeschlossen. Die Wirkung furchtbarer tragischer Schicksalsfügung konnte sich rein entfalten. Ob ein deutsches Publikum diesem Stoffe, selbst in der höchsten poetischen Ausgestaltung, seine Gunst zugewandt hätte? Und ob Nero insbesondere soviel Größe als nötig verliehen werden konnte? Die letzten Zeilen in Schillers Niederschrift mögen auch die Ursache enthalten, die ihn auf die Fortsetzung verzichten ließ.

Die Handschrift ist mit der Britannicusübersetzung zusammengeheftet, was aber weder für ihre Entstehungszeit noch für einen ursächlichen Zusammenhang etwas besagt.

Agrippina.

Der Tod des Britannicus und der Tod der Agrippina geben beide den Stoff zu einer reinen Tragödie, und vorzüglich der letztere.

In dem erstern ist vielleicht noch zuviel von einem stoff=　5 artigen Interesse und einem sentimentalischen Mitleid zu fürchten, da der Untergang der Agrippina mehr die tragische Furcht und das tragische Schrecken erregt.

Agrippina ist ein Charakter, der nicht stoffartig interessiert, bei dem vielmehr die Kunst das Stoffartigwidrige erst über=　10 winden muß. Rührt Agrippina, versteht sich, ohne ihren Charakter abzulegen, so geschieht es lediglich durch die Macht der Poesie und die tragische Kunst.

Agrippina erleidet bloß ein verdientes Schicksal und ihr

Untergang durch die Hand ihres Sohnes ist ein Triumph der Nemesis. Aber die Gerechtigkeit ihres Falls verbessert nichts an der Tat des Nero; sie verdient durch ihren Sohn zu fallen, aber es ist abscheulich, daß Nero sie ermordet. Unser Schrecken wird also hier durch kein weiches Gefühl geschwächt. Wir erschrecken zugleich über den Opferer und über das Opfer. Eine leidende Antigone, Iphigenia, Kassandra, Andromacha usw. geben keine so reine Tragödie ab.

Der Tod der Agrippina macht Epoche in dem Charakter des Nero; hier fühlt er die letzte Scham, und die letzten Schauer der Natur, er überwindet sie und hat nun alle moralischen Gefühle überwunden.

Er macht Epoche in seinem Charakter; denn solange die Mutter lebte, hatte Nero noch einen Zügel. Seine ganze Infamie und Schändlichkeit brach noch nicht ganz aus bei ihrem Leben. Wie sie tot ist, achtet er nichts mehr, und eins der ersten ist, daß er aufs Theater geht.

Es kostet dem Nero etwas, seine Mutter umzubringen; nicht etwa aus einem Rest von Liebe, die hat er nie für sie empfunden. Es ist bloß die unvertilgbare Naturstimme, die er Mühe hat zum Stillschweigen zu bringen. Diese Naturstimme ist so allgemein, es ist ein so ewiges Naturgesetz, daß selbst ein Nero die heftigste Krise ausstehen muß, ehe er es überwindet, und er überwindet es nicht, sondern muß es umgehen.

Die Tragödie hält sich also mehr innerhalb des physischen Kreises als des moralischen auf; oder sie behandelt dasjenige moralische, welches eine physische Macht ausübt.

Nero scheint noch verbesserlich, solange er seine Mutter nicht getötet hatte; er steht in dem Stück auf einer Grenze. Er fühlt noch Scham, er scheut noch etwas Heiliges, es ist noch nicht alle Hoffnung verloren[1]). Aber noch ehe er sie töten läßt, und um sie töten lassen zu können, muß er die Natur ausziehen. Diese kehrt noch einmal zurück, wenn die Tat getan ist, aber ohnmächtig und ohne Folgen.

---

[1]) Es kommt in dem Stücke selbst soweit, daß seine Mutter ihn noch einmal herumbringt.

Agrippina hat ein Orakel erhalten, daß ihr Sohn herr=
schen und sie töten würde. Damals war es ihr nur um ihren
Zweck zu tun. Occidat dum imperet.

Ihre Macht ist gesunken, sie hat ihren Einfluß auf ihn
verloren und muß andere, statt ihrer, ihn beherrschen sehen. 5
Dies ist ihr größtes Unglück, denn sie hatte ihm die Herrschaft
mehr verschafft um ihretwillen, als um seinetwillen, aber er
ist ihr entschlüpft, weil sie ihre Regiersucht nicht zu mäßigen
oder zu verbergen verstand. Jetzo büßt sie es teuer durch
Verlassenheit und Verachtung. — Sie kann diesen Zustand 10
nicht gelassen ertragen.

Sie steht zuweilen auf dem Sprung, gegen ihren eignen
Sohn zu konspirieren, und zuverlässig würde sie ihm einen
Gegner erwecken, wenn sich hoffen ließe, daß sie dadurch etwas
gewänne. Aber im Augenblick des gekränkten Stolzes über= 15
legt sie nicht einmal die Folgen; sie findet eine Befriedigung
darin, ihm die Macht zu nehmen, die sie nicht mit ihm
teilen soll. — Durch diese Gesinnung ist sie ein gefähr=
licher Charakter, kann wenigstens dem Nero so abgeschildert
werden. 20

Sie ist eine nicht verächtliche Gegnerin, Tochter eines
Cäsars, Gemahlin eines Imperators und Mutter eines
solchen verbindet sie die höchste weibliche Würde auf ihrem
Haupt.

Sie hat in Rom einen Anhang, sie besitzt Schätze, ein 25
großes Mancipium.

Ferner. Sie kann die Rechte des Nero an den Thron
des Augustus umstürzen, sobald sie, mit Aufopferung ihrer
eignen Ehre, die Wege bekannt macht, durch die er zum Thron
geführt worden, und von ihrer Verzweiflung ist ein solcher 30
Schritt in der Tat zu fürchten. Auch hat sie schon damit gedroht.

Sie hat sich fähig gezeigt zu jedem Verbrechen, da sie
Ehebruch, Blutschande und Mord schon versuchte.

Ein Beweis, wie weit sie aus Rachsucht und blinder
Regiersucht zu gehen imstande ist, war Britannicus, den sie 35
anfangs unterdrückte und nachher in Schutz nahm.

Am Anfang der Handlung ist Agrippina zurückgesetzt und
verlassen.

Im Verfolg der Handlung erhält sie noch einmal auf einen Augenblick die Herrschaft über ihren Sohn, der sie Schnell darauf dem Tode dahingibt.

Ihre Ermordung geschieht zweimal, da sie das erstemal
5 entrinnt.

Abschied des Nero von der Agrippina, ehe sie sich auf das Schiff begibt, wo sie der Tod erwartet.

Die eigentliche letzte Gewalttat gegen Agrippina wird schon mehr durch den Drang des Augenblicks als aus Be-
10 sonnenheit beschlossen. Nero fürchtet ganz ernstlich für sein Leben, besonders da er den großen Zulauf zu der geretteten Augusta erfährt.

Der Aberglaube der Römer muß in der Schilderung besonders hervorspringen.

15 Das Nativitätstellenlassen ist ein Regal, es ist ein kapitales Verbrechen, die Magie über die Zukunft zu fragen. —

Ein geheimes Ereignis zwischen dem Nero und seiner Mutter flößt ihr die Hoffnung ein, daß sie ihn entweder noch
20 herumbringen oder daß er sie doch nicht töten werde.

Nichtsdestoweniger nimmt sie die äußersten Vorsichtsmaß-regeln gegen einen mörderischen Angriff.

Soll Octavia, Neros Gemahlin in die Handlung ver-flochten werden?

25 Seneca erscheint nicht zu seinem Vorteil und zeigt einen zweideutigen Charakter.

Burrhus ist ein fester Charakter, ein Weltmann und Krieger, und steht mit Achtung da zwischen dem Laster und der Tugend.

30 Agrippina macht einen Versuch, die Begierden des Nero zu erregen, so weit dies nämlich ohne Verletzung der tragischen Würde sich darstellen läßt. Es wird, versteht sich, mehr er-raten als ausgesprochen.

Agrippina beschützt die gute Sache gegen den Nero, wie
35 sie schon bei Britannicus getan hat. Dies gibt Gelegen-heit, einen schönen Charakter einzuführen, ohne dem Geist des Ganzen zu widersprechen, denn dieser gestattet nicht, daß das Gute dem Bösen, sondern will, daß Böses dem Bösen entgegenstehe.

Agrippina muß in dem Stücke nichts gegen den Nero tun, obgleich sie zu allem fähig wäre; diesen Grad der Un= schuld muß sie, ihm gegenüber und in diesem letzten Verhältnis haben, das erfodert das tragische Gesetz. — Sie muß als Mutter gegen den Sohn dastehen. Zwar als eine sehr schuldige Mutter, aber nicht gegen den Sohn schuldig.

Nero ist eitel auf seine Talente, er hat nur kleinliche Neigungen, durchaus nichts Großes oder Edles ist in seiner Natur. Er hat eine gemeine Seele; daher kennt er auch keine Großmut in seiner Rache, und alles haßt er, was edel und achtungswürdig ist in Rom. Er ist dabei im höchsten Grad feigherzig, argwöhnisch, leicht aufzuschrecken, schwer zu ver= söhnen. Er ist habsüchtig, wollüstig, liederlich.

Über die Bedeutung des nächsten Titels in Schillers Liste „Die Begebenheit zu Famagusta" läßt sich gar nichts sagen. Die vielbewegte Geschichte Zyperns und seiner alten Hauptstadt kann durch irgendeine Anekdote, ein Ereignis Schillers Aufmerksamkeit erregt haben, aber der Titel paßt ebensogut auch auf einen Novellenstoff.

Nächst den „Maltesern" hat Schiller keinen seiner auf= gegebenen dramatischen Pläne soweit gefördert wie den „Warbeck", dessen Erbschaft der „Demetrius" antrat. Als ihn „Maria Stuart" zum Studium der englischen Geschichte geführt hatte, schrieb er am 20. August 1799 an Goethe: „Ich bin dieser Tage auf die Spur einer neuen möglichen Tragödie geraten, die zwar erst noch ganz zu erfinden ist, aber, wie mir dünkt, aus diesem Stoff erfunden werden kann. Unter der Regierung Heinrichs VII. in England stand ein Betrüger, Warbeck, auf, der sich für einen der Prinzen Eduards V. ausgab, welche Richard III. im Tower hatte ermorden lassen. Er wußte scheinbare Gründe anzuführen, wie er gerettet worden, fand eine Partei, die ihn anerkannte und auf den Thron setzen wollte. Ein Prinzessin desselben Hauses York, aus dem Eduard abstammte und welche

Heinrich VII. Händel erregen wollte, wußte und unterstützte den Betrug, sie war es vorzüglich, welche den Warbeck auf die Bühne gestellt hatte. Nachdem er als Fürst an ihrem Hof in Burgund gelebt und seine Rolle eine Zeitlang gespielt hatte, manquierte die Unternehmung, er wurde überwunden, entlarvt und hingerichtet.

Nun ist zwar von der Geschichte selbst so gut als gar nichts zu brauchen, aber die Situation im ganzen ist sehr fruchtbar, und die beiden Figuren des Betrügers und der Herzogin von York können zur Grundlage einer tragischen Handlung dienen, welche mit völliger Freiheit erfunden werden müßte. Überhaupt glaube ich, daß man wohltun würde, immer nur die allgemeine Situation, die Zeit und die Personen aus der Geschichte zu nehmen und alles übrige poetisch frei zu erfinden, wodurch eine mittlere Gattung von Stoffen entstünde, welche die Vorteile des historischen Dramas mit dem erdichteten vereinigte.

Was die Behandlung des erwähnten Stoffs betrifft, so müßte man, deucht mir, das Gegenteil von dem tun, was der Komödiendichter daraus machen würde. Dieser würde durch den Kontrast des Betrügers mit seiner großen Rolle und seine Inkompetenz zu derselben das Lächerliche hervorbringen. In der Tragödie müßte er als zu seiner Rolle geboren erscheinen und er müßte sie sich so sehr zu eigen machen, daß mit denen, die ihn zu ihrem Werkzeug gebrauchen und als ihr Geschöpf behandeln wollten, interessante Kämpfe entstünden. Es müßte ganz so aussehen, daß der Betrug ihm nur den Platz angewiesen, zu dem die Natur selbst ihn bestimmt hatte. Die Katastrophe müßte durch seine Anhänger und Beschützer, nicht durch seine Feinde, und durch Liebeshändel, durch Eifersucht u. dgl. herbeigeführt werden.

Wenn Sie diesem Stoff im ganzen etwas Gutes absehen und ihn zur Grundlage einer tragischen Fabel brauchbar glauben, so soll er mich zuweilen beschäftigen, denn wenn

ich in der Mitte eines Stücks bin, so muß ich in gewissen
Stunden an ein neues denken können."

Wir geben zunächst (nach Rudolph) den historischen
Tatbestand, von dem Schillers Erfindung ausging. Nachdem
von 1066—1154 das normännische Volk mit abwechselndem
Glück die Herrschaft über England geführt, kam mit Heinrich II.
das Haus Anjou oder Plantagenet auf den Thron, welches
bis 1485 herrschte. Aus diesem Hause heben wir um des
Verständnisses der in dem Entwurf vorkommenden verwandt=
schaftlichen Verhältnisse willen Eduard III. (1327—77) her=
vor. Er hatte vier Söhne: 1. Eduard, Prinz von Wales,
der schwarze Prinz genannt, dessen schwacher Sohn Richard II.
durch Heinrich IV. von Lancaster entthront wurde und 1440
im Gefängnis starb. 2. Lionel, Herzog von Clarence, dessen
Enkeltochter Anna sich mit Richard von York vermählte.
3. Johann von Gaunt, Herzog von Lancaster, aus welchem
Hause 1399 —1461 Heinrich IV., V. und VI. regierten
und mit welchen das Haus York die Kriege der roten und
der weißen Rose führte. 4. Edmund von York, dessen bereits
genannter Sohn Richard Lionels Tochter Anna heiratete.
Der Sohn der beiden letzteren, Richard von York, war während
der Gemütskrankheit Heinrichs V. zum Protektor ernannt
worden und erhob mit Rücksicht auf seine Abstammung von
einem älteren Sohne Eduards III. Ansprüche auf die Krone,
fiel jedoch 1460 im Kampfe; sein Sohn Eduard IV. aber
siegte über Heinrichs VI. Gemahlin Margarete. Da indessen
Eduards Bruder, der Herzog von Clarence, und der Graf
Warwick Heinrich VI. wieder auf den Thron erhoben, so
mußte er nach den Niederlanden fliehen, wo er bei seinem
Schwager Karl dem Kühnen Unterstützung fand. Als er mit
dessen Hilfe gesiegt, ließ er Heinrichs VI. Sohn töten und
regierte bis 1483, wo ihm sein Sohn Eduard V. folgte, der
aber schon zwei Jahr darauf durch seinen Oheim Richard III.,
den Sohn des oben genannten Protektors, ermordet wurde.

Schon während Heinrich VI. sich auf dem durch viele Verbrechen erworbenen Throne zu befestigen suchte, brachen Spaltungen zwischen ihm und seinen Verbündeten aus. Die Anhänger des Hauses Lancaster richteten ihre Blicke auf den Grafen Heinrich von Richmond, der mütterlicherseits aus diesem Geschlechte abstammte und zurzeit an dem Hofe des Herzogs von Bretagne lebte. Von Karl VIII. von Frankreich unterstützt, landete Heinrich an der Küste von Wales i. J. 1485. Richard III. zog ihm zwar entgegen, wurde indessen von Lord Stanley mit 7000 Mann verlassen. So verlor Richard in der Schlacht bei Bosworth die Krone und das Leben. Noch auf dem Schlachtfelde wurde Richmond als Heinrich VII. zum König ausgerufen. Die Dynastie Plantagenet hatte somit auf dem englischen Throne ihr Ende erreicht, und mit ihr hörte auch der fünfunddreißigjährige Bürgerkrieg zwischen den beiden Rosen auf, da Heinrich das Versprechen gegeben hatte, sich mit der Prinzessin Elisabeth von York, Eduards IV. ältester Tochter, zu vermählen, deren Rechte auf das Erbe ihres Vaters unbestreitbar waren. Die Ansprüche der roten und der weißen Rose wurden auf diese Weise in einer Familie vereinigt. Heinrich VII. (1485—1509) gelang es bald, der eingerissenen Verwilderung Meister zu werden; indessen mußte er recht gut, daß er eigentlich nur dadurch König geworden war, daß Richards III. Gegner ihn gewählt hatten. Er mußte daher das, was er durch Waffengewalt errungen, auch zu behaupten suchen, um so mehr als ein Graf Eduard von Warwik, der fünfzehnjährige Sohn des Herzogs von Clarence vorhanden war, der als ein Sprößling des Hauses York seine Besorgnis erregte. Diesen Knaben, welcher schon unter Richard sorgfältig bewacht worden war, ließ er gleich nach seinem Siege in den Tower bringen. Außerdem vollzog er seine Vermählung mit Elisabeth erst im Jahre 1486, da er seinen Anspruch auf die Krone nur auf das Recht des Hauses Lancaster, nicht aber auf seine Verbindung mit einer York=

schen Prinzessin gründen wollte. Hierzu kam, daß er die
Anhänger der Yorkschen Partei auf alle mögliche Weise zu=
rücksetzte, und so entstand bald Unzufriedenheit, welche die
Quelle erneuerter Unruhen wurde. Zunächst stellte ein
irländischer Priester, Richard Simons, einen falschen Kron=
bewerber auf, der ihn verdrängen sollte. Es war Lambert
Simnel, eines Tischlers, nach anderen eines Bäckers Sohn,
der sich für den Grafen Eduard von Warwick (bei Schiller
Eduard Plantagenet oder Eduard von Clarence) ausgeben
mußte. Warwicks Vater, der Herzog von Clarence, war lange
Zeit Vizekönig von Irland gewesen; es war daher nicht auf=
fallend, daß Simnels Angabe, er sei aus dem Tower ent=
wischt und nach dem Lande seiner Jugend entflohen, Glauben
fand. Besonders nahmen sich der Graf von Kildarn, Vize=
statthalter von Irland und Haupt der dort herrschenden
Partei, sowie dessen Bruder, der Kanzler von Irland, des
jungen Menschen an, stellten den vorgeblichen letzten männ=
lichen Sprößling aus dem Hause Plantagenet dem Adel und
den Bürgern von Dublin vor und versprachen ihm Schutz
gegen seine Feinde. Da die meisten Einwohner Irlands dem
Hause York ergeben waren, so rief man ihn denn auch als
Eduard VI. zum König aus. Sowie Heinrich von diesen
Vorfällen hörte, ließ er den wirklichen Eduard von Warwick
aus dem Tower holen, ihn in Prozession durch die Straßen
von London führen und nahm ihn mit sich nach seinem
Lieblingsschlosse, dem Palast von Shone (oder Shene, wie
er in R. Paulis Geschichte genannt wird). Inzwischen war
Simnel mit einem Heere nach England übergesetzt; aber
Heinrich zog ihm entgegen, schlug ihn (1487) bei Stoke in
der Grafschaft Nottingham und nahm ihn gefangen. Der
Priester Richard Simons mußte seine Verwegenheit im Kerker
büßen, Simnel aber wurde zum Küchenjungen gemacht und
später, da er sich gut führte, unter die Falkeniere des Königs
aufgenommen.

Schiller. IX.   11

Ein zweiter Betrug wurde fünf Jahre später von der Yorkschen Partei versucht. Ein junger Mensch, der etwa 1474 zu Tournai in Belgien als Sohn eines Schiffers und Zollaufsehers Johann Werbecque geboren war und von den Engländern Perkin (Peterchen) Warbeck genannt wurde, zeichnete sich durch eine auffallende Ähnlichkeit mit Eduard IV. aus. Von ihm hörte die ehrgeizige Herzogin von York, Margarete von Burgund, Karls des Kühnen Witwe und Eduards IV. Schwester, die damals in Brüssel lebte; sie ließ ihn vor sich kommen und erkannte ihn als ihren Neffen an. Da Heinrichs VII. Härte gegen ihr Haus sie innerlich empört hatte, so entschloß sie sich, den jungen Warbeck zu benutzen, um an des Königs Sturze mitzu= arbeiten. Sie gab ihm einen Hofstaat, setzte ihn von allen Verhältnissen des englischen Hofes genau in Kenntnis und fand bald einen gelehrigen Schüler. Ihr Plan war, ihn für den zweiten Sohn Eduards IV. auszugeben. Es wurde also das Gerücht ausgesprengt, die von Richard III. ge= dungenen Mörder hätten nur den ältesten Sohn Eduard getötet, der jüngere aber, Richard von York, sei entkommen, halte sich vorläufig noch verborgen, werde jedoch binnen kurzem öffentlich auftreten, um seine Rechte geltend zu machen.

Mit Geld und gutem Rate hinlänglich ausgestattet, machte sich Warbeck auf den Weg und trat, wie sein Vor= gänger Simnel, zunächst 1492 in Irland, dem eigentlichen Herde der Unzufriedenheit, auf. Von hier begab er sich nach Frank= reich zu Karl VIII., der mit Heinrich VII. im Kriege be= griffen war; indessen fand er hier nicht die gehoffte Unter= stützung, da beide Monarchen bald darauf Frieden miteinander schlossen. Heinrich hatte zwar die Auslieferung Warbecks verlangt, doch wollte sich der König von Frankreich hierzu nicht verstehen. Der junge Abenteurer begab sich nunmehr nach Burgund, wo er bald großes Aufsehen erregte. Margarete tat anfangs, als glaube sie von dem ganzen Vorgeben nichts, ließ Warbeck in Gegenwart vieler Zeugen vor sich kommen, fragte ihn aus, stellte sich höchlich überrascht und von der Wahrheit seiner Aussagen überzeugt und umarmte ihn als ihren Neffen. Jetzt rüstete sie ihn öffentlich mit Geldmitteln aus und ermutigte ihn, seine Ansprüche auf den englischen Thron durchzusetzen. Bald durchzog das Gerücht von dem neuen Thronprätendenten ganz England; Heinrich aber war wachsam, durchschaute den ganzen Plan und machte den Betrug, welchen man ihm spielen wollte, öffentlich bekannt. Warbeck kam zwar 1495 nach England; aber sein Unternehmen blieb hier ohne allen Erfolg. Von seinen Truppen wurden viele gefangen genommen und ohne weiteres aufgehängt. Jetzt machte er einen zweiten Versuch in Irland, fand aber auch hier nicht die frühere Aufnahme. Er ging daher nach Schottland zu Jakob IV., der ihn nicht nur anerkannte, sondern ihn sogar mit einer Verwandten, Katharina Gordon, verheiratete. Hierauf begleitete der König ihn selbst mit einem Heere nach England, dessen alter Haß gegen die Schotten sogleich aufs neue hervorbrach und auch dieses Unternehmen vereitelte. Heinrich drang siegreich vor, und Jakob mußte unverrichteter Sache wieder abziehen.

Nunmehr ging Warbeck 1497 nach Cornwall, wo Heinrichs neue Steueredikte allgemeine Unzufriedenheit hervorgerufen hatten. Zwar gelang es ihm, eine große Anzahl Mißvergnügter unter seine Fahnen zu versammeln, aber Heinrichs Energie zerstreute die schlecht geführten Scharen, und Warbeck selbst mußte in einem Kloster zu Beaulieu Schutz suchen. Da der König ihm Schonung seines Lebens versprechen ließ, so ergab er sich am 5. Okt. 1497, wurde im Triumph nach London geführt und hier in den Tower geworfen. Damit aber war seine Rolle noch nicht ausgespielt; denn in dem Gefängnis lernte er den Prinzen Eduard von Warwick kennen, mit welchem er alsbald Entwürfe zu beider Befreiung schmiedete. Es gelang ihnen auch wirklich zu entkommen und einen neuen Aufstand zu erregen;

11*

aber auch dieser schlug fehl und kostete beiden das Leben.
Warbeck wurde am 23. Nov. 1499 in Tyburn gehängt, und
Warwick, nachdem man ihn des Hochverrats angeklagt, enthauptet.
Somit war auch der letzte York aus dem Wege geräumt.

Diesen historischen Verlauf kannte Schiller aus der
englischen Geschichte von Rapin de Thohyras, seiner Haupt=
quelle für die „Maria Stuart". Wir wissen aber, daß er
sich niemals mit dem begnügte, was ihm ein solcher Bericht=
erstatter darbot. Für jedes seiner Dramen strebte er durch
alles erreichbare Material den historischen und geographischen
Umkreis zu erhellen. Seit den Bauerbacher Tagen hatte er
die jungfräuliche Königin und ihre hingerichtete Feindin ins
Auge gefaßt, und so mußte ihn alles interessieren, was ihm
aus dem Bereich der älteren Geschichte Englands vor Augen
kam, zumal wenn es nicht trockene Aufreihung der Tatsachen
bot, sondern schon, mit Hilfe erfindender Phantasie und
psychologischer Motivierung, dem Dramatiker vorgearbeitet hatte.

Solche Hilfen bot ihm für den „Don Karlos" die
historische Novelle St. Réals, für die „Malteser" die ähnlich
geartete Geschichte Vertots. Zwei Nachahmer St. Réals waren
La Paix de Lizancour in seiner „Nouvelle historique Perkin
faux duc d'York", Paris 1732, und Baculard d'Arnaud,
der französische Vielschreiber, den Friedrich der Große seinen
Ovid nannte, mit seiner kurzen, schon 1775 deutsch erschienenen
Erzählung von den Schicksalen Warbecks. Kettner hat nach=
gewiesen (Studien zur vergleichenden Literaturgeschichte Band 6,
1906, S. 77—85), daß die Erfindung Schillers von Arnauds
Darstellung ausgegangen ist und von Lizancour beeinflußt
wurde, dessen Novelle er im März 1802 seiner Bibliothek
einverleibte. Womit übrigens nicht gesagt ist, daß er damals
erst das Buch kennen gelernt hätte.

Arnauds Novelle ist eine freie verkürzende Nacherzählung
der Arbeit des Vorgängers, getragen von der Absicht, der
Geschichte näher zu bleiben und doch das Herz des Lesers zu

rühren. Zu diesem Zwecke läßt auch er einer erfundenen Liebes=
geschichte breiten Raum und stattet seinen Warbeck mit dem
üblichen sentimentalen Pathos jugendlicher Romanhelden aus.
Er wird zum Betrüger durch das Gerücht, er stamme von
Eduard IV. ab, durch den Ehrgeiz und durch die Liebe zu
einer Nichte König Jakobs von Schottland. Der Rachedurst
und der Familiensinn der Herzogin Margarete von York erzieht
ihn zu seiner Rolle und drängt ihn in die Lüge hinein.
Seine edle Gesinnung widersetzt sich dem Betrug; aber es
treibt ihn vorwärts, als er sich einmal als Fürst fühlen
gelernt hat und er auch durch fürstliche Großmut zum Throne
geboren erscheint. Die Prinzessin, die Warbeck liebt, soll
einen ungeliebten Prinzen von Dänemark (bei Schiller von
Gothland) heiraten. Sie wünscht ihr Leben im Verborgenen,
fern vom Hofe zu verbringen, die reine Glückseligkeit in ihrem
Herzen zu suchen und zu finden.

Die Szene, mit der Schiller sein Drama beginnen wollte,
der Empfang Warbecks in Brüssel, war im äußeren Verlauf
und in der Stimmung bei Arnaud vorgebildet. Auch dort
bereitet es dem Helden die härtesten Qualen, daß er die
Geliebte betrügen muß, während diese in seinem Unglück ihre
Treue bewährt.

Schiller wich in den äußeren Umständen der Katastrophe
von der Darstellung Arnauds und Lizancours ab, doch blieb
der Gesamtcharakter des Entwurfs von ihnen bedingt, wie
Kettner richtig hervorhebt. „Sein Held blieb im innersten
Kern seines Wesens, was er gewesen war, ein Romanheld,
so sehr auch Schiller bemüht war, bei der Durcharbeitung
des Stoffes die weichen und unbestimmten Linien des Charakters
schärfer und kräftiger nachzuziehen. Die Liebesgeschichte steht
im Mittelpunkt der ganzen Handlung. In dem zum großen Teil
ausgearbeiteten ersten Akte herrscht ein breites und mattes Pathos
vor; in den beiden Adelaideszenen hüllt sich darin eine fast
farblose Empfindsamkeit; das Ganze verliert sich ins Rührende.“

Neben diesem Grundmangel des Stoffes fiel noch stärker der zweite ins Gewicht, daß nämlich der Held ein bewußter Betrüger ist. Als Schiller nach der Vollendung der „Jungfrau von Orleans" sich ernstlich dem „Warbeck" zuwandte, rühmte er gegen Goethe, „der Plan sei einfach; die Handlung rasch, und er dürfe nicht besorgen, ins Breite getrieben zu werden." Damals, am 28. Juni 1801, dachte er, in acht Tagen an die Ausführung zu gehen, das Punctum saliens sei gefunden und zugleich der Entschluß, den tragischen Ausgang des Helden nicht auf die Bühne zu bringen. Am 30. September schrieb er in sein Tagebuch: „An den ‚Warbeck' gegangen und fortgefahren", nachdem inzwischen eine vorübergehende Neigung ihn zur „Gräfin von Flandern" (s.. u. S. 250 ff.) abgelenkt hatte. Dann nahm „Die Braut von Messina" und der „Tell" Schillers Kraft in Anspruch. Aber er hatte indessen viel über das Stück gedacht und wollte (an Körner 17. März 1802) es unfehlbar mit Sutzes ausführen. Als der „Tell" im Februar 1804 der Vollendung entgegenging, weilte Frau von Staël in Weimar. In ihrer Gegenwart erzählte Schiller bei Tische, er habe schon an ein neues Stück die Hand gelegt, und ließ sich durch ihre dringenden Fragen die Andeutung entlocken, daß es den Namen einer Engländerin des fünfzehnten und sechzehnten Jahrhunderts führe und in Brüssel spiele. Auf ihre letzte Frage: „Quel est le nom?" antwortete er: „Marguérite". Gleichzeitig hatte aber schon der „Demetrius" ihn angezogen, und nun begann das Schwanken zwischen den beiden nahe verwandten Projekten. Zugunsten des „Warbeck" sprach bei dem durch Krankheit geschwächten Dichter die bereits darauf verwandte Arbeit, für den „Demetrius" die größere Anlage und die Möglichkeit, dem Helden den Glauben an seine Echtheit zu verleihen. Unter den Demetriuspapieren (s. Band VIII, S. 216 ff.) sind die vergleichenden Überlegungen Schillers erhalten. Als endlich die Entscheidung zugunsten des „Demetrius" fiel, war damit alle auf den „Warbeck"

verwendete Arbeit für immer verloren gegeben, denn der
Dichter konnte nicht seiner eigenen Behandlung des Themas
vom unberechtigten Thronforderer noch eine zweite folgen lassen.

Körner stellte aus den Nachlaßpapieren einen Plan zu=
sammen und fügte ihm einige Fragmente der begonnenen
Ausführung bei. In dieser Gestalt ging der „Warbeck" in
alle späteren Schillerausgaben bis zur Hempelschen über.
Erst in Kettners Ausgabe übersah man vollständig und klar
die innere Geschichte der Dichtung und die liebevolle Sorgfalt
Schillers für sie. Als 1827 die Franzosen Fontan, Halévy
und Drouineau ein drame historique „Perkins Warbeck"
verfaßt hatten, gab der „Globe", das Organ der französischen
Romantiker, Schiller den Vorrang, und Goethe stellte das in
„Kunst und Altertum" (Band VI, S. 393) mit Genugtuung fest.
Im Jahre 1902 erschien in Brüssel das Drama „L'im-
posteur magnanime Perkin Warbeck" von G. Eekhoud.
Nach dem Bericht von Bischoff (Literarisches Echo, Band V,
Spalte 558 ff.) läßt sich keine Beeinflussung durch Schiller
feststellen.

Auf Grund von Körners Mitteilungen aus den Papieren
lieferte derselbe unberufene Nachdichter, der die „Kinder des
Hauses" ausdichtete, auch einen „Warbeck" in seinem Buche
„Schillers dramatischer Nachlaß. Nach dessen vorliegenden
Plänen ausgeführt. Nürnberg 1842." Soeben (November 1909)
verlautet, daß in Leipzig die Aufführung eines neuen „War=
beck" von Hermann Riotte bevorstehe.

Warbeck.
I. Studienheft.
1.
1.

Margareta behandelt den Warbeck als einen Betrüger 5
und als ihr dienstbares Werkzeug, und schickt ihm, als seine
Prinzipalin und Gebieterin, mitten im Glanz seiner Rolle,

entehrende Instruktionen[1]) zu, die all sein Aufstreben nieder-
schlagen.

Das fürchterlich Peinliche seiner Lage, daß er seine Person
verkauft hat. Vergeblich beschwört er den Bischof, ihn mit
schändlichen Aufträgen zu verschonen. Das Proton Pseudos
ist[2]), daß Warbeck sich fühlt und auf sich selbst etwas hält, und
daß die Herzogin ihn absolut verachtet. — So wie sie bemerkt,
daß er selbst etwas sein will, so fängt sie an, ihn zu hassen,
und beschwerlich zu finden.

2.

Warbeck hat eine heftige Furcht vor der Herzogin, wie vor
einem bösen Geiste, in dessen Gewalt er sich gegeben hat.

3.

Er hat schon einen Habitus, den Fürsten zu spielen, und
seine wahre Person[3]) erscheint nur episodisch; in der zweiten
Hälfte des Stücks ist es umgekehrt, da wird man mehr an den
Warbeck als an den Richard erinnert.

4.

Er muß physisch-furchtbar, mächtig, verwogen, resolut
und dreist sein und große Gegenwart des Geistes besitzen.

5.

Die Yorkische Ferocität muß in ihm und auch in Plantagenet sich zeigen.

6.

Das moralisch Schöne in seiner Natur äußert sich durch edeln
Stolz, durch ein zartes Ehrgefühl, durch Liberalität und Güte
und besonders durch die heftige Abneigung gegen den Betrug

---

[1]) Was ist's, das ihm angesonnen wird?
Er soll Brüssel verlassen, den guten Willen der Flüchtlinge zu
Geld machen, eine reiche Heirat tun,
Seine Freigebigkeit wird getadelt,
Seine Fürsprache für andere gescholten,
[2]) Das geistreiche Interesse des Stücks ist das große Mißverständnis, daß W. seine Rolle im Ernst nimmt und daß ihn Margareta nur als ihr nichtswürdiges Werkzeug behandelt.
[3]) Das erste Wort von dieser läßt Stanley fallen.

seiner Rolle und jedes unwürdige Mittel. Seine Person ist
mehr wert als seine Rolle.

7.

Es muß anschauend sein, wie ein solcher Mensch, der soviel
natürlich Gutes hat, in eine so verwerfliche Betrügerei hat ein=
gehen können[1]. — Wodurch wird dieser Widerspruch vermittelt?

8.

Eine gewisse poetische Dunkelheit, die er über sich selbst
und seine Rolle hat, ein Aberglaube, eine Art von Wahnwitz
hilft seine Moralität retten.[2] Eben das, was ihn der Herzogin
zu einem Rasenden macht, dient ihm zur Entschuldigung.

9.

Er flieht die Klarheit über seinen Zustand, in den meisten
Fällen ist ihm das Yorksein schon so zur Natur geworden, daß
er sich des Betrugs nicht mehr bewußt ist. Es gibt jetzt nur
zwei Fälle, wo letzteres stattfindet: 1. da, wo man an ihm zweifelt,
wo er aufgefodert wird, seine Person zu behaupten (und da
bedient er sich immer solcher Mittel, die mehr groß, kühn
und heroisch, als listig und betrügerisch sind), 2. da, wo man
an ihn glaubt und seine Wahrhaftigkeit arglos voraussetzt. Hier
allein fühlt er die Last seiner Rolle, er erschrickt, er errötet
vor sich selbst, er ist unglücklich: — Es ist die Aufgabe des
Stücks, ihn immer tiefer und tiefer in Lagen zu setzen, wo der
Betrug ihn zur Verzweiflung bringt, und seinen Trieb zur
Wahrheit immer wachsen zu lassen, indem die Umstände ihn
zur Fortsetzung des Betruges nötigen.

10.

Physisch verlangt man von ihm, daß er sich behaupte,
moralisch, daß er seine Rolle aufgebe. Aus beiden entgegen=
gesetzten Interessen ist das Stück zusammengesetzt. Er selbst
wird durch die physischen Bedrängnisse, in die er gerät, gehindert
seinem moralischen Gefühl nachzugeben.

---

[1] Und wo kommt dies zur Sprache?
[2] Dazu wirkt seine Ähnlichkeit mit König Eduard, die seltsame
Auftritte veranlaßt Glaube an einen Genius.

11.

Das Motiv mit einer schottischen Heirat ist auch zu brauchen.

12.

Ein Hauptmotiv im Stück ist Warbecks wirkliche Abstam=
mung von den Yorks, welche dunkel mächtig in ihm wirkt, und
Handlungen hervorbringt, die seiner Rolle zu widersprechen
scheinen — das poetische Motiv der Inkonsequenz.

13.

Ein andres, aber begreiflicheres Motiv seines Betragens
ist seine Ähnlichkeit mit König Eduard, welche etwas Gött=
liches und Wunderbares hat. Er selbst ist die Dupe derselben
und nach außen ist sie äußerst wirksam.

14.

Monolog Warbecks, wo er sich seine kühne Glücksritter=
schaft ausspricht. — Man sieht, daß er sich dem Strom der
Verhängnisse überlassen hat, daß er sich selbst geheimnisvoll
vorkommt, es ist, als ob er sich unter den Flügeln eines Genius
wüßte. „Glück! in deine Hände werf ich mich, ich bin dein
Sohn, vollende deine angefangne Schöpfung." — Wohin ge=
hört dieser Monolog?

15.

Im Verlauf der Handlung fühlt er, daß er mit Annehmung
einer fremden Person seine eigne verloren — Sehnsucht nach
den Seinigen; diese Gefühle dienen zur Vorbereitung der Ent=
deckung seiner wahren Geburt.

16.

„Du weinst um Richard! Du weihst seinem Schicksal Trä=
nen! Weine um Warbeck, der ist noch viel unglücklicher, der
hat ein größres Recht an dein Mitleid."

17.

Hereford repräsentiert die Partei und die Macht des leiden=
schaftlichen Glaubens. Motive Herefords. Er dient dazu, durch
die Leichtigkeit, womit er auf die Sache eingeht, die abenteuer=
liche Idee selbst zu rechtfertigen, welche auf die menschliche
Natur kalkuliert war.

18.

Stanleys interessante Lage. Er ist überzeugt und kann nicht überzeugen, und selbst da, wo man recht gut weiß, was an der Sache ist, kann er nichts ausrichten. Sein Ärgernis, Erstaunen, Verzweiflung.

19.

Bürger von Brüssel repräsentieren die Volksnatur.

20.

Stanley wendet sich an Warbeck selbst, um zu versuchen, ob er ihn nicht bereden kann, seine Rolle aufzugeben und sich dem König von England in die Arme zu werfen[1]. Er weiß einen Teil von Warbecks Geschichte (dies gibt Gelegenheit, diese zu exponieren), er weiß, daß er durch Künste und zum Teil durch Zwang hinein betrogen und getrieben worden, daß er durch das Verhältnis gedrückt wird. Er trifft wirklich das Wahre, aber Warbeck ist zu sehr York, um nicht jedes Bündnis mit den Lancasters zu abhorrieren. Dieser Erbhaß gegen Lancaster und zum Teil die Liebe zur Prinzessin machen ihn taub gegen die sehr annehmlichen Vorstellungen Stanleys „Und wenn ich auch Yorks niedrigster Diener wäre, so sollte doch jedes Haar in mir gegen Lancaster aufstehen" — Stanley kommt nachher im vierten Akt, wenn der wahre York da ist, wieder.

21.

Die Handlung ist eine aufbrechende Knospe, alles liegt schon darin und es entfaltet sich nur in der Zeit.

Alles muß sich natürlich und notwendig aus den Prämissen entwickeln; was daher geschieht und sich ereignet, muß gleich in der Idee und in der Anlage des Stücks vorbereitet und begründet sein. Simnels Erscheinung z. B. ist begründet durch Warbecks Betrug. Es ist natürlich, daß ein zweiter Betrüger auftritt, weil der erste erschienen. Es ist nicht widersprechend, daß der echte York sich aus dem Tower rettet und natürlich,

---

[1] Diese Szene mit Stanley erweckt eine günstige Meinung von Warbeck, weil man sieht, wie er verführt worden, auch dadurch, weil er nicht nachgibt und festbleibt.

daß er sich nach Brüssel wendet. Es ist notwendig, daß die
Herzogin unter den gegebenen Umständen Warbecks Interesse
verläßt, es ist sehr menschlich natürlich, daß die Prinzessin für
W. empfindet usw. Das Zerfallen der Herzogin mit Warbeck
5 folgt eben so natürlich aus ihrem hassenden, neidischen und
stolzen Charakter, als der Gedanke daraus folgte, ihn aufzustellen und Heinrich VII. durch ihn böse Händel zu machen.

22.

Der Moment der Handlung muß prägnant und dringend
10 sein. Warbeck ist jetzt von Portugal und andern Höfen zum
erstenmal nach Brüssel zu der Herzogin gekommen — Er ist
also noch neu hier, der Eindruck seiner Person noch lebhaft,
der Zudrang zu ihm groß. Sie hat ihn als ihren Neffen anerkannt, das Volk ist von ihm bezaubert. Adelaide und er
15 haben sich hier erst gesehen und lieben sich; diese Liebe macht
eine ganz andre Person aus ihm und läßt ihn die Last des
Betruges, den er spielt, zum erstenmal recht empfinden. Er
hat auch die Herzogin hier erst kennen lernen und nimmt
seine Rolle so ernsthaft (auch durch die Gewalt der Natur
20 getrieben), daß er sich für den Ihrigen wirklich hält.

Er soll nicht müßig in Brüssel sitzen, es soll gehandelt
werden, er soll fort, eine Landung in England versuchen, dieses
Fortstreben muß eine Agitation hineinbringen.

22.

25 Wenn der echte York in die Handlung eintritt, ist Warbeck von der Herzogin schon halb aufgegeben, und in einer
solchen Lage, wo ihm die Erscheinung des echten Yorks fürchterlich sein muß. Sobald die Tante den Neffen erkennt, ist er,
dieses weiß er, verloren — Er hat aber jetzt mehr als jemals
30 ein Interesse, sich als York zu soutenieren, seiner Liebe wegen
— Sein Bedrängnis ist also fürchterlich, ein Mord scheint
das einzige Expediens, und wird ihm von Stanley nahege-
legt — Hier wünscht er, daß er nie geboren wäre.

23.

35 Plantagenet muß schon beim Kampf die Aufmerksamkeit
der Herzogin, der Prinzessin und Stanleys erregen. Auf die
Frage, wer er sei, sagt er, er sei ein guter Edelmann. Seine

Antworten sind sinnvoll und rührend — Plantagenet wird in Angst gesetzt, daß er in Brüssel nicht sicher sei, er hat auch schon beschlossen, es zu verlassen, und will nur noch Abschied von der teuren Stätte nehmen. (Ob zwischen ihm und der Prinzessin eine Szene möglich?)

24.

Herzogin hat den W. bloß als ihr Werkzeug gebraucht, Er selbst, sein Wohl und Übel, kommt ihr in keine Betrachtung; sie will nur einen Zweck durch ihn erreichen. Nun macht er aber persönliche Ansprüche, er wird, was er spielt, oder er ist es vielmehr schon, er nimmt seine Rolle ernstlich, er glaubt an sich; so muß er ihr als ein Rasender erscheinen, und verhaßt werden.

Als eine stolze Fürstin muß sie ihn, den Homme de rien verachten, es kostete ihr schon Zwang, ihn vor der Welt als ihresgleichen zu behandeln. Weil sie gar nichts Persönliches für ihn empfindet, so ist er ihr nur ein Instrument und ganz nichts, so wie es nicht zu dem Zwecke gebraucht wird.

Sie schämt sich im Herzen des fremden Menschen, den sie sich aufgebürdet, schon diese Beschämung macht ihn ihr verhaßt.

Er wird ihr aber noch verhaßter, sowie er sie geniert, so wie er Ansprüche macht, sowie er, ihrer Meinung nach, seine Lage mißbraucht. Ganz verhaßt wird er ihr, sobald sie zu bemerken glaubt, daß er selbständig werden, sich der Abhängigkeit von ihr entziehen und gegen ihren Willen sich manutenieren könne. — Eine ihrer Eigenschaften ist der Neid, und auch dieser ist, wie ihre Intrigensucht, in ihrer politischen Ohnmacht, ihrer Kinderlosigkeit gegründet.

25.

Margareta kündigt sich an als eine leidenschaftliche, hassende, rachsüchtige Natur; daraus entsprang ihr ganzer Plan mit Warbeck. Aber derselbe Charakter muß sich auch, wenn die Umstände es fügen, gegen ihn richten, wenn er mit sich selbst übereinstimmen soll. Freilich begeht sie eine Inkonsequenz gegen ihren Plan, wenn sie Warbeck entgegenhandelt; aber sie würde, wenn sie es nicht täte, sich selbst widersprechen, und es ist weit nötiger, daß ein Charakter

mit sich selbst, als daß das Betragen mit dem Plan über=
einstimme.

Sie erfüllt ganz den weiblichen Charakter, daß sie un=
beständig ist, daß sie von ihrem Plan aus Leidenschaft ab=
springt. Eben in diesen Inkongruenzen und Ungleichheiten
erscheint ihr permanenter Charakter, welcher neidisch, rach=
süchtig, befehlshaberisch, zerstörend ist.

26.

Etwas Gutes, ja Liebenswürdiges in ihr ist die Zu=
neigung zu ihrer Familie, sie kann lieben wie sie haßt, aber
es liegt in ihrer Natur, das Geliebte zu despotisieren. — Durch
ihre Liebe ist sie unglücklich und darum rührend.

27.

Inhalt des Stückes ist:

Margareta, aus Haß gegen Heinrich VII., den Feind
ihres Hauses, erweckt ihm einen Pseudo=Richard, gerät aber
dadurch selbst in Verlegenheit, weil sich dieses Geschöpf ihres
Plans emanzipiert, selbständig wird, persönliche Ansprüche
macht, sich erkühnt, eine Prinzessin aus der Familie der Mar=
gareta zu lieben, von dieser geliebt und einem Prinzen, den
Margareta ihr zum Gemahl bestimmte, entschieden vorge=
zogen wird. Sie verwünscht deswegen ihr eigenes Werk, und
um so mehr, da im Verlauf des Stückes ein echter York in
die Schranken tritt, der ihr die Komödie mit dem falschen
erspart, und sie in die schreckliche Lage kommt, fürchten zu
müssen, daß dieser echte Neffe von dem falschen ermordet
worden. Der Schmerz darüber hebt ihre Verstellung auf
und zwingt sie zu Entdeckung des gespielten Betrugs, aber
jetzt glaubt man ihr nicht und sie kann ihr Werk nicht mehr
vernichten.

28.

W. spielt seine Rolle mit einem gesetzten Ernst, mit einer
gewissen Gravität und mit eigenem Glauben. — Solange er
den Richard vorstellt, ist er Richard; er ist es auch gewisser=
maßen für sich selbst, ja sogar zum Teil für die Mitansteller
des Betrugs. Dieser Schein darf schlechterdings nichts Komö=

diantisches haben, es muß mehr ein Amt sein, das er be=
kleidet und mit dem er sich identifizierte, als eine Maske, die
er vornimmt. — Nachdem der erste Schritt getan ist, hat er
seine vorige Person ganz weggeworfen. — Es ist notwendig,
daß alles, was er in dem Stück als Richard tut, augenblick= 5
lich wahr sei, daß er sich des Betrugs nicht mehr bewußt sei,
daß also jede daraus entspringende Handlung eine mechanische
oder natürliche, mithin gleichgültig und nicht mehr imputable
sei. — Alle Schritte, die aus dem ersten fließen, hat er mit
seinem ersten Entschluß adoptiert, und er stutzt über das 10
Einzelne nicht mehr, nachdem er das Ganze einmal auf sich
genommen.

29.

Warbeck, eine nach Selbständigkeit strebende Natur, ist
in der Gewalt eines falschen, gebieterischen, mächtig unver= 15
söhnlichen Weibes, wie eines bösen Geistes[1]). Er hat sich
ihr verkauft, sein Verhältnis zu ihr ist erniedrigend und
tötend für ihn, und umsonst wendet er alles an, es zu ver=
edeln. Sie sieht in ihm ewig nur ihr Werkzeug, den falschen
York, den Homme de commun, den Betrüger, und ihre Fode= 20
rungen an ihn sind durchaus ohne Delikatesse, ohne alle Rück=
sicht auf sein eignes Ehrgefühl. Umsonst will er emporstreben,
immer wird er von seiten ihrer an das schändliche Verhältnis
erinnert, das er so gern vergessen möchte, ja das er vergessen
haben muß, um seine Rolle gut zu spielen. 25

Öffentlich ehrt, liebkost sie ihn, insgeheim macht sie
seine fürchterliche Tyrannin. Sie befiehlt ihm und verbietet
ihm, was er öffentlich wollen und nicht wollen soll[2]); öffent=
lich tut sie, als ob seine Wünsche Befehle für sie wären, und
redet ihm zu, das zu tun, was sie ihm streng verboten hat. 30
Wehe ihm, wenn er sich eigenmächtig was herausnehmen wollte!
Dennoch tut er es zuweilen, daher ihre Ungnade und Abneigung.

30.

Er ist ihr vor der Welt der Nächste, unter vier Augen
der Gleichgültigste. Hiebei bemerkt er, wie es ihr doch nur 35

---

[1]) Clifford spricht das aus.
[2]) Seine Abreise.

möglich sei, gar nichts für ihn zu fühlen, und sich doch vor
der Welt den Schein der innigsten Zärtlichkeit zu geben — ob
nicht wenigstens die Gewohnheit, zu scheinen, ein Wohlwollen
für ihn bei ihr erwecken könne, ob nicht bloß die Gewalt der
5 Verstellung ihr etwas von Gefühlen aufnötige, welche sie
heuchle. Aber er bedenkt nicht, daß Verstellung ihr Element ist.

„Sie kann sich auf einmal alle Last der Verstellung er=
leichtern und den Schein der Wahrheit aufs höchste treiben
— sie schenke mir ihr Herz, sie habe für mich die mütter=
10 lichen Gesinnungen wirklich, die sie vor der Welt zu bekennen
sich auferlegte, sie vergesse, wer ich war, sie nehme mich an
zu ihrem Neffen, und ich will es sein — ich will freudig
alle Gefühle der Dankbarkeit, der Ehrfurcht, der Pietät für
sie annehmen, und die Wahrheit wird mir einen Schwung
15 geben; den keine Macht der Verstellung je hervorbringen kann
— Kann alle die Liebkosung, die sie mir vor der Welt er=
zeigt, kein Wohlwollen für mich in ihrem Busen aufwecken?
— Ich trage das Angesicht ihres Geschlechts. Sie findet in
meinen Zügen ihren Verwandten — glaube sie doch ihren
20 Augen, die äußere Bildung wird der Ausdruck der innern Ge=
sinnung sein. — Ich — ich fühle, daß ich ihr nicht fremd
bin. Mit dem Namen, den ich annahm, habe ich wirklich ein
kindliches Pflichtgefühl für sie angenommen, und wenn sie
mich vor der Welt umarmt, wenn ich ihre Hand mit meinen
25 Tränen netze, so sind es wahre Tränen und mein Herz ist
mit dabei. — Ich soll ein Fürst sein!, ich soll ihresgleichen
und soll ihres Geschlechts erscheinen — aber ein Fürst und
ein York muß sich fühlen können, er muß mit Mut und Zu=
versicht in seinen Busen greifen. Sie befreie mich von allem,
30 was mich einengt, erniedrigt, zu Boden drückt — Sie lasse
mir das Herz groß werden usw., so werde ich scheinen, weil
ich bin. Aber das Gefühl der Lüge und des Nichts, das sie
in mir ewig wach erhält, ertötet allen Mut. Ich habe meinen
vorigen Stand weggeworfen wie ein fremdes Kleid, ich habe
35 ihr, aber sie nicht mir Wort gehalten. Ich spiele nicht bloß
die Person ihres Neffen, nein, ich denke, ich darf es sagen,
wie er denken würde, ich fühle sein Herz in meiner Brust,
wie ich seine Züge an mir trage.“

In eben dieſer Szene mit Belmont beklagt er ſich über die ſchändlichen Aufträge, die man ihm gebe (er ſoll den eng= liſchen Flüchtlingen ihr Geld abſchwatzen, ihre Redlichkeit hintergehen, er ſoll noch andre Unwürdigkeiten ausüben). Er bittet, ihm die ſchwerſten Abenteuer aufzulegen, aber ihn mit Schändlichkeiten zu verſchonen uſw. Selbſt das Wiederholen seiner fabelhaften Geſchichte iſt ihm peinlich.

31.

Sein deutliches Bewußtſein verdammt ihn, ein dunkles Gefühl rechtfertigt ihn. Er antizipiert nur ſeine wahre Perſon, und vieles Widerſprechende in ſeinem Betragen und Empfinden wird aufgelöſt durch die Entdeckung ſeiner Geburt. Das Yorkiſche Blut hat in ihm gehandelt.

32.

Warbeck nimmt ſich auf den Namen eines Prinzen und eines Neſſen der Margareta viele Freiheiten heraus, die aber edel, wohltätig für andere und eines Fürſten würdig ſind. Sie gibt ſich mit bonne grace dazu her, gleichſam um ſeine Rolle zu ſekundieren, und ſie glaubt auch nicht anders, als daß ſie abſichtlich von ihm ausgeübt würden; aber es iſt ihm damit Ernſt, er ſatisfaziert dadurch nur ſeiner eigenen Neigung, welches ein intereſſantes Mißverſtändnis zwiſchen ihr und ihm und ſehr zu ſeiner Ehre veranlaßt.

33.

Er wird im vierten Akt an ein furchtbares Verbrechen hinangetrieben, das er nicht begehen und auch nicht um= gehen kann, denn alles ſpitzt ſich zuletzt auf das ſchreckliche Dilemma: Er oder Plantagenet. Um ſich, den falſchen York, zu behaupten, muß er das Blut des wahren vergießen — O, hätte ich nie dieſen furchtbaren Namen angenommen, der jetzt wie das Hemd des Neſſus auf mir liegt, und mich zer= fleiſcht, wenn ich ihn abzureißen ſtrebe!

34.

1. Überwiegender Glaube an Richard. Er rührt durch seine erdichtete Lage, die Erzählung wirkt ſtoffartig und wie eine Poeſie durch augenblickliche Täuſchung.

Schiller. IX.   12

2. Zerstörte Rührung an dem Erdichteten und anfangendes Interesse an dem wahren Verhältnis. Furcht und Mitleid, anfangs mehr mit der Prinzessin.

3. Warbeck ein Betrüger, Furcht für seine Rolle, Interesse an seiner Kraft, Kühnheit und heroischen Tugend, Teilnahme an seiner lastvollen Lage.

4. Mitleid mit dem Warbeck selbst, Kontrast seines Charakters mit seiner Betrügerrolle, Furcht für seinen Charakter, Furcht für seine Rolle.

5. Auflösung.

35.

Nichts gleicht der Empfindung Warbecks, wenn er sich als einen gebornen York erkennt und die unerträgliche Last der lang getragenen Lüge nun auf einmal von sich werfen kann. An dem heftigen Grade seiner Freude erkennt man ihn erst, wie unerträglich ihm der Betrug bisher gewesen sein mußte. Er eilt fort, umsonst sucht ihn Kildare zurückzuhalten. Er eilt zu den Engländern, die er hereinruft und in freudiger Verwirrung entdeckt, daß er nicht Richard sei, und dennoch ein York sei — Er rennt nun fort, man weiß nicht wohin und läßt jene voll Erstaunen stehen — Jetzt, wenn er weg, kommt es zwischen Kildare und den Flüchtlingen zwar zur Explikation, aber sie zittern jetzt vor dem Gedanken, daß er ein Mörder des Plantagenet sei.

36.

In jedem Akt erscheint eine neue Hauptfigur und wird eine andre angekündigt. [1])Simnel. Plantagenet. Kildare.

37.

Bürger, vor dem Zweikampf sich unterredend:

A. Wenn aber beide wahre Prinzen wären?

B. Dann wird Gott sie schützen.

A. Oder beide Betrüger?

B. Dann wird der Tapferste das Feld behalten.

C. Ich wette hundert Kronen auf den Richard.

A. Ich auf den Clarence.

[1]) Erich.

38.

Warbeck gebraucht auch das Motiv, sich zu entschuldigen, daß er keinen Lebenden beraube. Der York, den er spiele, sei tot, er glaube aber sein Gedächtnis nicht zu schänden, so wie er ihn vorstelle.

39.

Wenn Belmont dem W. mit der Rache der Herzogin Angst machen will, so schnappt dieser kurz ab — Er läßt sich nicht drohen. — Wenn sie mich aufgeben will, so muß ich's leiden, aber dann wird sie selbst meine Schande teilen. Für mein Leben fürcht' ich nicht.

40.

Antipathie zwischen Erich und Warbeck.

41.

Warbeck und Prinzessin sind immer auseinander gehalten worden, ohne sich gegeneinander erklären zu können. Aber in beiden geht die Leidenschaft stumm ihren Gang fort, und so kann die erste Erklärung gleich definitiv und wechselseitig sein.

42.

Die Vermählung der Prinzessin mit Erich ist eine sehr große Angelegenheit für die Herzogin und liegt ihr äußerst am Herzen, politischer Gründe wegen. Zwar hält sie nichts auf Erich, aber die Partei konveniert ihr.

43.

Warbeck kommt in den Fall, auch einige königliche Akte z. B. Gnadenerteilungen, Richtersprüche, Standeserhöhungen auszuüben.

44.

Die Verwirrung zwischen der wahren und der vorgeblichen Geschichte Warbecks muß auf alle mögliche Weise vermieden werden — In der letzten ist aber doch soviel, als sich tun läßt, von der ersten beizubehalten.

12 *

45.

¹) Situationen und Szenen.

1a.

Richard v. Yorks rührende Geschichte und Erkennung. An=
kündigung eines ganz andern Themas, als wirklich behandelt wird.
Man glaubt von einem rechtmäßigen Prinzen zu hören, der sein
väterlich Erbe sucht, und es ist die Situation eines falschen und Be=
trügers, mit dem sich die Handlung beschäftigt. Weil aber zuletzt
doch in dem Eduard Plantagenet ein wahrer York sich findet, so sind
die frais nicht vergebens gemacht und das Ende kehrt doch in den
Anfang zurück.

2b.

Die Prinzessin, den vorgeblichen Richard liebend, und ihm vor
einem wahren Prinzen, dem sie verlobt ist, den Vorzug gebend.

Akt II. 3c.

Warbeck ist die wahre Person, die hinter der Maske jenes Richards
steckt. Das Stück verändert seine Pole und das Interesse wird von
dem wahren Richard auf den Betrüger übergetragen — Peinliche
Verhältnisse des Betrügers. — Glanz und Elend. — Er liebt und
zittert vor der Entdeckung.

¹)		
Heide.	Warbeck.	Bethmann.
Becker.	Adelaide.	Fleck.
Oels.	Plantagenet.	
Becker.	Erich.	
Teller.	Margareta.	
Cordemann.	Simnel.	
Malcolm i.	Hereford.	Herdt.
Wolf.	Stanley.	
Graff.	Kildare.	Iffland.
	Bischoff.	
Ehlers.	Diener.	
Genast.	Diener.	
Unzelmann.	Abgesandter.	Unzelmann.
Eilenstein.	Subornierter.	
Benda.		
Dirzka.		
Werner.		
Cordemann j.		

4 d.

Stellung des Betrügers gegen die Herzogin. Widerspruch der Rolle und der Gesinnung. Belmont und Warbeck.

5.

Stanley und Warbeck. Wahrheit in dem Betrug.

6 e.

Erich und Warbek.

7 f.

Ankündigung des zweiten Yorks.

8.

Margareta und Prinzessin.

Akt III. 9 g.

Erscheinung des zweiten Yorks, und Ankündigung des echten.

10 h.

Untergang des zweiten Yorks.

11 i.

Die Liebe wird laut.

Akt IV. 12 k.

Warbeck und Margareta.

13 l.

Warbeck und die Geliebte.

14 m.

Warbeck und der wahre York.

15 n.

Herzogin auf der Spur des letztern.

16.

Angriff auf denselben. W. sein Retter.

Akt V. 17 o.

Margareta verrät ihr Spiel in der Leidenschaft, entlarvt Warbeck und vergebens.

18 p.

W. und die Geliebte nach der Entdeckung.

19q.

Kildare. W. entdeckt seine Geburt.

20r.

Ende und Auflösung.

5

46.

Es muß fühlbar gemacht werden, wie natürlich es ist, daß im Herzen der Prinzessin sich ein liebender Anteil an dem vorgeblichen Richard einfindet und dort zur vollen Liebe wächst; eine Wirkung des Betrugs, an die man nicht gedacht
10 und die doch so naheliegt. Es ist tragisch, wie ein schönes Gemüt durch die menschlichste Empfindung in ein unglückliches Verhältnis verwickelt wird, wie sich da, wo man nur Verderb= liches säte, ein schönes Leben bildet.

47.

15 Prinzeß ist ein einfaches Mädchen, ohne alles Fürstliche; ihre Geburt und ihr Stand erscheinen an ihr nur als hindernde Schranken, die ihrer schönen Natur widerstreben. Die Größe hat für sie keinen Reiz, sie hat Sinn für das Glück des Herzens allein, und nur dadurch erinnert sie an ihre Geburt, daß sie
20 mit einer gewissen Exaltation von dem einfachen Stande spricht, der ihr darum eben, weil er außer ihr ist, weil sie ihn aus der Ferne anschaut, poetischer vorkommt. Ihre Sinnesart muß sie eben darum für Richard mehr einnehmen, zugleich aber gegen Erich übelgestimmt machen — Die Herzogin ist gar
25 nicht mit ihr zufrieden. — In ihrer Bescheidenheit hält sie sich für eine viel zu geringe Partie gegen Richard. Sie sieht an ihm hinauf und rechnet es ihm an, daß er auf sie herab= sieht, da er königliche Ansprüche machen könne. —

48.

30 Prinzessin beschäftigt sich mehr mit ihrer Liebe zu W., als mit der seinigen zu ihr. Sie ist von einer resignierten Natur, zum Schlachtopfer erzogen; den Warbeck zu besitzen, träumt sie sich jetzt noch nicht, sie beneidet nur die Glückliche, die ihn einmal besitzen soll — ihre Hoffnung wirklich zu ihm
35 zu erheben, wagt sie nicht. Er muß eine reiche oder mächtige

Königstochter heiraten, aber sie ist eine arme Waise, die nur von der Gnade ihrer Verwandtin lebt. Nausikaa.

49.

Nach Warbecks Szene mit Plantagenet hat er einen leiden= schaftlichen Monolog, worin wir ihn auf der ganzen Höhe seiner Gefahr, seines Verbrechens und seines Unglücks sehen, und zu denken veranlaßt werden, daß ein Verbrechen ein anderes fodere, daß der Betrug zum Mord führen könne, daß Warbeck selbst auf diesem Wege vielleicht sei — Und jetzt eben tritt Stanley zu ihm, ihn zu versuchen. Er schlägt dieses zwar aus, aber man weiß nicht ganz positiv, ob er die Tat selbst oder nur den Gehilfen abhorriere. Er geht in dieser Seelenstimmung ab und Erich tritt nun zu dem Stanley, wodurch man auf die nachherige Katastrophe mit Plantagenet vorbereitet wird — Wenn man den jungen York vermißt, so zeigt sich Warbeck zugleich in einer verdächtigen Gemüts= stimmung, er wird mit verdächtigen Waffen gesehen.

50.

Ein Hauptinteresse entsteht daraus, daß Adelaide den Warbeck als unecht kennt und fortfährt, ihn zu lieben. Erst ahndet sie's und ist dann am unglücklichsten. Wenn sie es gewiß weiß, so ist sie mit seinem Unglück mehr als mit dem ihren beschäftigt.

Warbecks Zustand ist wahrhaft dramatischrührend, und es kommt nur darauf an, das ganze Interesse, was darin liegt, zu erschöpfen.

II. Skizzenblätter zur Exposition.

2.

Die ganze Fülle der Situation, welche vorgespiegelt wird, muß erschöpft werden.

1. Das Gefühl der Tante, welche ihren totgeglaubten Neffen, der kinderlosen Yorkierin, welche einen Prinzen ihres Geschlechts wiederfindet.

2. Die Wiederauferstehung eines Totgeglaubten, die wunderbare Rettung eines Todesopfers aus der furcht=

baren Mörderhand, die rührende Geschichte seiner
Verborgenheit und seine mitleidswürdige Lage.

3. Die Unschuld, welche ihr Recht zurückfodert, und von
dem unrechtmäßigen Thronbesitzer nicht anerkannt wird.

4. Der liebenswürdige Charakter und hohe Fürstensinn des
Wiedergefundenen, auch die große Familienähnlichkeit.

5. Die Freude des Volks an dieser Begebenheit.

6. Der Prinz, den das Unglück erzogen und menschlich
gemacht.

7. Die Freude der Partei über ihren Fürsten.

8. Das Rührende, welches darin liegt, daß der wahre
York für einen Betrüger gehalten wird.

9. Die Beweise für seine Person und die Geschichte seiner
Erkennung. Eine solche Erkennung geschieht selbst auf
der Szene durch Hereford. Beweise gegen Heinrich,
die seinen Widerspruch verdächtigen.

10. Heinrich VII., der Streit der zwei Rosen, Richard III.
und Englands gegenwärtiger politischer Zustand in
Absicht auf die vorhabende Landung.

11. Margareta und ihre Lage.

3.

1. Herzog Richard von York ein Gegenstand der Neugier,
der Erwartung, der Rührung, der Neigung. Zweifel über
seine Person, welche aber anfangs weniger Gewicht haben.
Ein liebenswürdiger und mitleidenswürdiger Fürst, die Freude
des Volks, die Hoffnung einer Partei, ein geliebter Neffe,
der Wiedergefundene, wunderbar Erhaltene. Kurz, das Haupt=
interesse ruht jetzt noch auf der Maske, welche durch sich selbst
interessiert. Hier kann die Täuschung so weit gehen als möglich,
und weiter sogar, als die Betrügerei zu gestatten scheinen möchte;
denn jetzt schon muß die Katastrophe vorbereitet werden.

Der Dichter selbst muß augenblicklich den Warbeck ver=
gessen und bloß an den Herzog von York denken. Es muß
so aussehen, als wenn man ein ganz andres Thema verfolgt,
als wenn in dem ganzen Stück wirklich von nichts anderm
als dem wahren York, und von einem Versuche zur Wieder=
herstellung desselben in England die Rede sein sollte. Dies

Thema hat für sich selbst viel Rührendes und könnte einen tragischen Stoff abgeben.

Dieses dauert bis zum Ende des Akts, wo der Zuschauer wegen der wahren Beschaffenheit und Bewandtnis anfangen darf, in Unruhe zu kommen.

Sobald es ausgemacht ist, daß dieser York nur eine Maske, so entsteht die Neugier, wer dahinter stecken möchte, das Interesse verändert bloß den Gegenstand und Inhalt, aber es kann dem Grade nach sogar steigen.

Warbecks wohltätiger Einfluß auf die Herzogin exponiert sich gleich in den ersten Szenen, und die Liebe, mit der die Brüsseler von ihm erzählen, trägt nicht wenig dazu bei, ihm die englischen Flüchtlinge geneigt zu machen. Auch dient dieses Preambule dazu, den Glauben an seine Person bei dem Zuschauer zu verstärken, und nachher, wenn er wirklich erscheint, die Freude zu rechtfertigen, womit er von dem Volk empfangen wird[1]). Er muß wirklich das Entzücken aller Zuschauer sein, wenn er kommt; er ist wie der wiedergefundene Sohn des Hauses, der verloren war, seine Popularität macht ihn liebens= würdig, sein Schicksal spricht zu allen Herzen, indem sein An= stand, seine hohe Graziosität Ehrfurcht gebietet. Ein gewisser Zauber ist in seinem Betragen, der ihn unwiderstehlich macht.

Er benutzt die Rolle des Neffen, die er spielt, dazu, das Gute im Ernst zu tun[2]), und indem er dadurch bloß eine Komödie zu spielen scheint, so äußert er so viel Vernunft und Geist, daß er die Herzogin selbst ins Gedränge bringt. Es kann daher scheinen (und schadet der Hauptwirkung nichts), als ob er die Rolle des Fürsten bloß übernommen hätte, um auf einer glänzenden Bühne ein beglückendes Wesen zu sein. Unter dem Betrug geht ihm die Realität hin; er scheint bloß die Absicht der Herzogin zu erfüllen, wenn er liebenswürdig ist und schöne Tugenden ausübt; aber er betrügt sie dadurch selbst und ergreift bloß diese Rolle, um Gutes zu stiften.

---

[1]) Margareta erscheint als Souveraine, und als eine Souveraine von handeltreibenden Provinzen.

[2]) Wie stiftet er Gutes, ohne daß es gesucht scheint und ohne daß es ein hors d'œuvre ist?

Er steht da wie ein beglückendes Wesen; nur für andere
scheint er zu handeln, an sich selbst aber denkt er nie, er gibt
alles hin, und was ihm auch zufließt, er gebraucht es bloß,
um andre damit zu beschenken. So behält er durchaus reine
5 Hände, und er kann nachher, wenn er unglücklich ist, mit
Wahrheit zu sich sagen: Ich habe den Namen eines York
usurpiert, aber ich habe ihn nicht geschändet — ich habe
Tränen getrocknet und glücklich gemacht — ich habe nichts
von allem mir zugeeignet usw.

10 Durch alle diese Gesinnungen und Taten setzt er den
alten Hereford in Entzücken und zündet die Leidenschaft an
im Herzen der Prinzessin. Aber er wird zugleich der Herzogin
beschwerlich und verhaßt, dem Erich abscheulich und dem
Stanley fürchterlich.

15 Warbeck spielt also zwar die falsche Rolle eines Prinzen,
aber er spielt sie als ein Muster für alle Prinzen, und die
Empfindung des Zuschauers muß sein, wenn er kein Prinz
ist, so verdient er einer zu sein, und seine Person ist mehr
wert als seine Maske.

20 Ist es vielleicht ratsam, noch mehrere Weiber, Hof=
fräulein der Margareta einzuflechten, die sich um die Liebe
des vorgeblichen Prinzen bemühen[1])? Eine darunter, welche
listig und fein ist, kann die Wahrheit soupçonnieren, aber
ihm darum nicht weniger gewogen sein[2]).

25 Am Ende, wo Warbeck in die große Bedrängnis kommt,
könnte die Dame d'honneur, die ihn liebt, aber ihn kennt,
ihm die Flucht antragen. Eben diese könnte die Prinzessin
detrompieren, aus Eifersucht und um den Betrüger desto sicherer
in ihre eigenen Arme zu treiben.

30 Es ist dem Stück vorteilhaft, wenn es viel Handlung
und wenig Rede enthält.

Warbeck trägt auf die Neutralität von Flandern an, die

---

[1]) Eine will sich durch ihn zur Prinzessin und Königin erheben
eine andre liebt seine Person.
35 [2]) Eine Gräfin von Aremberg macht ihm Avancen.

Gründe von dem Handel hernehmend, welches den Bürgern
ausnehmend gefällt. Er will nichts als Schiffe zum Über=
fahren und das übrige mit s[einem] Degen verrichten. Das
Volk und die Stände, meint er, brauchten an dem Krieg mit
England keinen Teil zu nehmen; die Herzogin habe hier bloß 5
als Privatperson zu handeln.

Wenn er sich des Bürgers annimmt, so gebraucht er das
passende Motiv, daß er selbst eine Zeitlang mit dieser Klasse
vermengt gewesen.

Er schlägt den Namen eines Königs aus, den ihm Hereford 10
gibt, weil er sich den Schein gibt, als hielte er sein bloßes
Geburtsrecht, ohne die Bestimmung der Nation, noch nicht
für zureichend.

Bürger und Bürgerinnen[1]) zu Brüssel erwarten den
jungen Herzog, der von der Herzogin eingeholt worden. Sie 15
sprechen über ihn, rühmen seine Popularität, seine Schönheit
und seinen Anstand, seine Gütigkeit und Großmut, seine
Tapferkeit und ritterliche Tugenden. Zu schildern ist hier
die Volksfreude und Volksgunst, die Fazilität einer eiteln
Menge, die leichte Bestechlichkeit, die Herrschaft der Weiber 20
über die öffentliche Meinung.

Diese Gelegenheit kann benutzt werden, den Zuschauer
mit dem Geschlecht der York und den einzelnen Prinzen dieses
Hauses bekannt zu machen, indem einer da ist, der die Bild=
nisse nennt: Herzog Richard, Eduard IV., George Clarence, 25
Gloster, die Prinzen aus dem Tower, Eduard Plantagenet,
die Gemahlin Heinrichs VII. und Margareta — Unter den
Zuschauern ist jemand, der ein Anliegen an die Herzogin hat
und sich der Fürsprache Warbecks bei ihr bedienen will.

Der angebliche Herzog muß auf dem Sprung stehen, eine 30
Landung in England zu tun.

Warbecks erster Auftritt ist eine Handlung. Er rettet
den Botschafter aus den Händen des wütenden Volks, und
besänftigt dieses — — dadurch erhält Hereford Zeit, ihn zu
betrachten und sich zu überzeugen. Herzogin und ihr Gefolge 35

---

[1]) Er hat die Weiber besonders für sich einzunehmen gewußt.

erscheint gleich nach Warbeck — Herzogin spricht nicht eher
als nach Hereford.

4.

Nachdem Hereford den Sohn seines Herrn erkannt und
5 sich im Erguß der Freude zu seinen Füßen geworfen, dieser
seinerseits ihn umarmt und bewillkommt hat, fragt jener nach
den Umständen seiner Errettung, seines bisherigen Aufenthalts
und seiner Erkennung durch die Herzogin. — Wie entkamt
Ihr den Mörderhänden? Wo verbarg Euch die rettende
10 Vorsicht, und wie zog sie Euch ans Licht?

Warbeck vermeidet es, die Fabel zu erzählen.

Margareta übernimmt es, indem sie den Warbeck mit
seiner Gemütsbewegung entschuldigt.

Sie fängt damit an, daß sie einen Schleier auf Richards III.
15 blutige Taten wirft, um die Schande ihres Geschlechts zu
bedecken; doch zeigt sie sich selbst in Absicht auf Richard etwas
parteiisch und mildert seine Schuld.

Sie beginnt mit der Ausrottung ihres Geschlechts.
Eduard IV. Clarence. Der Prinz von Wallis.
20 Die Söhne Eduards IV. wurden in den Tower einquartiert
und kamen nicht wieder zum Vorschein. Gloster, ihr Oheim,
bestieg den englischen Thron, jene blieben unsichtbar, das ist
die Wahrheit, und die Welt will wissen, daß Tirrel sich mit
ihrem Blut befleckt habe. Ja man zeigt sogar die Stelle, wo
25 sie begraben liegen. Aber Nacht und Finsternis bedeckt jenes
fürchterliche Ereignis im Tower, und nur die späte Folgezeit
hat diesen Schleier davon weggezogen.

Wahr ist's, Tirrel ward geschickt, die Prinzen zu töten.
Man überließ sie seinen Händen, auf einen Befehl, den er
30 von Herzog Gloster aufwies.

Der Prinz von Wales wurde wirklich ermordet.

Die Reihe sollte nun auch an den Herzog von York
kommen, der viel jünger war, als das Gewissen des Mörders
erwachte. Das Grauen machte den Arm des Mörders schwach,
35 daß er einen unsichern Streich auf ihn führte.

Kurz, der jüngere York blieb leben und der Wärter, der

die Leichname zu begraben hatte, verbarg ihn[1]). Damals war der Prinz sechs Jahr alt, und er erinnert sich dieser Zeit kaum.

Die Furcht vor dem Wüterich Richard nötigte den mitleidigen Wärter, das gerettete Kind durch das strengste Inkognito den Nachstellungen zu entziehen. Der Prinz wurde einem armen Bürger übergeben und als sein Sohn erzogen, ohne seinen Ursprung zu wissen. Auch der ihn erzog, wußte nicht, daß es der Prinz von York war. Der Wärter schwieg während Richards blutiger Regierung, aber da dieser in der Schlacht bei Bosworth umkam, erinnerte er sich an das gerettete Kind und suchte es bei dem Manne auf, dem er es übergeben hatte.

Dieser aber war indessen weggezogen, und der Prinz von York, sich selbst nicht kennend, seinem Pflegevater gefolgt, der ihn zum Kaufmann bestimmte. Früh aber regte sich sein Mut, seine Fähigkeiten entwickelten sich. Sein Naturell durch= brach die engen Verhältnisse, in denen er aufwuchs. Er liebte nur ritterliche Übungen und brachte es bald in allen zur Vollkommenheit. Er ging auf ein Schiff, diente als Soldat und stritt gegen die Korsaren.

Unterdessen hatte die öffentliche Stimme das Geschlecht der York zurückgefodert, England sehnte sich nach seinem rechtmäßigen Beherrscher. Heinrich VII. hatte die Yorks unter= drückt, und die zwei Kinder des Clarence, die man für die einzigen Reste dieses Hauses hielt, die Tochter niedrig ver= heiratet, den Sohn im Tower eingeschlossen. Die Stimme der treuen Briten nach einem York wurde laut und der redliche Wärter, der das Geheimnis von Richards Errettung hatte, suchte seine Spuren auf.

5.

Nicht durch Worte, sagt W., durch Taten will ich euch meine Geburt beweisen[2]). Was hälf' es euch, Eduards Blut

---

[1]) Ihm blieb nichts von diesen Zeiten als das Graun vor einem Dolch usw.

[2]) England ist voller Denkmäler von den Taten und der Herr= lichkeit meines Geschlechts —

in mir zu finden, wenn nicht sein Geist, wenn nicht der
königliche Sinn der Yorks mich beseelte[1]). An meinen Taten
sollt ihr Edwards Sohn erkennen — Ich will England
erobern — Stellt mich an eure Spitze — Laßt die Kriegs-
musik erschallen — Laßt mich auf Lancaster treffen im Ge-
fechte — dann sollt ihr erkennen, daß ich ein York bin usw.[2]).

Hereford

bemerkt, daß dies die ganze Sprache König Edwards sei,
erzählt einen Zug von ihm. — Kommt nach England, sagt
er. Dort werdet Ihr alles von den Taten Eurer Väter
erfüllt finden. — Alles wartet auf Euch.

Warbeck zeigt eine heftige Sehnsucht, in Tätigkeit zu
kommen, er strebt heiß nach der britannischen Insel hin —
(Sein Motiv ist zwar hauptsächlich die qualvolle Lage in
Brüssel, aber diese Sehnsucht wird ihm für kriegerischen Mut
und für einen fürstlich Yorkischen Trieb ausgelegt) Er wünscht
sich nur Schiffe zur Überfahrt, nur ein kleines Heer zur
Begleitung.

Die Prinzessin, die bei dieser Szene gegenwärtig ist und
einen tiefen Anteil daran zeigt, darf von ihm nicht unbemerkt
gelassen werden. Es zeigt sich ein Rapport zwischen beiden.
Erich macht sich mit der Prinzessin zu schaffen. Man erfährt,
wer beide sind, ehe sie eine besondre Szene zusammen haben[3]).

---

[1]) Ich habe, sagt er, ein Geburtsrecht an England, aber ich
will es als ein Soldat geltend machen, ich will es meinem Arm
und eurer Treue zu danken haben.

[2]) Er verlangt, daß sie an ihn glauben sollen, alles beruhe ja
auf Glauben.

Glaubt an mich so lange, bis ihr mich aus tapfern Taten erkennet.

[3])   Abgänge.

Clifford.
Prinzessin.
Warbeck.   Belmont
Warbeck.   Simnels Botsch.
Prinzessin.
Plantagenet.
Warbeck und Lords.

Margareta erwähnt auch des jungen Plantagenet, der
m Tower zu London gefangen gehalten werde, wenn er nicht
ar umgebracht sei. Sie berührt auch die harte Behandlung,
)elche Heinrich VII gegen seine eigne Gemahlin, aus dem
)auje York, bewiesen, und wodurch er die Hoffnung der 5
?ation, beide Häuser versöhnt und vereinigt zu sehen, grausam
etäuscht habe

Während seine erdichtete Geschichte von der Herzogin
rzählt wird, beobachtet Warbeck die Prinzessin, er muß mit
hvas beschäftigt sein, um über dieses lügenhafte Spiel mit 10
Inftanb wegzukommen.

Warbeck muß seine Betrügerrolle hassen, er muß auch
hvas tun oder beschließen, sie abzuwerfen, und nur die Un=
1öglichkeit von außen, oder die heftige Leidenschaft für die
?rinzessin darf ihn daran verhindern. Er sieht sich in der 15
Nacht der fürchterlichen Herzogin, er hat anfangs sehr gegen
iese Rolle widerstrebt, und erst nachher haben ihn die Suk=
:esse, der Instinkt, darin festgehalten, aber immer ist es sein
cnstlich Streben, davon loszukommen.

> Warbeck vor der Prinzessin. 20
> Plantagenet.
> Herzogin mit dem Tuch.
> Hereford
> Warbeck vor seinem Vater.
> Schluß. 25

Clifford.	Warbeck.
Warbeck.	Adelaide.
Adelaide.	Plantagenet.
	Warbeck.
Warbeck.	
Adelaide.	Margareta. 30
Plantagenet.	Warbeck.
Warbeck	Adelaide.
	Warbeck.
	Schluß.

6.

Herzogin bittet den Warbeck öffentlich, aus vorgeblicher zärtlicher Bekümmerniß, Brüssel nicht zu verlassen. Privatim läßt sie ihm seine Abreise befehlen; er soll den guten Willen und den Beutel des Hereford benutzen, er soll an den Hof des schottischen Königs gehen.

Warbeck strebt zwar selbst aus Brüssel weg; aber die Liebe zur Prinzessin hält ihn zurück. Er möchte nur einmal eine Erklärung mit ihr haben und weiß nicht, wie er an sie kommen soll.

Sie selbst ist's, welche einen Weg zu ihm ausfindet.

Seine Liebe zur Prinzessin macht ihn vor der Herzogin zittern; er weiß, daß er alles von ihrem Zorn zu fürchten haben würde, wenn sie seine Neigung entdeckte.

Prinzessin kennt den befehlshaberischen Sinn ihrer Tante aus eigner Erfahrung, und bedauert deswegen den Warbeck —

Fräulein von Megen ist die Dame d'Honneur der Prinzessin, denn diese braucht eine Freundin und Mittelsperson.

Ein Gärtnerknabe bringt dem Prinzen ein Bukett, darin ist ein Brief der Prinzessin — er ist ganz glücklich durch diesen Beweis ihrer Neigung, er ist auf dem Gipfel der Hoffnung, der Gärtnerknabe ist ein verkleidetes Mädchen, der Prinzessin attachiert. In dieser süßen Stimmung, wo er sich selbst vergißt, wird er auf eine schmerzliche Art an seine Rolle erinnert.

Warbeck darf keinen Vertrauten haben und die Prinzessin mag sich auch niemand anvertrauen. Sie dürfen aber auch kein Tete-a-tete haben, als im vierten Akt, und doch müssen sie sich zusammen verstehen, gegeneinander offenbaren.

III. Skizzenbuch zu Akt I und II.

7.

1.

Richard von York aus Mörderhand entkommen, wunderbar und geheimnisvoll erhalten, wiedergefunden, von seiner Verwandtin und Partei anerkannt, von dem Usurpator

verleugnet, der Gegenstand der allgemeinen Freude und des
Mitleids durch seine Schicksale und durch seine persönliche
Eigenschaften. — Entwürfe zu seiner Wiederherstellung auf
dem Throne seiner Väter.

Unter den Personen, die für oder gegen ihn interessiert
sind, befinden sich zwei besondere Individuen, Erich und Ade=
laide, der erste zweifelt, die zweite glaubt an ihn, Haß und
Liebe. Erich ist ein königlicher Prinz, mit welchem Marga=
reta, immer für ihr Geschlecht intrigierend, eine arme An=
verwandte zu verloben den Plan hat. Erich, herzlos, borniert,
boshaft, wird durch seinen Charakter geneigt gemacht, das
Schlimmste zu glauben, er hält den wiedergefundenen Richard
für ein Geschöpf des Betrugs, er ist dessen so gewiß, daß er
keinen Augenblick daran zweifelt; auch muß er bei seinen Be=
griffen von einem Prinzen, denen jener Richard so gar nicht
entspricht, so urteilen. Ganz im Gegenteil wird Adelaide
durch Mitleid und Sympathie für den Herzog von York ein=
genommen, selbst das Romanhafte seiner Schicksale, verbunden
mit seiner Liebenswürdigkeit und dem Abscheu gegen ihren
Verlobten, muß sie für ihn gewinnen.

Adelaide nährt also für den Prinzen von York eine ver=
borgene, aber desto ernsthaftere und glühendere Neigung, welche
immer steigt, je mehr sie zwischen ihm und ihrem eigenen
Bräutigam Vergleichungen anstellt. Aber sie muß ihre Tante
fürchten, welche einmal den Erich ihr zum Gatten bestimmt
hat und aus dem Grad ihrer Furcht lernt man vor dem ge=
bieterischen Geist der Herzogin zittern.

(So geschieht es also, daß eine der natürlichsten Folgen
des Betrugs sich gegen die Herzogin selbst kehrt.)

Wenn der Herzog von York das wirklich ist, wofür er
sich ausgibt, so ist die Neigung der Prinzessin nichts so sehr
Beunruhigendes. Soll diese Neigung also Furcht erregen, so
muß schon ein Zweifel an dem York im Spiel sein; und
reciproce muß die Furcht, welche über diesem Verhältnisse gleich
anfangs schwebt, zu Zweifeln an der wahren Person des
Prinzen von York führen.

Diese Zweifel an der wahren Person des York dürfen
nicht eher ein Gewicht bekommen, als bis die erste Exposition

ganz vorbei ist. Sie werden erst analytisch aus den gegebenen
Daten herausgewickelt. Erich im Gespräch mit der Prinzessin
leistet dieses.

Wenn aber die Prinzessin nachher allein ist und sich
5 ihre Leidenschaft gesteht, so ist die Furcht des Zuschauers,
daß sie einen Betrüger liebe, schon groß, und es entsteht eine
unruhige Erwartung, was es mit diesem Richard für eine
Bewandtnis habe.

Warbecks Keckheit, Gewandtheit, Gegenwart des Geistes
10 und Klugheit müssen dargestellt werden; man muß es sehen
und mit Augen schauen, daß er der Mann zu der Rolle ist,
die er spielt, der kühne Betrüger muß sich darstellen, aber mit
Größe und tragischer Dignität. Damit er aber nicht mora=
lisch zu sehr verliere, so muß es bei solchen Gelegenheiten ge=
15 schehen, wo die Delikatesse nicht verletzt wird, und wo kein
Interesse des Herzens sich einmischt; so z. B. gegen Stanley,
gegen Erich[1]), gegen den schlechten Menschen, und gegen
Simnel[2]). Er muß sich fähig zeigen, ein Verbrechen zu
begehen, aber unfähig zu einer Niedrigkeit.

20   Er darf nie klagen, als zuletzt, wenn die Liebe ihn auf=
gelöst hat. Kränkung erleidet er mit verbissenem Unmut
und Gutes tut er mit stolzer Größe und einer gewissen
Trockenheit, nicht sentimentalisch, sondern realistisch, aus einer
gewissen Grandezza, aus Natur und ohne Reflexion. Immer
25 muß der geborene Fürst, der Yorkische Abkömmling unter
dem Betrüger und Avanturier versteckt liegen und durch=
schauen. Daraus entstehen Inkonsequenzien und Unbegreiflich=
keiten, welche die entdeckte wahre Geburt Warbecks auf ein=
mal erklärt.

30   Alle Spuren von Herz und Gefühl, welche der Betrüger
zuweilen zeigt, bekommen aber dadurch ein Relief, daß sie
nicht zu sehr verschwendet sind, daß er der Regel nach kalt,
besonnen, realistisch und kurz als ein weltkluger Wagehals
sich zeigt.

---

35   [1]) Gegen Belmont, gegen die Herzogin.
      [2]) Aber nie gegen Hereford, noch weniger gegen die Prinzessin
— furchtbar aber darf er gegen Plantagenet dastehen und wie auf
dem Sprung, einen Mord zu begehen.

Die Frage wird anschaulich gelöst, was aus einer Lüge, wie
Warbeck sie wagte, natürlich und notwendig sich entwickelt; es ist
eine aufbrechende Knospe, alles, was sich ereignet, lag schon darin.

Es muß angeschaut werden, wie Warbeck zu dieser Rolle
kam, und wie er vermocht werden konnte, sie zu übernehmen, 5
ohne ein schlechter Mensch zu sein.

Aus der Art, wie er sich dabei nimmt, aus der Kühn=
heit, mit der er über alles Kleinliche und Schurkische darin
wegzueilen pflegt, aus der Leichtigkeit, womit er sich in das
Hohe und Edle derselben findet, aus der Dignität, mit der 10
er nur an das Große daran sich hängt, geht seine edlere
Natur hervor. Er hat ein= für allemal seine Partei ge=
nommen und das Mittel, wodurch er der Rolle gewachsen ist,
ist der Ernst, der Glaube an sich, die Erhebung seiner
Denkart zu der Person, die er spielt; aber das ganze Be= 15
tragen der Herzogin gegen ihn widerspricht dieser Gesinnung;
sie behandelt ihn immer nur als einen Imposteur, sie nimmt
ihm alle Kräfte zu seiner Rolle, weil sie ihn erniedrigt. Darüber
eben kommt er mit Belmont zur Erklärung.

8.

20

[1]) Der zweite Akt fängt gleich damit an, daß Warbeck die

[1]
*Warbeck	Oels.
*Eduard	Unzelmann.
*Simnel	Cordemann
*Abgesandter	Ehlers.
*Erich	Becker.
*Hereford	Graff.
*Stanley	Heide.
Bischoff	Zimmermann.
*Kildare	Malcolmi.
Maschine	Spitzeder.
*Diener	Genast.
Diener	Benda.
Volk	Teller.
Volk	Beck.
Volk	Brandt.
Mörder	Eilenstein.
*Herzogin	Miller.
*Adelaide	Jagemann.

25

30

35

13*

übernommene Fürstenrolle verwünscht, und sich Mut macht,
sie fortzuspielen. Welches Elend, ein Fürst zu sein! Aber
vorwärts, du hast es angefangen, vollende!

Er fodert seine Hofdiener, sie lassen sich's zwei-, dreimal
5 sagen, eh sie kommen, tun ihren Dienst lässig und mürrisch
und schätzen ihn gering. Wie seine Geduld reißt, so muß er
Insolenzien hören. Diese schlechte Begegnung erfährt er nicht
etwa, weil man ihn als Betrüger kennt, sondern bloß weil
man ihn für einen armen hilflosen Prinzen hält.

10 Aber es gibt auch unter seinen Dienern einen, der ihm
in die Karte sieht und sich deswegen alles gegen ihn heraus-
nimmt, weil er ihn für seinesgleichen, ja für schlechter hält.
Warbeck will gegen diesen letzten sein Ansehen behaupten, er
kommt in den Fall, ihn strafen zu müssen.

15 Die Diener Warbecks, Erichs und der Herzogin streiten
unter sich und jene müssen von diesen sich verachten lassen.
Eine Antichambreszene. Warbeck kommt dazu, sein Kammer-
diener beschwert sich bei ihm und will ihm nicht mehr dienen.
Einer seiner Diener glaubt einem wahren und nur armen
20 Prinzen zu dienen, ein anderer aber hält ihn für einen Betrüger und läßt es ihn fühlen. Der letzte verteidigt ihn aber
viel lebhafter gegen die Lästerzungen, da der erste sich bloß
darüber desoliert, daß sein Herr verachtet wird. — Die Bedienten, wenigstens einer davon, können öfters in dem Stück
25 vorkommen.

Der Haushofmeister der Herzogin bringt einem Offizianten
des Warbeck das Geld, welches ihm ausgesetzt worden. Er
gibt es mit mauvaise grace und schilt über den Aufwand.
Warbeck hat nie genug und gibt als ein Fürst weg. Der
30 Offiziant, der seine Kasse führt, verteidigt seinen Herrn und
hält mit Eifersucht über seine Ehre, muß aber viele Kränkungen erfahren.

Warbeck kommt dazu, im Gespräch mit Belmont, und macht
der Antichambreszene ein Ende.

35 Belmont macht auch einen kleinen Tyrannen gegen Warbeck
und sieht auf ihn herab. Sein Betragen gegen denselben ist
trocken, kurz weg und hat etwas stolz ministerielles.

Man will ihn nach Schottland schaffen, eigentlich nur um

ihn los zu sein; ihm wird befohlen, daß er seine Abreise deklarieren soll.

Eine seiner Verlegenheiten ist, daß er die Prinzessin nicht zu sprechen bekommen kann, weil alle seine Schritte ausge= späht werden, seine Hofdiener lauter Wächter sind. Was gäbe 5 er nicht um eine Stunde allein mit der Prinzessin! Er sieht sich nach einem vertrauten Menschen um und der einzige, zu dem er ein Herz hat,

9.

[1])Prinzessin setzt zwar voraus, daß W. ein Fürst ist, und 10 daß er Richard von York ist. Sie hätte ihn nicht bemerkt, nicht auf ihm verweilt, wenn sie ihn nicht in dieser Sphäre gefunden, ja das Interesse an seinen Schicksalen, als York, hat einen großen Anteil an ihrer Neigung für ihn. Übrigens aber ist ihre Liebe ganz nur dem Menschen, nicht dem Fürsten 15 gewidmet, und nachdem er einmal Besitz von ihrem Herzen genommen, kann er nicht mehr daraus vertrieben werden. Die Entdeckung des Betrugs kann sie unglücklich machen, aber nicht gleichgültig gegen ihn; und auch nur deswegen unglücklich,

---

[1]) Die Prinzessin steht rein und schuldlos zwischen zwei schul= 20 digen Naturen, mit welchen das Schicksal sie verwickelt hat. Sie erhält sich auch durchaus rein, und handelt und fühlt immer als eine schöne Seele. Das Mitleid ist das mächtigste Motiv ihrer Neigung, daher auch die nachherige Entdeckung ihre Neigung nicht zerstört, weil Warbeck dann am mitleidswürdigsten erscheint. 25 Ihre Situationen sind:

1. Mit Warbeck.
2. Mit der Herzogin †.
3. Mit Warbecks Feinden †.
4. Mit Plantagenet. 30
5. Allein †.
6. Mit Kildare.

Mit Warbeck hat sie nur zwei Situationen, tête à tête, drei öffentliche; mit der Herzogin eine pathetische; mit dem Feind ebenso; der Monolog spricht die Empfindung eines einfachen, schönen, naiven 35 Gemüts unter den Fesseln des Standes, der Angst der ruchlosen Weltverhältnisse aus. Sie wünscht, daß sie keine Fürstin, Warbeck kein Fürst wäre.

weil sie ihn für einen Nichtswürdigen zu halten gezwungen wird. Fände sich, daß er zu entschuldigen wäre, so würde sie nichts verloren zu haben glauben. Nur achten will sie ihn, um ihn zu lieben. Daß sie nur seine Person liebt, und nur in der Liebe ihr Glück findet, hat sie schon früher geäußert, wo sie wünscht, daß er unbekannt geblieben wäre und nur für sie gelebt hätte.

Wenn die Prinzessin die Wahrheit erfahren, so fühlt sie sich unübersehbar unglücklich, weil der Gedanke eines Betrugs, einer so ungeheuren Frechheit zu ihrem Gefühle für Warbeck den ungeheuersten Absatz macht. Sie muß also verstummen und kann nichts, als sich entfernen.

¹)Wenn sie aber nachher wieder erscheint, so hat indes die Liebe gewirkt, sie hat Entschuldigungsgründe für W. gesucht und zum Teil gefunden, selbst der Gedanke, daß sie Warbeck nie gesehen haben würde, wenn er sich nicht zum York gemacht hätte, wirkt zu seinem Vorteil. Sie ist jetzt

---

¹) Anfang des 5. Aktes. —
1. Prinzessin nach der Entdeckung.
2. Prinzessin. Camill.
3. Prinzessin. Warbeck. Camill.
4. Vorige. Kildare. Gefolge.
5. Warbeck. Kildare.
6. Kildare. Prinzeß. Gefolge.
7. Warbeck. Plantagenet. Vorige.
8. Vorige. Engländer.
9. Vorige. Herzogin.　60

Rührende Situationen:
1. Die fabelhafte Erzählung.　5
2. Monolog der Prinzessin.　2
3. Warbeck und Belmont.　3
4. Warbeck. Stanley.　2
5. Warbeck. Hereford.　1
6. Plantagenet vor dem Turnier.　1
7. Warbeck umarmt die Prinzessin.　1
8. Prinzessin. Herzogin　2

9. Warbeck. Herzogin　4
10. Warbeck. Prinzessin.　3
11. Warbeck. Plantagenet　3
12. Warbecks Bedrängnisse　2
13. Herzogin auf Plant. Spuren　1
14. Herzogin Warb. entlarvend　3
15. Warbeck der Prinzessin entdeckt　2
16. Warbeck entdeckt seine Geburt　3
17. Warbeck bringt den Plantagenet　1
18. Schluß　2

Sonst wirksame Szenen:
1. Warbeck vernachlässigt　2
2. Erich. Warbeck　2
3. Simnels Anmeldung　2
4. Herzogin ungnädig auf W.　1
5. Vor dem Kampf　1
6. Kampf und Tod Simnels　2
[7. Stanleys Wut.]
7. Erich und Prinzeß　2

nicht mehr ganz trostlos, sie hofft, ihn weniger schuldig zu finden usw. In dieser Stimmung kommt sie mit ihm zusammen, sie erträgt es, ihn zu sehen, Kamill kann etwa der Vermittler dabei sein.

Warbeck verhehlt nichts von seiner Geschichte, er macht 5 die Liebe zu seiner Richterin. Blanda wird bewegt, sie fühlt sich unfähig, ihn zu verdammen, zugleich aber auch genötigt, ihm zu entsagen. Sie spricht ihm von der furchtbaren Ankunft des Grafen Kildare, welche sie selbst beschleunigt, und bittet ihn, diese schreckliche Entscheidung nicht abzuwarten. 10

Sie selbst will ihm zur Flucht behilflich sein. Er ist in einer finstern Verzweiflung; da er sie verliert, so ist ihm alles andere gleichgültig. Sein wahrer Schmerz erregt ihr ganzes Gefühl, sie läßt ihn merken, daß sie ihr auch noch jetzt teuer sei, ob sie gleich entschlossen oder vielmehr überzeugt ist von 15 der Unmöglichkeit, ihn zu besitzen.

Diese rührende Szene wird durch die Nachricht unter- brochen, daß Kildare da sei.

Prinzessin treibt ihn, zu fliehen, er verschmäht es, er will nicht als ein Feiger aus Brüssel gehen[1]). 20

Sie fragt ihn, ob er es darauf ankommen lassen wolle, öffentlich entlarvt zu werden?

Er antwortet, er wolle sich mit Gewalt behaupten und in seinem eigenen Namen[2]). Er zählt auf seinen Anhang, auf seine Verzweiflung, er will mit den Waffen in der Hand fallen 25 und seine Unternehmung auf England hinausführen.

Prinzessin entsetzt sich über seine Kühnheit.

Indessen tritt die Herzogin herein mit Kildare und Gefolge.

Man sieht den Warbeck auf dem Punkt stehen, seine un- 30 erträgliche Betrügerrolle zu verlassen, als er überzeugende Beweise von der Liebe der Prinzessin erhält. (Wie gelangt er zu diesen Beweisen? Sendet sie zu ihm? Hat sie eine ver-

---

[1]) Er verläßt sich darauf, daß er .den rechten York in seiner Gewalt hat. 35

[2]) In dieser Szene handelt das Yorkische Blut in ihm, und die Entdeckung seiner Geburt erklärt sein jetziges Betragen ganz.

traute Person? Wie weit erlaubt ihr die Sittsamkeit, gegen
ihn Schritte zu machen?

Er kann die Neigung der Prinzessin aus dem Mund der
Feinde selbst, des dummen Erich, erfahren.

5   Sie kann ihm ein schönes, zartes Mitleid zeigen. — Sie
will ihm etwas schenken, weil sie weiß, er ist im Mangel.

Sie kann seine Hilfe gegen den verhaßten Freier auf-
rufen.

Ein Tête à tête à la derobée zwischen beiden

10   Erichs Anteil an der Handlung[1]
Kildare eine drohende Erscheinung[2].
Der alte Bekannte.
Die Diener Warbecks.
Die Bürger.
15   Die Mörder des Plantagenet.
Prinzessin, wenn der Betrug sich entdeckt.
Hereford über die Geringschätzung des Prinzen am Hofe
empfindlich.
Derselbe, zweifelnd an W.
20   Herzogin den Plantagenet bemerkend beim Kampf.
Herzogin auf Plantagenets Spuren.
Belmonts Ansinnen an W.
Wie die Prinzessin dem W. ihre Liebe zeigt.
Warbeck ein Wohltäter des Volks.

25   **10.**

Warbecks Szene mit einem seiner Diener, der ihm klagt,
daß er seines Herrn wegen viele Kränkungen auszustehen habe,
daß er sich schlagen müsse usw.

Monolog des Kammerdieners, worin er sich vornimmt,
30 dem Warbeck den Dienst aufzukünden. Warbeck kommt dazu,
aber jener fühlt unwillkürlich eine gewisse Ehrerbietung.

---

[1] Heiratsplan der Herzogin.
Sein Anteil an W.s Anklage, daß er Plantagenets Mörder.
Herzogin gibt ihn auf.
35   [2] Über der falschen Person, welche W. spielt, ist seine wahre
vergessen worden; man hat vergessen, daß er auch Eltern haben müsse,
nach diesen regt sich jetzt eine Sehnsucht, und diese wird laut kurz
vorher, ehe er wirklich seinen Vater findet.

Warbeck will einen seiner unverschämten Hofdiener zur Strafe ziehen und fodert deswegen die übrigen der Reihe nach auf, aber diese alle sind störrisch und grob. — Der Haus= hofmeister kommt dazu und verweist sie zu ihrer Pflicht. Szene W.'s mit diesem Haushofmeister, der auch Belmont 5 sein kann[1]).

Es ist darzustellen, wie der Betrüger, außer den Mo= menten der Repräsentation, in eine völlige Nullität übergeht. Er ist bloß wie ein Geräte, heilig, solange es bei Aufzügen dient und ganz nichts, wenn die Parade vorbei ist[2]). Aber 10 gerade in solchen Momenten tritt der Charaktergehalt des Be= trügers ein.

Wir wollen euch Respekt bezeugen öffentlich, sagt die Livree, aber unter vier Augen ist's was anders[3])

Komplimente, welche die Herzogin öffentlich mit Warbeck 15 macht, um ihm die höchsten Ehren zu erweisen.

Einer seiner Edelknaben, der von sehr hohem Geschlecht ist, sieht stolz auf ihn herab.

Warbeck sieht sich unter seinen Leuten nach einem Freund um, und findet keinen. Ein einziger treuherziger Kerl, der 20 ihn für den wahren York hält, zeigt ihm auf eine naive Weise, daß ein Bettelprinz eine dürftige Figur spiele.

Warbeck kommt dazu, wenn die dreierlei Dienerschaft bei= sammen sitzt. Sie stehen nicht einmal vor ihm auf und als er ihnen ihre Unverschämtheit verweist, so sagt einer, sie hätten 25 Befehl, ihn öffentlich zu respektieren, aber unter vier Augen sei's was anders.

⁴)O elendes Schicksal, ruft er aus. Da ich noch der

---

[1]) Wie sich W. über die Kränkung beklagt, die ihm erwiesen werde, sagt B.: „Ein   wie ihr, muß keine so kitzlige Haut 30 haben, er muß etwas vertragen können."

[2]) Diese Bemerkung kann er selbst machen.

[3]) Was ist das? ruft er.
W. verliert die Geduld und will den Unverschämten in den Stock werfen lassen. 35

⁴) Der Entschluß, seinen Betrug abzulegen, geht der Anmeldung des neuen York vorher, und wird durch dieses Incidenz zurückgehalten, denn jetzt kann er nicht nachgeben, ohne als ein Feiger zu erscheinen.

vorige unbedeutende Mensch war, da war mein Wille mein,
da hatte ich Freunde, da wurde mir Liebe zuteil, da genoß
ich um meiner selbst willen Achtung und Ehre — was habe
ich jetzt? O, ich will sie zerreißen, diese Fesseln — usw. Und
5 nun kommt die Gesandtschaft der Prinzessin, welche ihm Unter=
stützung anbietet.

Man mutet ihm zu, die englischen Ausgewanderten zu
schröpfen und aus ihrer Treuherzigkeit seine Verwalter zu
machen, er abhorriert alles Schändliche.

11.
10

Eine Hauptsituation, wenn die Prinzessin anfängt an W.
irre zu werden, oder wenn sie den Betrug wirklich erfährt.

Englische Flüchtlinge an Warbeck zweifelnd und von ihm
haranguiert.

15   Hereford und seine Söhne verbinden sich mit den andern
englischen Flüchtlingen, daß sich eine Masse bildet, welche furcht=
bar werden kann.

Kamill.

Prinz Erich mit Stanley einverstanden.

20   Warbecks Monolog (Figaro), nachdem Stanley ihn zum
erstenmal verlassen.

Eduard und die Prinzessin.

Prinzessin setzt den Geliebten unschuldigerweise der furcht=
barsten Verlegenheit aus, durch Kildare oder Plantagenet.

25   Warbeck hat einige determinierte Degen zu seinem Befehl,
die ihn recht gut kennen und wissen, daß er nicht York ist,

Warbeck.	Diener	2.
Warbeck.	Bischoff	7.
Warbeck.	Stanley	3.
Warbeck.	Hereford	3.
Warbeck.	Erich	4.
Warbeck.	Prinzeß	1.
Herzogin.	Bischoff	3.
Simnels Gesandter		4.
Herzogin.	Der Prinz	2.
Herzogin.	Prinzeß	2.
Warbek.	Der alte Bek[annte]	31.

aber alles für ihn zu tun bereit sind[1]) Am Ende erfährt
er, daß sie ihn nie für den rechten York gehalten.

Eduard ist schüchtern, leicht aufzuschrecken, auffallend dank=
bar für jeden gemeinen Liebesdienst, weil ihm so lange hart
begegnet worden. Er ist durch Mangel gezwungen, eine kost= 5
bare Sache zu veräußern. Er nennt sich Artur.

Warbeck zeigt bei mehreren Gelegenheiten ein fühlendes
Herz, eine wahrhaft fürstliche Großmütigkeit und Hilfs=
leistung.

Warbeck ist gegen Erich auf seinen Rang eifersüchtig. 10

Warbeck muß immer als ein verwogener und verzweifelter
Mensch Furcht erwecken.

Plantagenets Schwester, niedrig verheiratet.

Plantagenet muß irgend einmal seine Yorkische Ferocité
oder doch seine Kühnheit oder Herzhaftigkeit an den Tag 15
legen.

Warbeck entdeckt der Prinzessin freiwillig den Betrug, vor=
her eh er von der Herzogin des Mordes bezichtigt wird. Sie
vergibt, aber entsagt ihm zugleich.

Kildare muß dem Warbeck als ein drohendes Gespenst 20
erscheinen, und schon von fern her ihn schrecken. Seine Ankunft
muß daher gut vorbereitet sein und als eine Hauptbegebenheit
behandelt werden. Die Prinzessin ist's, die ihn herbeiruft,
und indem er der Gegenstand ihrer Sehnsucht ist, ist er dem
Warbeck ein Gegenstand des Grauens. 25

Warbeck sehnt sich nach den Seinigen, er fühlt sich auf
eine schmerzliche Weise ganz heimatlos, da er eine fremde Person
angenommen, hat er sich selbst und die Seinigen verloren. Diese
Sehnsucht wird laut gegen das Ende und geht der wirklichen
Erscheinung Kildares unmittelbar vorher. 30

Warbeck hat als Prinz von York einen Etat, aber man
erlaubt ihm nicht, frei darüber zu disponieren.

Margareta ist eigentlich nicht geizig, ja sie beträgt sich
in hohem Sinn liberal gegen den Betrüger; ihre Offizianten
sind desto filziger. 35

---

[1]) Nach dem Auftritt auf dem Turnierplatz bieten sich diese ver=
wogene Menschen ihm an.

Ehe W. zum Kampfe geht mit Simnel und wie er seine
Zuversicht zeigt, erinnert ihn einer (etwa Belmont) an seine
böse Sache — Sein kurzes Gespräch mit der Prinzessin, die
mit seiner unwürdigen Behandlung inniges Mitleid zeigt —
Erichs Schadenfreude.

Ich bin ganz glücklich, sagt die Herzogin, ich sehe die beiden
teuren Personen, den Herzog und meine Adelaide auf dem
Weg zum Glücke. Dieser edle Prinz, auf Erich zeigend, wird
sie glücklich machen usw. Kurz, sie faßt diese beiden Angelegen=
heiten als ein gleich starkes Interesse zusammen — dies sagt
sie, eh sie abgeht.

12.

[1])Eine Verbindung zwischen dem ersten und zweiten Akt
muß gefunden werden. a) Die Erwartung, wie es sich mit dem
Herzog von York eigentlich verhalte, b) wie es mit der Liebe
der Prinzessin gehen werde. Eine Handlung muß angefangen
sein und fortschreiten. Nun ist eigentlich der Versuch auf Eng=
land die angefangene Handlung und diese muß zu nichts wer=
den, aber bloß insofern eine näher liegende und interessantere
beginnt. Die Handlung nach außen wird angekündigt und
geht über in eine Handlung nach innen. Der Übergang ist
die Liebe.

Der erste Eindruck Warbecks ist als von einem Fürsten;
seine sinnliche Erscheinung ist so mächtig, sein Betragen so
dezidiert, die Umstände so affektvoll, daß der Zuschauer fort=
gerissen wird. Wenn nachher der vorgebliche Herzog als ein
Betrüger und homme du commun behandelt wird, so macht
es desto größern Effekt und erregt Schrecken[2]).

Die Kunst besteht nun darin, diesen Sturz so bedeutsam
pathetisch als möglich zu machen, nie an die Komödie anzu=
streifen, sondern immer in der Tragödie zu bleiben. Besonders
aber wird erfodert, daß sich Warbeck immer in seiner doppelten
Person zugleich darstelle, das Hohe und das Nichts, das Verehrte

---

[1]) Was will die Herzogin?
Was soll Warbeck?

[2]) Synthese des wahren und des falschen Yorks, des Edeln und
Strafbaren, des Großen und des Niedrigen.

und das Verächtliche, das Edle und das Verworfene. Warbeck wird vornehm, Richard wird unwürdig behandelt, es muß immer übers Kreuz genommen werden. Wenn eine Unwürdigkeit ihn trifft, so muß es immer dann sein, wenn wir den Herzog in ihm sehen; wenn ihm fürstlich begegnet wird, so ist es Warbeck, der sich vor unsern Augen so erhebt.

13.

Scenarium[1].

1.

Lord Hereford, ein Anhänger Yorks, hat mit seinen vier Söhnen England verlassen, auf die Nachricht, daß sich Richard von York, zweiter Sohn Eduards IV., den man schon als Knaben ermordet glaubte, lebend in Brüssel befinde und sein Erbrecht zurückfodere. Die Anerkennung des Prätendenten durch seine Tante, durch Frankreich und Portugal und die öffentliche Stimme waren ihm hinreichende Gründe, von Hein=rich VII. abzufallen und seine Besitzungen an seine Hoffnung zu wagen. Er tritt in den Palast der Margareta, den er mit den Bildnissen der Yorks dekoriert findet, er freut sich, nun

---

[1]

	Actus I		
	a		
Hereford.	Stanley.		5
	b.		
Vorige.	Bischof.		3.
	c.		
Vorige.	Volk.		2
	d.		
Vorige.	Warbeck.		
Herzogin.	Erich.	Prinzeß.	9.
	e.		
Vorige ohne Stanley.			4.
	f.		
Erich.	Prinzeß		4
	g.		
Prinzessin allein			3.
	Actus II		
	a		

auf einem Boden zu sein, wo er seine Neigung zu dem Haus
York frei bekennen dürfe.

Lord Stanley, Botschafter Heinrichs VII. am Hof der Mar=
gareta, tritt ihm hier entgegen und sucht umsonst ihm die
5 Augen über den gespielten Betrug zu öffnen. Beide geraten
in Hitze und der Streit der zwei Rosen erneut sich in der
Vorhalle der Margareta.

2.

Der Bischof von Ypern, vertrauter Rat der Herzogin,
10 kommt dazu und bringt sie auseinander. Er rühmt die Pietät
der Herzogin gegen ihre unterdrückte Partei und ihre schutz=
losen Verwandten, und spricht dasjenige aus, wofür Marga=
reta gerne gehalten sein möchte.

3.

15 Bürger und Bürgersfrauen von Brüssel erfüllen die Vor=
halle, um die Herzogin mit dem Prinzen von York zu erwarten.
Stanley schilt ihre Verblendung, sie geraten aber durch die
Schmähung, die er gegen ihren angebeteten Prinzen ausstößt,
in eine solche Wut, daß sie ihn zu zerreißen drohen. Man
20 hört Trompeten, welche die Ankunft des York verkünden.

4.

Richard tritt zwischen sie, rettet den Abgesandten, haran=
guiert das Volk und bringt es zur Ruhe. Während er spricht,
tritt Margareta mit dem Prinzen von Gothland und der
25 Prinzessin von Cleve und anderen Großen ein — Hereford
wird von dem Anblick Richards hingerissen, überzeugt und über=
wältigt. Er wirft sich vor ihm nieder und huldigt ihm als
dem Sohn seines Königs — Margareta nimmt nun das Wort
und erklärt sich über ihren Neffen mit der Zärtlichkeit der
30 mütterlichen Verwandtin — Sie fodert den Prinzen auf, den
Lord wohl aufzunehmen.

Richard umarmt ihn und äußert sich mit Gefühl und zu=
gleich mit fürstlicher Würde.

Hereford wird zunehmend von ihm eingenommen, und
35 fragt jetzt nach seiner Geschichte.

Richard will ausweichen.

Herzogin übernimmt es, sie vorzutragen, indem sie den Richard entschuldigt.

Nun folgt die Erzählung von Richards fabelhafter Geschichte, welche großen Eindruck macht, und öfters von dem Affekt der Zuhörer unterbrochen wird[1]).

Stanley protestiert noch einmal dagegen und geht ab, ohne Glauben zu finden. Richards edle Erklärung löscht den Eindruck seiner Worte aus.

5.

Hereford verstärkt seine Versicherungen und verspricht dem Herzog Richard einen zuströmenden Anhang in England.

Richard erinnert sich mit Rührung an seine vorige Unbekanntheit mit sich selbst und vergleicht jenen sorglosen Zustand mit seiner jetzigen Lage. Es ist eine schwere Prüfung und kein Glück, daß er seine Rechte behaupten muß — Er scheint sich noch einmal zu bedenken und es der Herzogin zu bedenken zu geben, ob er das blutige Kampfspiel unternehmen soll, welches den Frieden zweier Länder zerstört.

Sie ermuntert ihn dazu, wie schwer ihr auch die Trennung von ihm werde und der Gedanke, ihn den Zufällen des Kriegs auszusetzen. — Lebhafte Bezeugungen ihrer Zärtlichkeit. — Jetzt spricht sie von dem zweifachen Anliegen ihres Herzens, die Restitution ihres Neffen und die Vermählung Adelaidens, welche nächstens mit dem Prinzen von Gothland soll gefeiert werden.

Actus II.

Welche Erwartung wird im ersten Akt auf den zweiten erregt?

a) wer der Herzog von York wirklich sei?
b) wie sich die Liebenden zueinander finden.
c) Wie es mit der Expedition nach England ablaufen werde.

---

[1]) Alles, was Heinrich VII. gegen das Haus York getan, wird mit giftigen Zügen dargestellt. Sein Benehmen gegen seine Gemahlin — gegen die Prinzessin von York — gegen Eduard Plantagenet, dessen Erscheinung dadurch vorbereitet wird. Alle Invidia wälzt sich auf den englischen König, und man sieht den Haß motiviert, welcher die Margareta zu einer so außerordentlichen Betrügerei antreiben konnte.

a.

Warbeck soll fort, alles ist bereitet, er kann den Ort nicht verlassen, wo seine Liebe ist — die Prinzessin nicht ohne Er= klärung verlassen und doch keine Möglichkeit, sie allein zu sprechen.

b.

Er wird von den Dienern, die ihm die Herzogin gesetzt, vernachlässigt, weil sie ihn entweder für arm oder für einen Betrüger halten.

c.

Er klagt es dem Bischof von Ypern, der dazukommt. Große Explikation mit diesem.

d.

Explikation mit Stanley.

e.

Monolog des Betrügers.

f.

Hereford zu ihm.

g.

Erich zu ihm.

h.

Der Subornierte.

i.

14.

Actus I.

[1] Die Anlage wird zu einem ganz andern Stück gemacht, als wirklich erfolgt. Ein totgeglaubter Prinz hat sich lebend gefunden, er soll in das Erbe seiner Väter hergestellt werden. Freude seiner Partei, welche bisher unterdrückt gewesen. Freude des Volks über eine solche rührende Begebenheit — Und das Interesse, welches er schon durch sein Schicksal einflößt, wird durch seine Persönlichkeit noch um ein großes vermehrt. Er gefällt durch sein Äußeres und zeigt eine hohe Gesinnung.

---

[1] Glänzend fürstlicher Eingang.

Er ist von mehreren Höfen schon wirklich für den Prinzen, den er sich nennt, anerkannt, und auf den Widerspruch der Gegenpartei wird, weil sie ein feindlich Interesse hat, nicht geachtet. Die Beweise für die Wirklichkeit seiner Person sind überzeugend befunden worden. Endlich erkannte ihn auch die= 5 jenige Person an, zu der er das nächste Interesse hat, die Schwester seines Vaters. Diese Begebenheit ist noch neu in Brüssel, das Interesse an ihm ist, bei dem Volk, noch im Steigen.

Die Anstalten zu seiner Restitution beschäftigen die Welt. 10 Er soll in England eine Landung tun, dort ist alles vor= bereitet, die gedrückte Partei der York wird sich bei seiner Ankunft erheben und zu ihm schlagen. Schottland wird die Waffen für ihn ergreifen, Irland für ihn sich erklären.

IV. Scenar. 15

15.

Margareta von York, Herzogin von Burgund.
Adelaide, Prinzessin von Bretagne.
Erich, Prinz von Gothland.
Warbeck, vorgeblicher Herzog Richard von York. 20
Simnel, vorgeblicher Prinz Eduard von Clarence.
Eduard Plantagenet, der wirkliche Prinz von Clarence.
Graf Hereford, ausgewanderter englischer Lord.
Seine fünf Söhne.
Sir William Stanley, Botschafter Heinrichs VII. v. E. 25
Graf Kildare —
Belmont, Bischof von Ypern.
Sir Richard Blunt, Abgesandter des falschen Eduards.
Bürger von Brüssel.
Hofdiener der Margareta. 30
Mörder.

Erster Akt.

1.

Lord Hereford, ein alter Anhänger des Hauses York, hat mit seinen fünf Söhnen England verlassen und langt eben 35 am Hof der Herzogin Margareta zu Brüssel an, um dem

Schiller. IX.   14

Herzog Richard von York, der dort aufgestanden, seine Dienste zu widmen.

Lord Stanley, Botschafter Heinrichs VII. bei der Herzogin von Burgund, sucht umsonst ihm die Augen über
5 den Betrug, der mit der Person dieses York gespielt wird, zu öffnen. Beide geraten in Hitze, und der Streit der zwei Rosen erneuert sich im Vorzimmer der Margareta.

2.

Belmont, Rat der Herzogin, ein Geistlicher, bringt die
10 Streitenden auseinander und rühmt[1]) die Gerechtigkeit, Pietät und Friedensliebe seiner Gebieterin, die sich gern als eine Vermittlerin und Schiedsrichterin zeigen möchte. Fremde Botschafter erfüllen den Vorsaal, welche alle gekommen sind, dem vorgeblichen York Unterstützung an Schiffen und Mann=
15 schaften anzubieten[2]). Der englische Resident entrüstet sich über diese Bosheit oder Verblendung.

3.

Margareta kommt selbst mit Warbeck, der Prinzessin von Bretagne und dem Prinzen Erich von Gothland.
20 Beim Eintritt des vorgeblichen York drängen sich die an= wesenden englischen Ausgewanderten mit lebhaften Bezeugungen der Freude an ihn heran[3]). Margareta weidet sich eine Zeit= lang an diesem Anblick, darauf stellt sie ihn als ihren Neffen vor und erzählt unter Tränen[4]) und von der Rührung der
25 Anwesenden oft unterbrochen, die erdichtete Geschichte seiner Gefangenschaft, seiner Errettung, Flucht, bisheriger Verborgen= heit und endlicher Anerkennung. Die Geschichte ist künstlich dazu erfunden, um das Mitleid mit dem vorgeblichen York

---

[1]) Margareta als eine hilfreiche, pietätvolle Verwandte und
30 Schützerin ihrer Patrei.

[2]) Bürgerszenen. Freude an dem Herzog von York, seine Popu= larität, seine Schicksale, seine Edeltaten. Es sind Frauen unter den Zuschauern, Mütter mit ihren Kindern.

[3]) Vergleichung angestellt zwischen Warbecks Gestalt und den
35 Yorkischen Bildnissen.

[4]) Ein Schleier wird über Richards Regierung geworfen.

und die Indignation gegen den englischen König in hohem Grad zu erregen.

Lord Hereford erstaunt über die große Ähnlichkeit War= becks mit König Eduard, er fühlt die Gewalt des Bluts und ist überzeugt, daß er den wahren Sohn seines Herrn vor sich habe. Er wirft sich, von Gefühl hingerissen, zu seinen Füßen und wird von Warbeck mit fürstlichem Anstand und mit Herz= lichkeit aufgenommen.

Der englische Botschafter protestiert gegen dieses Gaukel= spiel, aber Warbeck antwortet ihm mit der Würde eines Fürsten und dem edlen Familienstolz eines Yorks.

4.

Nachdem jener sich hinwegbegeben, wird dem Warbeck von allen anwesenden Engländern und Gesandten gehuldigt[1]). Er hat Gelegenheit, sein schönes Herz, seinen Geist, seine fürstliche Denkart zu zeigen, er nimmt sich einiger Unglück= lichen bei der Herzogin an und erweist sich als den Schutz= gott des Landes.

Wohin geht Warbeck von hier aus? Was nimmt die Herzogin vor?

5.

Prinz Erich von Gothland bleibt allein mit der Prinzessin von Bretagne zurück und spottet über die vorhergegangene Farce. Adelaide ist noch in einer großen Gemütsbewegung und zeigt ihre Empfindlichkeit über Erichs fühllose Kälte. Er verspottet sie und spricht von dem Prinzen von York mit Verachtung. Sie nimmt mit Lebhaftigkeit Warbecks Partei, an dessen Wahrhaftigkeit sie nicht zweifelt, und stellt zwischen ihm und Erich eine dem letztern nachteilige Vergleichung an. Ihre Zärtlichkeit für den vorgeblichen York verrät sich. Erich demonstriert ihr aus Warbecks Benehmen, daß jener kein Fürst sein könne, und führt solche Beweise an, welche seine eigne gemeine Begriffe von einem Fürsten verraten. Adelaide ver= birgt ihre Verachtung gegen ihn nicht und setzt ihn aufs tiefste

---

[1]) Es kommt jemand, der sich vor der Herzogin niederwirft und um etwas bittet.

14*

neben dem Yorkischen Prinzen herab. Erich hat wohl bemerkt, daß Adelaide für diesen Zärtlichkeit empfinde, aber seine Schadenfreude ist größer als seine Eifersucht, er findet ein Vergügen daran, daß jene beiden sich hoffnungslos lieben, er
5 selbst aber die Prinzessin besitzen werde. Der Besitz, meint er, mache es aus, und es gibt ihm einen süßen Genuß, dem Warbeck, den er haßt, die Geliebte zu entreißen[1]).

6.

Adelaide spricht in einem Monolog ihre Liebe, ihr Mit=
10 leid mit Warbeck und ihren Schmerz über ihre eigne Lage am Hof der Margareta aus. Sie findet eine Ähnlichkeit in ihrem eignen und Richards Schicksal, beide leben von der Gnade einer stolzen, gebieterischen Verwandten und sind hilf= lose Opfer der Gewalt.

15   1. Herzogin hat zwei Angelegenheiten: die Vermählung der Prinzessin mit Erich und die Intrige mit Warbeck.
    2. Die Handlung hat in den ersten Akten noch nicht die gehörige Stetigkeit, sie steht auch zuweilen still, sie muß aber von Anfang schon in eine rapide Bewegung gesetzt, und das Interesse zunehmend
20 gespannt werden. Verbindung der zwei ersten Akte fehlt noch ganz.
    Momente sind im I. Akt eröffnet und sind im II. fortzuführen.
    *a. Margareta nebst Belmont. — Warbeck. Öffentliches und
        geheimes Verhältnis[2]).
    b. Hereford — Warbeck.
25 * c. Prinzessin — Warbeck.
    d. Erich — Warbeck.
    e. Stanley — Warbeck.
    f. Margareta — Prinzessin.

---

    [1]) Eine dritte Person unterbricht diesen Dialog.
30 [2]) 1. Die unwürdigen Aufträge an Warbeck.
    2. Die Vernachlässigung des Herzogs im Innern.
    3. Zusammenhang mit der Prinzessin.
    4. Popularität und schöne Handlung des Herzogs.
    5. Warbecks nächste Beschäftigung.

Zweiter Akt.

1.

Der erste Akt zeigte Warbeck in seinem öffentlichen Ver=
hältnis, jetzt erblickt man ihn in seinem innern. Die glänzende
Hülle fällt, man sieht ihn von den eignen Dienern, welche 5
Margareta ihm zugegeben, vernachlässigt und unwürdig be=
handelt. Einige zweifeln an seiner Person und verachten ihn
deswegen, andere, die an seine Person glauben, begegnen
ihm schlecht, weil er arm ist und von der Gnade seiner An=
verwandtin lebt, das doppelte Elend eines Betrügers, der die 10
Rolle des Fürsten spielt und eines wirklichen Prinzen, der
ohne Mittel ist, häuft sich auf seinem Haupt zusammen[1]).
Er leidet Mangel an dem Notwendigen, er vermißt in seinem
fürstlichen Stande sogar das Glück und den Überfluß seines
vorigen Privatstandes, aber es gibt ein Herz, das ihm alle 15
diese Leiden versüßt.

2.

Adelaide kennt seine eingeschränkte Lage und sucht sie zu
verbessern. Ob er gleich das Geschenk ihrer Großmut nicht
annimmt, so macht ihn doch der Beweis ihrer Liebe glücklich[2]). 20

3.

[3])Ein schlechter Mensch, der ihn in seinem Privatstande
gekannt hat, stellt sich ihm dar und erschreckt ihn durch die
Kenntnis, die er von seiner wahren Person hat. Er hat das
höchste Interesse, ihn zu entfernen und muß seine Verschwiegen= 25
heit erkaufen. (Diese und folgende Szene könnten vielleicht
in den vierten Akt verlegt werden.)

4.

Lord Hereford findet ihn mit diesem Menschen zusammen
und wundert sich über das zudringliche, respektwidrige Be= 30
tragen dieses Kerls, er tut Fragen an ihn, die den Warbeck
in große Angst setzen. Endlich ist W. dahin gebracht, von

---

[1]) Belmont und Warbeck.
[2]) Szene zwischen Warbeck und Stanley.
[3]) Monolog Warbecks. 35

Hereford zu borgen — dieser hat die wenige Achtung, die man dem Sohn seines Königs bezeugt, mit Unwillen bemerkt, er erklärt sich diese Geringschätzung aus der bedürftigen Lage Richards und dringt desto lebhafter in ihn, seine Landung in
5 England zu beschleunigen.

5.

[1]Erich hat einen boshaften Anschlag gegen Warbeck und kommt ihn auszuführen. Er bringt viele Zeugen mit und affektiert eine große Ehrfurcht gegen W., den er absichtlich
10 und bis zur Übertreibung Prinz von York nennt.

6.

Ein Kerl[2]), von Erich unterrichtet, kommt, sich für seinen Verwandten auszugeben, eine Schuldforderung an Warbeck zu machen, behauptend, daß er diesen als einen Elenden gekannt
15 und ihm Geld geliehen habe[3]). Erich schärft durch seinen Hohn diese Beschimpfung noch mehr und Warbeck steht einen Augenblick wie vernichtet da. Schnell aber besinnt er sich und setzt dem Erich den Degen auf die Brust, drohend, ihn zu töten, wenn er nicht sogleich den angestellten Streich be=
20 kennte. Erich ist eben so feig als boshaft und gesteht in der Angst alles, was man wissen will. Warbeck ist nun gerecht= fertigt, Erich beschimpft, und der erste geht noch mit Vorteil aus dieser Verlegenheit, weil sein Nebenbuhler sich verächtlich machte[4]).

7.
25
Die Herzogin ist von diesem Vorfall durch Belmont auf der Stelle unterrichtet worden und kommt selbst, die beiden Prinzen miteinander auszusöhnen[5]). Sie will, daß Warbeck

---

[1]) Abschiedsszene zwischen W. und der Prinzessin, welches
30 zuleich eine Deklaration ist.
    [2]) Ein Jude. Der Kerl kann sich für seinen Vater oder Bruder ausgeben.
    [3]) Prinzessin ist bei diesem ganzen Auftritt gegenwärtig. Auch Belmont und der englische Botschafter (letzterer mit Erichen
35 einverstanden).
    [4]) Margareta kommt zu dem Auftritt und geht gleich wieder ab.
    [5]) Hierauf Warbeck und Belmont.

dem Feind seine Hand biete, und da jener sich weigert, so
gibt sie ihm zu verstehen, daß sie es so haben wolle. Sie
legt einen Nachdruck darauf, daß Erich ein Prinz sei, und
läßt dem Warbeck, wiewohl auf eine nur ihm allein bemerk=
liche Art, seine Abhängigkeit von ihr, seine Nichtigkeit fühlen. 5

8.

Ein abenteuerlicher Abgesandter kommt, im Namen
Eduards von Clarence um eine Sauve garde nach Brüssel zu
bitten, damit er sich der Herzogin, seiner Tante, vorstellen und
die Beweise seiner Geburt beibringen dürfe. Er sei aus dem 10
Tower zu London entflohen und komme, seine Ansprüche an
den englischen Thron geltend zu machen. Margareta zweifelt
keinen Augenblick an der Betrügerei, aber es akkordiert mit
ihren Zwecken, sie zu begünstigen. Sie zeigt sich daher geneigt,
die Hand zu bieten, aber Warbeck redet mit Heftigkeit dagegen. 15
Margareta weist ihn, auf die ihr eigne gebieterische Art, in seine
Schranken zurück und läßt ihn fühlen, daß er hier keine Stimme
habe. Warbeck muß schweigen, aber er geht ab mit der Er=
klärung, daß er es mit diesem Prinzen von Clarence durch
das Schwert ausmachen werde. 20

9.

Margareta ist nun mit Belmont allein[1]) und bemerkt
mit stolzem Unwillen, daß Warbeck anfange, sich gegen sie
etwas herauszunehmen. Sie hat schon längst eine Abneigung
gegen ihn gehabt, nun fangen seine Anmaßungen an, ihren 25
Haß zu erregen. Sie findet ihn nicht nur nicht unterwürfig
genug, der Betrug selbst, den sie durch ihn spielte, ist ihr
lästig und seine Existenz als York, als ihr Neffe, beschämt
ihren Fürstenstolz.

10.

30

In dieser ungünstigen Stimmung findet sie Adelaide,
welche in großer Bewegung kommt, sie zu bitten, daß sie von
den Bewerbungen des Prinzen von Gothland befreit werden

---

[1]) Belmont fragt, was ihre Intention mit Simnel sei. Sie er=
klärt sich darüber. Beide sollen kämpfen en camp clos usw. 35

möchte. Adelaide verrät zugleich ihr zärtliches Interesse für Warbeck und bringt dadurch die schon erzürnte Herzogin noch mehr gegen diesen auf. Sie wird mit Härte von ihr ent= lassen und erhält den Befehl, an den letzteren nicht mehr zu 5 denken und jenen als ihren Gemahl anzusehen.

Die Hochzeit wird aufs schnellste beschlossen und Adelaide sieht sich in der heftigsten Bedrängnis.

Dritter Akt.

1.

10 Ein offener Platz, Thron für die Herzogin. Schranken sind errichtet, Anstalten zu einem gerichtlichen Zweikampf. Zu= schauer erfüllen den Hintergrund der Szene.

Eduard Plantagenet läßt sich von einem der Anwesenden erzählen, was diese Anstalten bedeuten — Exposition von 15 Simnels und Warbecks Rechtshandel, der durch einen gericht= lichen Zweikampf entschieden werden soll. Eduard vernimmt diesen Bericht mit dem höchsten Erstaunen, und seine Fragen, die zugleich eine tiefe Unwissenheit des Neuesten und das größte Interesse für diese Angelegenheit verraten, erregen die 20 Verwunderung des andern.

Der englische Botschafter ist auch zugegen und der selt= same Jüngling hat·schnell seine ganze Aufmerksamkeit erregt. Er scheint ihn zu kennen und zu erschrecken.

2.

25 Simnel zeigt sich mit seinem Anhang und haranguiert das Volk. Er spricht von seinem Geschlecht, seiner Flucht aus dem Tower und die Menge teilt sich über ihn in zwei Parteien. (Die Ahndung des Zuschauers stellt hier den falschen und den echten Plantagenet nebeneinander.) Der englische 30 Botschafter macht sich an Eduard und sucht ihn auszuforschen, aber er findet ihn höchst schüchtern und mißtrauisch und be= stärkt sich eben dadurch in seinem Verdachte.

3.

Die Herzogin kommt mit ihrem Hofe. Erich, Ade= 35 laide und Warbeck begleiten sie. Trompeten ertönen und Margareta setzt sich auf den Thron.

Während sich dieses arrangiert, hat Warbeck eine kurze Szene mit Adelaide, worin diese ihren Unwillen und Schmerz über die bevorstehende unwürdige Szene, Warbeck aber seinen leichten Mut über den Kampf zu erkennen gibt.

Ein Herold tritt auf und nachdem er die Veranlassung ₅ dieser Feierlichkeit verkündigt hat, ruft er die beiden Kämpfer in die Schranken. Zuerst den Simnel, der sich öffentlich für Eduard Plantagenet bekennt und seine Ansprüche vorlegt; darauf den Herzog von York, welcher Simnels Vorgeben für falsch und frevelhaft erklärt, und bereit ist, dieses mit seinem ₁₀ Schwert zu beweisen. Beide Kämpfer berufen sich auf das Urteil Gottes, man schreitet zu den gewöhnlichen Formali= täten, worauf sich beide entfernen, um in den Schranken zu kämpfen.

4. ₁₅

Während die üblichen Vorbereitungen gemacht werden, bemerkt die Herzogin gegen Belmont oder gegen den englischen Botschafter, oder auch gegen Hereford, welche über den vor= geblichen Prinzen von Clarence spotten, daß sie an eben diesem Morgen von sicherer Hand aus London Nachricht[1]) erhalten, ₂₀ daß dieser Prinz wirklich aus dem Tower entsprungen sei; welches den englischen Botschafter sehr zu beunruhigen scheint.

Unterdessen hat der junge Plantagenet durch seine große Gemütsbewegung und durch seine rührende Gestalt die Auf= merksamkeit der Herzogin und der Prinzessin erregt. Jene ₂₅ fragt nach ihm, er gibt einige sinnvolle Antworten und zeigt etwas Leidenschaftliches in seinem Benehmen gegen die Herzogin. Ehe sie Zeit hat, ihre Neugierde wegen des interessanten Jüng= lings zu befriedigen, ertönen die Trompeten, welche das Signal zum Kampfe geben. ₃₀

5.

Der Kampf. Simnel wird überwunden und fällt. Alles steht auf, die Schranken werden eingebrochen, das Volk dringt schreiend hinzu. Simnel bekennt sterbend seinen Betrug und

---

[1]) Diese Nachricht ist ein sehr großes Evenement und setzt die ₃₅ Herzogin in die heftigste Bewegung.

die Anstifter, er erkennt den Warbeck für den echten York und
bittet ihn um Verzeihung. Freude des Volks.

6.

Warbeck als Sieger und anerkannter Herzog ergreift diesen
Augenblick, der Prinzessin öffentlich seine Liebe zu erklären
und die Herzogin um ihre Einwilligung zu bitten. Die eng=
lischen Lords legen sich darein und unterstützen seine Bitte.
Erich wütet, die Herzogin knirscht vor Zorn, reißt die Prinzessin
hinweg und geht mit wütenden Blicken.

7.

Jetzt sammeln sich die Lords um ihren Herzog, schwören
ihm Treue und Beistand und begleiten ihn im Triumph nach
Hause.

8.

Plantagenet allein fühlt sich verlassen, seine Persönlich=
keit verloren, ohne Stütze, hat nichts für sich als sein Recht.
Er entschließt sich dennoch, sich der Herzogin zu nähern.
Stanley kann hier zu ihm treten und versuchen, ihn hinweg=
zuängstigen.

Vierter Akt.

1.

Herzogin kommt voll Zorn und Gift nach Hause. Ihr
Haß gegen W. ist durch sein Glück und seine Kühnheit ge=
stiegen, die Nachricht von der Entspringung des echten Plan=
tagenet aus dem Tower macht ihr den Betrüger entbehr=
lich, sie ist entschlossen, ihn fallen zu lassen und fängt gleich
damit an, daß sie der Prinzessin, welche ihr nachgefolgt
ist, mit Härte verbietet, an ihn zu denken und sogar einen
Zweifel über seine Person erregt. Warbeck läßt sich melden,
sie schickt die Prinzessin, welche zu bleiben bittet, in Tränen
von sich.

2.

Warbeck und Herzogin, erstes Tete=a=tete zwischen beiden.
Warbeck, kühn gemacht durch sein Glück und auf seinen An=
hang bauend, zugleich durch seine Liebe erhoben und ent=

schloffen, feine bisherige unerträgliche Lage zu endigen, nimmt gegen die Herzogin einen mutigen Ton an und wagt es, fie wegen ihres widersprechenden Betragens gegen ihn zu kon= ftituieren. Sie erstaunt über feine Dreiftigkeit und begegnet ihm mit der tiefften Verachtung. Je mehr fie ihn zu er= niedrigen sucht, defto mehr Selbständigkeit setzt er ihr entgegen. Er beruft fich darauf, daß fie es gewesen, die ihn aus feinem Privatftand, wo er glücklich war, auf diesen Platz gestellt, daß fie verpflichtet fei, ihn zu halten, daß fie kein Recht habe, mit feinem Glück zu spielen. Ihre Antworten zeigen ihren fühllofen Fürftenstolz, ihre kalte egoiftische Seele, fie hat fich nie um fein Glück bekümmert, er ift ihr bloß das Werkzeug ihrer Pläne gewesen, das fie wegwirft, fobald es unnütz wird. Aber dieses Werkzeug ift felbftändig, und eben das, was ihn fähig machte, den Fürsten zu spielen[1]), gibt ihm die Kraft, fich einer schimpflichen Abhängigkeit zu entziehen. Endlich fieht fich die Herzogin genötigt, ihre innere Wut zu diffimu= lieren und verläßt ihn scheinbar versöhnt, aber Rache und Grimm in ihrem Herzen.

3.

Die Prinzessin wird durch die Furcht vor einer ver= haßten Verbindung und weil fie alle Hoffnung aufgibt, etwas von der Güte der Herzogin zu erhalten, dem Betrüger ge= waltsam in die Arme getrieben. In vollem Vertrauen auf feine Person kommt fie, und schlägt ihm felbst die Ent= führung vor. Sie zeigt ihm ihre ganze Zärtlichkeit und überläßt fich verdachtlos feiner Ehre und Liebe. Sie nennt ihm den Grafen Kildare, einen ehrwürdigen Greis und alten Freund des Yorkischen Haufes, zu dem follten fie mitein= ander fliehen. Sie übergibt ihm alles, was fie an Koftbar= keiten befitzt. Je mehr Vertrauen fie ihm zeigt, defto qual= voller fühlt er feine Betrügerei, er darf ihre dargebotene Hand nicht annehmen, und noch weniger das Geständnis der Wahrheit wagen, fein Kampf ift fürchterlich, er verläßt fie in Verzweiflung.

---

[1]) Seine Ähnlichkeit mit Edward ergreift die Herzogin in diefem Augenblick.

4.

Sie bleibt verwundert über sein Betragen zurück und macht sich Vorwürfe, daß sie vielleicht zu weit gegangen sei, entschuldigt sich mit der Gefahr, mit ihrer Liebe.

5.

Plantagenet tritt auf, schüchtern und erschrocken sich um= sehend, und den teuren Familienboden mit schmerzlicher Rührung begrüßend. Er erblickt die Yorkischen Familien= bilder, kniet davor nieder und weint über sein Geschlecht und sein eigenes Schicksal.

6.

Warbeck kommt zurück, entschlossen, der Prinzessin alles zu sagen. Er erblickt den knienden Plantagenet, erstaunt, fixiert ihn, erstaunt noch mehr, läßt sich mit ihm ins Ge= spräch ein, was er hört, was er sieht, vermehrt sein Schrecken und Erstaunen, endlich zweifelt er nicht mehr, daß er den wahren York vor sich habe. Plantagenet entfernt sich mit einer edeln und bedeutenden Äußerung und läßt ihn schrecken= voll zurück[1]).

7.

Er hat kaum angefangen, seine Ahnung und seine Furcht auszusprechen, als der englische Botschafter eintritt und ein Gespräch mit ihm verlangt. Dieser bestätigt ihm augenblick= lich seine Ahnung, und trägt ihm eine Komposition mit dem englischen König an, wenn er den rechten York aus dem Weg schaffen hälfe. Beide haben ein gemeinschaftliches Interesse, den wahren York zu verderben. Warbeck fühlt die ganze Ge= fahr seiner Situation, aber sein Haß gegen Lancaster und seine bessere Natur siegen, und er schickt den Versucher fort.

8.

Aber gehandelt muß werden. Der rechtmäßige York ist da, er kann zurückfodern, was sein ist, die Herzogin wird eilen, ihn anzuerkennen und dem falschen York sein Theaterkleid ab= zuziehen, alles ist auf dem Spiel[2]), die Prinzessin ist ver=

---

[1]) Szene mit den englischen Flüchtlingen.
[2]) Der Mensch, den er abgefertigt glaubt, kommt zurück in

loren, wenn der rechte York nicht entfernt wird. Jetzt fühlt der Unglückliche, daß ein Betrug nur durch eine Reihe von Verbrechen kann behauptet werden, er verwünscht seinen ersten Schritt, er wünscht, daß er nie geboren wäre[1]).

9.

Herzogin kommt mit ihrem Rat. Man erfährt, daß der Graf Kildare auf dem Wege nach Brüssel sei, daß er dort den jungen Plantagenet zu finden hoffe, der ihm Nachricht gegeben, er eile dorthin. Herzogin ist zugleich erfreut und verlegen über seine Ankunft, verlegen wegen W. Doch sie ist fest entschlossen, diesen aufzuopfern, sobald der rechte Plantagenet sich gefunden. Aber, wo ist er denn, dieser teure Neffe? Kildare schreibt, er sei geradenwegs nach Brüssel, so könnte er schon da sein — Sie erinnert sich des Jünglings — Das Tuch wird auf dem Boden bemerkt — Sie erkennt es für dasselbe, welches sie dem Eduard vor neun Jahren geschenkt — Sie fragt voll Erstaunen, wer in das Zimmer gekommen. Man antwortet ihr, niemand als Warbeck. Es durchfährt sie wie ein Blitz. Sie sendet nach dem unbekannten Jüngling, nach Warbeck.

Warbeck könnte einmal in den unerträglichen Fall kommen, durch Erichs boshafte Veranstaltungen öffentlich beschimpft zu werden, wenn auch Erich nichts dadurch erreicht, als daß sein Nebenbuhler dadurch lächerlich und in ein verächtliches Licht gesetzt wird, welches ihm in den Gemütern unwiederbringlich schaden muß. Wenn dieses Motiv aber gebraucht wird. so muß es entweder ins Furchtbare endigen oder die Ungereimtheit muß ganz auf den Erfinder zurückfallen. Warbeck setzt in besonnener Wut dem Erich den Degen auf die Brust, daß er augenblicklich bekennt und mit Schmach bedeckt abgeht. Warbeck ist gegen das Werkzeug großmütig.

Gegenwart Erichs oder einer andern gefährlichen Gesellschaft. Dieser Mensch muß in die Handlung einfließen.

Auch die Lords quälen ihn in der besten Absicht, und alles schärft den Pfeil gegen ihn.

Schritte der Herzogin.

[1]) Kamill meldet ihm die Ankunft des Grafen Kildare, ein neues Schrecken.

Fünfter Aufzug.

1.

Vor dem Yorkischen Monument. Plantagenet tritt auf, er ist heimatlos, die Müdigkeit der langen Reise überwältigt ihn, der 5 Schlaf ergreift ihn, er empfiehlt seine Seele dem Ewigen, und bittet ihn, daß er im Himmel wieder aufwachen möchte.

2.

Warbeck kommt und betrachtet den Schlafenden. Rührendes Selbstgespräch, wo er seine Qual mit dem Frieden des Kindes ver- 10 gleicht. Er wird weich und wie er kommen hört, tritt er auf die Seite.

3.

Zwei Mörder[1]) treten auf, wollen den schlafenden Knaben töten — Warbeck eilt zu Hilfe, verwundet den einen, beide entfliehen, 15 der Knabe erwacht, Kamill erscheint von einer andern Seite, Warbeck läßt den Knaben, der sehr erschrocken ist, wegbringen, und heimlich verwahren. Er selbst geht nach.

4.

Erich kommt mit dem englischen Botschafter[2]). Sie finden Spuren 20 von Blut, der Mörder hat gewinkt, sie zweifeln nicht mehr, daß die Tat geschehen sei, frohlocken darüber. und beschließen nunmehr, den Verdacht dieses Mordes auf Warbeck zu wälzen.

Fünfter Aufzug.

[5.]1.

25 Herzogin. Ihr Rat. Prinzessin. Lords — Vergeblich sind alle Nachforschungen nach Eduard, er ist nirgends zu finden. Herzogin hat einen gräßlichen Argwohn. Sie schickt nach Warbeck.

[6.]2.

30 Erich und der Botschafter erzählen von einem Mord, der geschehen sein müsse, sie hätten um Hilfe schreien hören, wie

---

[1]) Sind sie ihm von London nachgeschickt, oder von dem Bot- schafter bestellt worden.

[2]) Dieser wird supponiert, hat ihm indessen den Anschlag auf 35 Plantagenet mitgeteilt und ihn geneigt dazu gefunden.

sie herbeigeeilt, sei Blut auf dem Boden gewesen. — Die Herzogin und Prinzessin in der größten Bewegung.

[7.]3.

Warbeck kommt, Herzogin empfängt ihn mit den Worten: Wo ist mein Neffe? Wo habt Ihr ihn hingeschafft? Wie er 5 stutzt, nennt sie ihn gerade heraus einen Mörder. Auf dieses Wort geraten alle Lords in Bewegung. Sie wiederholt es heftiger. Jene schelten, daß sie den Herzog, ihren Neffen, einer so schrecklichen Tat beschuldige[1]). — Jetzt entreißt ihr der Zorn ihr Geheimniß. Herzog? sagt sie. Ein York! Er, 10 mein Neffe! — Und erzählt den ganzen Betrug mit wenig Worten, davon der Refrain immer der Mörder ist. Prinzes= sin wankt, will sinken, Warbeck will zu ihr treten, Prinzessin stürzt der Herzogin in die Arme; Warbeck will sich an die Lords wenden, sie treten mit Abscheu zurück. In diesem 15 Augenblick wird der gefürchtete Graf Kildare angemeldet. Herzogin sagt: Er kommt zur rechten Zeit. — Ich habe seine Ankunft nie gewünscht. Jetzt ist sie mir willkommen. Er kennt meine Neffen, er hat ihre Kindheit erzogen — (sie wendet sich zu Warbeck): Verbirg dich, wenn du kannst. Versuch, ob 20 du dich auch gegen diesen Zeugen behaupten wirst[2]).

[8.]4.

Kildare tritt herein, Warbeck steht am meisten von ihm entfernt und hat das Gesicht zu Boden geschlagen — Herzogin geht ihm entgegen. Ihr kommt einen York zu umarmen, un= 25 glücklicher Mann, Ihr findet keinen[3]) usw. Ehe Kildare noch

---

[1]) NB. Die Lords glauben der Herzogin nicht, es steht nicht bei ihr, ihn zu vernichten, wie sie ihn erschaffen hat. Da die Lords ihr Vorwürfe machen, ihm so mitgespielt zu haben, so sagt sie, daß sie durch ihr eigenes Werkzeug gestraft sei, daß sie durch den falschen 30 York nun auch den wahren verloren usw. In diesem Augenblick ist sie unglücklich und darum rührend. Warbeck nimmt diese einzige Rache an ihr, daß er sie in dem schrecklichen Glauben läßt.

[2]) Fünfter Akt. Prinzessin. Warbeck. Sie will ihm zur Flucht verhelfen. Er bleibt in dumpfer Verzweiflung. 35

[3]) Sie muß durch etwas zu erkennen geben, daß Warbeck der vorgebliche Herzog von York ist.

antwortet, sieht er sich im Kreis um und bemerkt den Warbeck. Er tritt näher, stutzt, staunt, ruft: Was seh ich! Warbeck richtet sich bei diesen Worten auf, sieht dem Grafen ins Gesicht und ruft: Mein Vater! — Kildare ruft ebenfalls: Mein
5 Sohn! — Sein Sohn! wiederholen alle. Warbeck eilt an die Brust seines Vaters. Kildare steht voll Erstaunen, weiß nicht, was er dazu sagen soll. Er bittet die Umstehenden, ihn einen Augenblick mit Warbeck allein zu lassen. Man tut es aus Achtung gegen ihn, zugleich wird gemeldet, daß
10 man zwei Mörder eingebracht habe, Herzogin eilt ab, sie zu vernehmen.

[9.]5.

Warbeck bleibt mit Kildare, der noch voll Erstaunen ist in dem vermeinten York seinen Sohn zu finden. Warbeck
15 erzählt ihm in kurzen Worten alles. Kildare apostrophiert die Vorsicht und preist ihre Wege. Er erklärt dem Warbeck, daß er nicht sein Sohn sei — daß er den Namen geraubt, der ihm wirklich gebühre. Er sei ein natürlicher Sohn Eduard IV., ein geborener York. Das Rätsel seiner dunkeln Gefühle löst
20 sich ihm, das Knäuel seines Schicksals entwirrt sich auf einmal. In einer unendlichen Freudigkeit wirft er die ganze Last seiner bisherigen Qualen ab, er bittet den Kildare, ihn einen Augenblick weggehen zu lassen.

[10.]6.

25 [1])Kildare und bald darauf die Lords, welche zurückkommen, nebst Erich und dem Botschafter. Sie beklagen den Kildare, daß er ein solches Ungeheuer zum Sohn habe, der den heiligen Namen eines York usurpiert und den wahren York ermordet habe. Kildare kann letzteres nicht glauben, und das
30 erste beantwortet er damit, daß er ihnen die wahre Geburt Warbecks meldet. Sie glauben ihm und erstaunen darüber, bedauern aber desto mehr, daß sie in dem Sohn ihres Herrn einen Mörder erblicken müssen.

---

[1]) 6. Kildare und die Lords. Sie sind in Verzweiflung über
35 den gespielten Betrug und beklagen ihre verlorne Existenz, ihre zerstörte Hoffnung.

[11.]7.

Indem erscheint Warbeck, den Plantagenet an der Hand führend. Alle erstaunen, Kildare erkennt den jungen Prinzen, dieser weiß nicht, wie ihm geschieht, bis Warbeck das ganze Geheimnis löst, und damit endigt, dem Plantagenet als seinem Herrn zu huldigen, und ihn als seinen Vetter zu umarmen. Freude der Lords, Edelmut des Plantagenet.

[12.]8.

Herzogin kommt zu dieser Szene, sie umarmt ihren Neffen und schließt ihn an ihr Herz. Lords verlangen, daß sie gegen W. ein gleiches tue — Edle Erklärung Warbecks, der als ihr Neffe zu ihren Füßen fällt. — Sie ist gerührt, sie ist gütig und zeigt es dadurch, daß sie geht, um die Prinzessin abzuholen.

[13.]9.

Zwischenhandlung, solang sie weg ist. Erichs und des Botschafters Mordanschlag kommt ans Licht, ihnen wird verziehen und sie stehen beschämt da. Warbeck zeigt sich dem Botschafter in der Stellung den Plantagenet umarmend und schickt ihn zu seinem König mit der Erklärung, daß sie beide gemeinschaftlich ihre Rechte an den Thron wollen geltend machen.

[14.]10.

Herzogin kommt mit der Prinzessin zurück. Schluß[1]).

Warbeck kommt anfangs in kleine Verlegenheiten, welche ernst= hafter werden und endlich wie wachsende Fluten alle zumal über ihn hereinbrechen.

Prinzessin ist's, welche erfährt, daß noch ein alter Yorkischer

---

[1]) 1. Eduards Zusammenkunft mit der Prinzessin.
„   „   „   mit der Herzogin.
2. Warbeck und die zweifelnden Lords.
3. Warbeck und der schlechte Mensch oder der treuherzige.
4. Kildare und Prinzessin.
5. Die Yorkische Ähnlichkeit Warbecks als ein mächtiges Motiv.
6. Warbeck ist am Ende noch mächtig und zu fürchten, weil er devouierte Diener hat.

Anhänger lebt, der Richards Person wiedererkennen muß. Sie freut sich über diese Nachricht höchlich und ist geschäftig, diesen Alten herbeizubringen. Vor ihm hat sich Richard am meisten zu fürchten.

Warbeck umfaßt nach dem Zweikampf seine Geliebte öffentlich, alle Anwesenden verlangen, daß die Herzogin einwillige, sie hat sich hier selbst in eine böse Schlinge verwickelt.

V. Szenen-Entwürfe in Prosa.

16.

Belmont.

Nicht weiter, edle Lords. Bezähmt eure Erbitterung und ehrt die Majestät dieses Orts. —

Hier muß die Wut der Parteien schweigen, die Gerechtig=keit herrscht hier und nicht die Leidenschaft. Meine Gebieterin ist aus dem Geschlechte der York und ihr fürstlich Herz denkt der teuren Ahnen mit Religion, aber das hindert sie nicht, mit dem König Heinrich in gutem Vernehmen zu leben, und sie ehrt in der Person dieses edlen Lords seinen Abgesandten. Sie haßt den Streit und möchte gern alle Differenzen fried=lich beilegen. Sie bietet dazu gern ihre Dienste an, und sie hat ihren Hof zu Brüssel allen Parteien geöffnet. Die An=hänger der Yorks sind hier willkommen, als eine gerechte und weise Schiedsrichterin hört sie ihre Beschwerden an, und dient gern allen nach ihren Kräften, — (Sie heißt euch durch mich willkommen, edler Lord Hereford) Diesen Schutz ist sie ihrem Geschlechte und Anhang schuldig, die unter dem Un=glück der Zeiten gefallen sind. Doch auch dem Feind erweist

Sir William.

Weil

Hereford

Die Herzogin stellt ein glänzend erhabenes Muster einer frommen Anverwandten, einer gewissenhaften Patriotin auf, und übt die fromme Pflicht mit musterhafter Tugend. Nach Brüssel wallen alle treuen Herzen, die für das edle Haus der York Verfolgung dulden, sie nimmt sie gastlich auf und

Auch belohnte der Himmel ihre Pietät gegen ihr Geschlecht, und erweckte ihr, wie aus dem Grabe, den totgeglaubten Neffen, in dem uns die schon aufgegebene Hoffnung wieder blüht. Ihn zu verehren kommen wir hierher, wir haben Eng= land verlassen, wir haben kein Bedenken getragen, unsre Be= sitzungen einem unversöhnlichen König zum Raub zu geben, um dem Sohn unsers Herrn zuzueilen und unser treues Herz ihm darzubringen.

Portugiesen.

Auch wir sind hier, abgeschickt von unser um dem Prinzen von York unsre Ehrfurcht zu bezeugen und ihm den Beistand unsers Königs anzubieten zur Wieder= eroberung seines rechtmäßigen Erbes.

Schottländer.

Wir sind vorausgesendet, die Ankunft der königlichen Prinzessin von Schottland anzukündigen, die dem edeln Herzog Richard zur Gemahlin bestimmt ist.

Hanseaten.

Uns senden die Städte ab, die hochmögenden, dem edeln Prinzen von York ihre Schiffe zur Landung in seinem König= reich darzubieten.

Irländer.

Sir William.

Welche Raserei! Welcher Unsinn! Welches frevelhafte Spiel! Geht es soweit! Nein, nicht Verblendung! Bos= hafter, wissentlicher Trug!

Belmont.

Seid alle willkommen. Im Namen meiner Gebieterin und ihres edeln Neffen dank ich euch allen. Sogleich werdet ihr ihn selbst von der Jagd zurückkommen sehen mit meiner Gebieterin — Sie kommen —

Hereford (zu seinen Söhnen).

Tretet hieher und folget meinem Beispiel, was ich unter=

15*

nehme. Der Augenblick, der längst erwartete, ist da. Bereite
dich, mein Herz, eine große Freude zu ertragen.

Dritter Auftritt.

Margareta und Warbeck als Herzog von York. Voraus
5 gehen und Edelleute folgen.

Belmont spricht im Hereintreten mit der Herzogin,
welche einen forschenden Blick umherwirft. Warbeck wird
gleich bei seinem Eintritt von Menschen umdrängt, welche
seine Hände, seine Kleider küssen und ihn liebkosen, daß er
10 sich ihrer kaum erwehren kann. Er zeigt eine große Be=
wegung und winkt allen freundlich zu.

Margareta
(sich eine Zeitlang an diesem Schauspiel weidend).

Ja, er ist's, ihr seht ihn vor euch, euren Richard, meines
15 Bruders Sohn, der aus dem Grab erstanden, uns durch ein
Wunder erhalten ist. Sättiget euch an seinem Anblick, seht
mein herrliches Geschlecht in diesem einen wieder auferstehn!
Ich bin eine glückliche Frau, ich bin nicht mehr kinderlos. —
Seht ihn recht an. Betrachtet diese Bilder der Yorks an
20 den Wänden! Vergleicht die Züge! Es ist, als ob diese Ge=
stalten heruntergestiegen wären und hier wandelten! (Zu
Warbeck.) Empfangt sie wohl, Prinz. — Das sind die Freunde
Eures Hauses, die für Eure Rechte streiten wollen usw.

Warbeck.
25 Meine Freunde — Meine Muhme —

Hereford.
Kommt, meine Söhne! Kommt alle! Kommt!
Er ist's, im innern Eingeweide spricht
Es laut! Er ist's! Das sind König Edwards Züge,
30 Das ist das edle Antlitz meines Herrn,
Auch seiner Stimme Klang erkenn' ich wieder!
(Sich zu seinen Füßen werfend.)
O Richard! Richard, meines Königs Sohn!
Welches Glück meiner alten Tage, daß ich dieses erlebte!
35 O laßt mich diese Hand küssen, diese teure Hand —

Warbeck.

Steht auf, Mylord — Nicht hier ist Euer Platz — Kommt
an mein Herz — Empfanget mich in Euren Armen, drückt mich
an Euer englisch biedres Herz, an Eurer Liebe Gluten laßt meine
Jugend wachsen. (Er umarmt die Söhne Herefords als seine Brüder.) 5
Warbeck ist gerührt, dankbar, liebevoll, bescheiden; dabei
aber edel und würdevoll wie ein Fürst gegen seine Vasallen.

Hereford

(ergötzt sich an allen Äußerungen Warbecks, in allen findet er eine Ähnlichkeit mit Eduard. Er erinnert sich einer Jugendgeschichte mit den Yorkischen 10
Brüdern und erzählt sie, die Freude und das Alter machen ihn geschwätzig).

— O, fragt er, wo wart Ihr? Wo hat Euch der Himmel
verborgen gehalten, um mit einem Male als Mann, als vollendeter
Jüngling auftreten zu können? Wie entgingt Ihr dem
Morden? Wie den Nachforschungen? Wie wurdet Ihr so 15
gebildet? Wodurch brachte Euch der Himmel zur Entdeckung?

Warbeck.

O laßt mich einen Schleier über das Vergangene werfen —
Es ist vorbei — Ich bin unter euch — Ich sehe mich von
den Meinigen umgeben — Das Schicksal hat mich wunderbar 20
geführt. Ja, ich fühle mich als einen York — Nichts kann
die mächtige Stimme des Bluts in mir unterdrücken — Es
ist ein mächtig, heilig Band, das mich an euch gewaltig
bindend zieht — Ihr seid mein — Ich bin euer — und
wenn auch nichts sonst spräche, laut sagt es mir mein Herz, 25
ihr seid die Meinen.

17.

Margareta.

Sie fodert Warbecken auf, seine Geschichte zu erzählen —
die Anwesenden seien es wert, sie zu erfahren. 30

Warbeck.

Sucht sich von dieser Erzählung loszumachen.
Verschont mich, teure Muhme.

Margareta.

Es sei eine falsche Scham, meint sie, daß er sich seiner 35

Erniedrigung nicht mehr gern erinnern wolle. Euer Unglück macht Euch ehrwürdig.

Aber, setzt sie hinzu, ich will Eure Gefühle schonen. Es ist allerdings schmerzlich, die Geschichte Eurer Unglücksfälle zu
5 rekapitulieren. Wir wollen es statt Eurer tun.

Margareta.

Ich sollte die Untaten meines Geschlechts zudecken und nicht entschleiern. Besser wäre es, wenn der Name Richard III. der Vergessenheit übergeben würde. Mein Neffe kann seine
10 Geschichte nicht erzählen, ohne Taten zu berühren, die man der Ehre unsers Geschlechts wegen lieber in ewige Nacht verbürge — Aber können wir für das Unglück, einen Richard in unsrer Familie gehabt zu haben. Er war der Feind unsres Hauses wie des ganzen menschlichen Geschlechts. Und war ein Un=
15 geheuer in unsrer Familie, so hat sie auch treffliche Helden geboren, und

Ich will, fährt sie fort, meinen   nicht ent=
schuldigen. Er war mein Bruder — aber

Unsel'ge Erinnerungen muß ich aufwecken, Zeiten muß
20 ich ins Gedächtnis rufen, worüber zur Ehre meines Geschlechts lieber Felsen gewälzt werden sollten. —

18.

Er verrichtet niedere Dienste am Hofe des englischen Königs, wo er hätte herrschen sollen, er war unter den Jagd=
25 bedienten des Königs, fern von dem Gedanken, daß er im Hause seiner Väter sei.

Aber ein Widerwille gegen die Person des Königs und die Lancastrische Partei, den er sich nicht erklären konnte, trieb ihn bald hinweg. Er sah einen Yorkischen Anhänger
30 von den Lancastrischen mißhandelt, er schlug sich auf die Seite des Unterdrückten, die Natur wirkte, er tötete den Gegner und entfloh, nicht ahndend, daß er aus seinem eignen Reiche floh

Jetzt erduldete er im Ausland alles, was die Heimat= losigkeit, der Zustand der Waise usw. Bittres hat.
35 Hereford unterbricht hier die Erzählung.

Margareta fortfahrend.

Unterdessen hatte die öffentliche Stimme in England das

Geschlecht der York zurückgefodert, der Brite sehnte sich nach seinem rechtmäßigen Beherrscher.

Heinrichs verhaßte Regierung wird geschildert. Unter= drückung gegen die Yorks ausgeübt.

Tyrannische Behandlung seiner eignen Gemahlin.   5

*Verheiratung der Prinzessin von Clarence.

Einsperrung des Plantagenet.

Die allgemeine Sehnsucht nach der Yorkischen Herrschaft erregt den Wärter oder denjenigen, welchem er sterbend sein Geheimnis anvertraut.   10

*Erstes Gerücht von dem noch lebenden Richard.

Anstalten, ihn zu finden, man forscht seinen Spuren nach. Der Wärter tut der Herzogin seinen Bericht.

* Auffallende Wirkung der Ähnlichkeit Warbecks mit Richard, leitet die Vermutung auf ihn.   15

(Hier berührt sich die Fabel mit der wahren Geschichte.)

Seine Zusammenkunft mit dem Wärter der

*Er wird für denjenigen erkannt, welchen man dem Bürger übergeben.

Er bekommt einen Anhang und rüstet Schiffe aus —   20 Landung in England.

Reise nach Portugal und Frankreich, wo er anerkannt wird.

*Zusammenkunft mit der Herzogin zu Brüssel. Sie ist anfangs ungläubig, wird aber zuletzt überzeugt — Wie kann sie überzeugt werden?   25

VI. Ausgearbeitete Szenen.

2. Margareta von York, Herzogin von Burgund.
3. Emma, Prinzessin von Kleve.
8. Erich, Prinz von Gothland.
1. Warbeck, vorgeblicher Herzog Richard von York.   30
9. Simnel, vorgeblicher Prinz Eduard von Clarence.
4. Eduard Plantagenet, der wirkliche Prinz von Clarence.
5. Graf von Hereford, aus England geflüchtet.
   Seine fünf Söhne.
7. Sir William Stanley, englischer Botschafter am Hof   35 der Margareta.
10. Bischof von Ypern, Rat der Herzogin.
6. Graf Kildare, alter Diener des Hauses York.

11. Abgesandter des falschen Prinzen von Clarence.
12. Diener der Herzogin.
13. Bürger und Bürgerweiber von Brüssel.
14. Mörder.
Exposition. Die Geflüchteten.   5
Herzog Richard von York.
Erich und Prinzessin.
Warbeck Betrüger.
Der wahre York.
Warbeck und Margareta, die Schöpferin und das Geschöpf.   10
Warbeck. Seine Geliebte.
Warbeck und der wahre York.
Der wahre York. Margareta —
Die Entdeckung des Betrugs.
Warbeck erkennt sich — Graf Kildare.   15
Entwicklung.

Erster Aufzug.

Hof der Herzogin Margareta zu Brüssel. Die Szene ist
eine große Halle, Brustbilder aus Bronze sind in Nischen
aufgestellt.   20

Erster Auftritt.

Graf Hereford mit seinen fünf Söhnen tritt auf.
Sir William Stanley.

Hereford.

Dies ist der heim'sche Herd, zu dem wir fliehn,   25
Ihr Söhne! Dies der wirkliche Palast,
Wo Margareta, die Beherrscherin
Des reichen Niederlands, ein hohes Weib,
Der teuren Ahnen denkt, die Freunde schützt
Des unterdrückten alten Königsstamms,   30
Und den Verfolgten eine Zuflucht beut.
                    (Sich umschauend).
Die werten Bilder eurer Könige,
Der edeln Yorks erhabene Gestalten,
Seht ihr an diesen Wänden rings umher   35
Gleich freundlichen Hausgöttern grüßend winken,
Von frommen Schwesterhänden aufgestellt.
Hier wird die rote Rose nicht gesehn,

Und glänzend darf die weiße sich entfalten,
Das Wappen eines herrlichen Geschlechts.
Mit diesem Zeichen, das wir feindlich jetzt
An unsre Hüte stecken, künden wir
Dem Lancaster die Lehenspflichten auf   5
Und schwören blut'ge Fehde dem Tyrannen.

(Er steckt die weiße Rose an den Hut, die Söhne folgen.)

Stanley.

Mit Kummer seh' ich, mit entrüstetem Gemüt
Den edeln Hereford, den tapfern Greis   10
Den strafbarn Schritt auf diesen Boden setzen,
Und das verhaßte Zeichen der Empörung
Aufpflanzen in dem feindlichen Palast.
Ja, auch der Söhne unberatne Jugend
Reißt er in sein Verbrechen töricht hin,   15
Raubt ihrer Heimat sie und ihrer Pflicht,
Und weiht sie einer schmählichen Verbannung.

Hereford.

Verbannung ist in England, wo des Throns
Ein Räuber, ein Tyrann sich angemaßt.
Lord Hereford hat seine Leh'n und Länder   20
Im Stich gelassen, um sein treues Herz
Zu seinem wahren Oberherrn zu tragen,
Der hier, zur Freude aller Wohlgesinnten,
Gerettet durch ein gnädiges Geschick,   25
Vom Tod erstand, vom Grabe wiederkam.

Stanley.

Ist's möglich! Wie? Betrogner alter Mann,
Auch Euch hat dieses freche Gaukelspiel
Betört, das ein ohnmächtger Haß ersann,   30
Der Haß nur glauben kann. — Grausam fürwahr
Und ganz unbändig ist dies Yorkische Geschlecht
Und keck zu jeder ungeheuren Tat.
Gewütet hat es mit Verrat und Mord,
Da es noch mächtig waltete, jetzt, da   35
Den Stachel ihm ein gnädger Gott geraubt,

Webt es der Lüge trügliches Gespinst.
Und lieber gäb' es einem Abenteurer
Das Reich zum Raub hin, eh' es duldete,
Daß ein Lancaster friedlich es beglückte.

Hereford.

5

Der edle Stempel Yorkischer Geburt,
Der Majestät geheiligtes Gepräge
Erlügt sich nicht. — Was in dem Angedenken
Der Treugesinnten unauslöschlich lebt,
Ahmt keines Gauklers Maske täuschend nach.

10

Die Welt ist überzeugt, sie glaubt an Richard,
Das Herz der Anverwandten hat geredet,
Drei große Könige erkennen ihn
Für Edwards Sohn und ehren ihn als Fürsten.
Und fürstlich, sagt man, soll sein Anstand sein,

15

Sein Denken königlich und jede Tugend
Des Hauses York soll sichtbar aus ihm strahlen.

Stanley.

Wie? Edwards Sohn, der zarte Prinz von York,
Den mit dem Bruder schon die frühe Gruft

20

Verschlungen, dessen moderndes Gebein
Der Tow'r verbirgt, wo er gemordet ward,
Der wäre plötzlich aus dem Grab zurück
Gekehrt, um hier in Brüssel aufzuleben!
Wohl! Eine mächtge Zauberkünstlerin

25

Ist Margareta! Tote weckt sie auf,
Mit ihrem Stab erschafft sie Königssöhne!
Und Greise gibt es, achtungswerte Männer,
Die an das Märchen glauben oder doch
Sich also stellen, um den alten Zwist,

30

Den traur'gen Streit der Rosen zu erneuern,
Der soviel Jammers auf das Reich gehäuft.

Hereford.

Mich soll kein Märchen hintergehn. Ich werde
Selbst sehn, und nur dem eignen sichern Blick,

35

Der Stimme nur des Herzens werd' ich glauben.

— Das Blut wird sprechen! Denn im Blute tief
Lebt mir die Neigung zu dem teuren Haus
Der York, vom Ahn zum Enkel fortgeerbt.
Nichts soll das Zeugnis einer ganzen Welt
Mir gelten, wenn das Blut sich nicht verkündigt. 5

Stanley
(geht auf ihn zu und faßt ihn bei der Hand).

Noch ist es Zeit! Gebt redlich treuem Rat
Gehör! Laßt Euer würdig graues Alter
Das Spielwerk nicht grausamer Arglist sein. 10
Geht in die Schlinge nicht des falschen Weibes,
Das alle Wut und allen grimm'gen Haß
Der beiden Häuser wälzt in seiner Brust,
Dem unersättigt heißen Rachetrieb
Gleichgültig Länder und Geschlechter opfert, 15
Und achtet keines menschlichen Geschicks!
Noch an der Schwelle wendet um, eh' Ihr
Zu spät bereuend den verstrickten Fuß
In des Betruges Netz gefangen seht.

Hereford (fixiert ihn). 20

Die Wahrheit fürchtet Ihr, nicht den Betrug.
Es ist Richard! Mir zeugt es Euer Haß.

Stanley.

Törichter Mann, Ihr wollt es! Gehet hin,
Und raubt auf ewig Euch die Wiederkehr. 25

Hereford.

Dies gute Schwert wird meinem Könige
Sein Reich eröffnen, mir mein Vaterland.
(Die Söhne greifen an ihr Schwert und geraten in Bewegung.)

Zweiter Auftritt. 30

Hereford. Stanley. Bischof von Ypern.

Bischof.

Wer darf des   Eisenklang
In diesen Hallen wecken? Haltet Ruhe,
Mylords. Dem Frieden heilig ist dies Haus. 35

Hereford.

So schafft den Lancaster mir aus den Augen,
Der übermütig hier im eignen Sitze
Der Yorks wie dort in England will gebieten.

Stanley.

Verräter nenn' ich so, wo ich sie finde.

Hereford.

Die Yorks, und Lancaster

Bischof (tritt zwischen sie).

Nicht weiter, edle Lords.
Habt Ruh, Mylords. Erkennet, wo ihr seid,
Und ehrt das fromme Gastrecht dieses Hauses,
Denn angefesselt liegt an diesen Pforten
Die wilde Zwietracht und der rohe Streit,
Hier muß der alte Streit der Rosen schweigen,
Die hohe Frau, die hier gebietend waltet,
Geöffnet hat sie ihren Fürstenhof
In Brüssel beiden kämpfenden Parteien,
Und zu vermitteln ist ihr schönster Ruhm.

Stanley.

Wohl! Hier ist jeder ein willkommner Gast,
Der gegen England böse Ränke spinnt.

Bischof.

Auch Euch, Mylord, beschützt das heil'ge Gastrecht,
Den stolzen Boten eines stolzen Feinds!

Bischof.

Sie ist die Schwester zweier königlichen Yorks,
Und hilfreich, wie's der Anverwandten ziemt,
Gedenkt sie ihres   Geschlechts,
Das unterm Mißgeschick der Zeiten fiel.
Wer soll sich ihres ausgestoßnen Stamms,
Des länderlosen, flüchtigen erbarmen,
Wenn sie die
Ihm ihres Hauses Pforten pflichtlos schließen wollte.

Die Götter sind für Lancaster, er herrscht
Und York hat nichts als
Mitleid verdient
Und
Doch auch dem Feind erweist sie sich gerecht ₅
In
Den Abgesandten König Heinrichs ehren.

Hereford.

Ein glänzend Muster frommer Schwestertreu
Und Mutterliebe stellt die Fürstin auf 10
In diesen herzlos   vergeßnen Zeiten.
Nach Brüssel wallen alle treuen Herzen,
Die für das edle Haus der York Verfolgung dulden,
Und
Auch hat der Himmel sichtbar sie beglückt, 15
Vom Grabe rief er ihr den teuren Neffen,
Den längst für tot bejammerten zurück,
Verjüngt sieht sie den schon erstorbnen Stamm
In diesem edeln Königszweige grünen.
— Wo aber ist er, dieser teure Herzog, 20
Daß ich mit frommem Kniefall ihn verehre?
Denn Herd und Heimat ließ ich hinter mir,
Und mit den Söhnen eilt' ich her, die neue Hoffnung
Des Vaterlandes freudig zu umfassen.
— Wo find ich ihn?   (Gedräng, 25

Bischof.

Ihr werdet ihn alsbald
An meiner Fürstin Hand erscheinen sehn,
Denn diese Menge, die sich dort
Mit freudigem Strom in diese Halle drängt, 30
Verkündet uns, daß sich die Fürsten nahn.

Bürger und Bürgerweiber von Brüssel.

Erster Bürger.

Das sind geflüchtete Engländer. Sie kommen, den Herzog von
York zu begrüßen. Ihren König und rechtmäßigen Herrn. 35
Der andere, der Heinrich, ist nur ein Tyrann.

Zweiter Bürger.

Die ganze Stadt ist voll Engländer. Es ist bald kein Raum
mehr, sie zu beherbergen.

Zweiter Bürger.

Wir haben den König von England in unsern Stadtmauern. 5

Dritter Bürger.

Wir sind seine Beschützer.

Zweiter Bürger.

Die ganze Stadt ist voll Engländer.
Er wird hier durchkommen. Ich   10
Popularität des Herzogs. — Seitdem er da ist, viel gute Folgen.
Seine mitleidswürdige Lage.
Seine Schönheit, Hoheit, fürstliche Großmut.
>   Ein Kaufmann aus Gent.
>   Ein Schiffer.   15
>   Ein Fabrikant.
>   Ein

[Aus dem dritten Auftritt.]

Hereford.

O redet! redet! wie entkamet Ihr   20
Den blut'gen Mörderhänden! Wo verbarg
Euch rettend das Geschick, in anspruchloser Stille
Die zarte Blume Eurer Kindheit pflegend,
Um jetzt auf einmal in der rechten Stunde
Den vielwillkommnen herrlich zuzuführen!   25

Margareta.

Bedenkt Euch nicht, ihm zu willjahren, Herzog.
Gerecht ist's, was der edle Lord erbittet,
Er ist es wert

Warbeck[1]).   30

Laßt mich einen Schleier ziehn über das Vergangne,

---

1) [Ältere Fassung:]

>   Warbeck.

Nichts   Jetzt nicht — Laßt mich

Margareta.

Wie Herzog?
Es ist eine falsche Scham, die Euch zurückhält
Euer Unglück macht Euch ehrwürdig.

Hereford.

Warbeck.

Margareta.

Es sei!
Ich will Eurer Gefühle schonen. Ich will Euch diesen Schmerz
ersparen. Wohl ist es schmerzlich einen schweren Traum
    Wir wollen es statt Eurer tun.

Hereford.

O

Margareta.

Unsel'ge Erinnerungen muß ich
Erneuern, Zeiten muß ich ins Gedächtnis rufen,
Worüber man zur Ehre unsers Hauses
Die Schatten wälzte einer ew'gen Nacht.
Doch unser Unglück ist's, nicht unser Unrecht,
Daß wir den Fluch der Welt gezeugt.
Denn seines Hauses blut'ger Feind war Richard
So wie des ganzen menschlichen Geschlechts.
Und war   auch
So hat es große Helden auch geboren!
Ich
Er war mein Bruder

Richard von Gloster stieg auf Englands Thron

Den Schleier ziehen über das Vergangne.
Es ist vorüber — ich bin unter euch —
Ich sehe von den Meinen mich umgeben
Das Schicksal hat mich wunderbar geführt
[Ja ich bin euer] — ich erkenne mich
Als einen York und mächtig in der Brust
Fühl ich

Des Bruders Söhne schloß der Tower ein
Und ewig
Das ist die Wahrheit und die Welt will wissen,
Daß Tirrel sich mit ihrem Blut befleckt,
Ja selbst die Stätte zeigt man sich.   5
Doch Nacht und undurchdringliches Geheimnis
Deckt jenes furchtbare Ereignis zu,
Und spät nur hat die Zeit den Schleier gelüftet.
— Wahr ist's, der Mörder Tirrel ward geschickt,
Die Knaben zu ermorden, einen Macht=   10
Befehl von König Richard wies er auf,
Der Prinz von Wales fiel durch seinen Dolch,
Den Bruder sollte gleiches Schicksal treffen,
Doch sei's, daß das Gewissen jetzt des Mörders
Wach ward, sei's, daß des Kindes rührend Flehen   15
Das eherne Herz im Busen ihm erschüttert,
Er führte einen ungewissen Streich,
Und floh davon ergrauend seiner Tat.
Genug, der Prinz entrann dem Tod, der Wärter
Verbarg ihn,   20
Der Prinz war damals in dem sechsten Jahr,
Und nichts ist ihm von jener dunkeln Zeit
Geblieben, als das Graun vor einem Dolch,
Das nicht die Jahre überwinden konnten.

Hereford.   25

O das begreif ich!

Margareta.

Nur in dem tiefsten Staub der Niedrigkeit
Ließ sich ein solches Kleinod verbergen,
Der Prinz ward einem Bürger anvertraut   30
Und als sein Sohn erzogen, unbekannt
Sich selbst, auch der sein pflegte, wußte nicht,
Daß er den Sohn des Königs auferzog.
Denn wohlbedächtlich schwieg der,
Solange Richard blutig waltete.   35
Doch jetzt, als dieser in der Schlacht vertilgt
Bei Bosworth und das Reich erledigt war,

Gedachte jener des ausgesetzten Kindes
Und macht sich auf mit froher Ungeduld,
Das anvertraute Pfand zurückzufodern.
Doch in ein fremdes Land entschwunden war
Der Pflegevater mit dem Zöglinge   5
Und beider Spur verloren — Mächtig wuchs
Indes d
Den edeln

            Doch das Yorksche Heldenblut,
Das in den Adern dunkel mächtig floß,   10
Durchbrach die engen Schranken seines Glücks,
Es trieb ihn aus des Pflegevaters Haus,
Das Schwert nur fand er seines Strebens wert,
Und zu den Waffen griff der junge Held.

Hereford.
Nicht in das Joch spannt man des Löwen Brut.   15

Margareta.
Dem König widmete er anfangs seine Dienste und war
unter
fern von dem Gedanken, daß er im Hause seiner Väter   20
sei.

Auftritt.
Erich und Adelaide.
Erich.
Wohl! Eine treffliche Komödiantin ist   25
Die Muhme, das gesteh ich! Spielte sie
Nicht bis zur höchsten Täuschung ihre Rolle?
Recht ernstlich und natürlich flossen ihr
Die Tränen.

Adelaide.   30
      Ihre Rolle!

Erich.
(als ob er sie jetzt erst bemerkte).
           Und auch Ihr,
Prinzessin, seid noch ganz bewegt — Was seh ich!   35
Und Eure schönen Augen ganz in Tränen?

Schiller. IX.   16

Ist's möglich? So gar nahe ging sie Euch,
Die herzzerbrechend klägliche Geschichte?

Adelaide.

Ihr seid der einzige, den sie nicht rührt!
Rühmt Euch, daß Euch ein dreifach Erz die Brust   5
Verwahrt vor jedem menschlichen Gefühl!

Erich.

Mich rühren! Solch ein Gaukelspiel! Denkt Ihr,
Ich sei so leicht zu täuschen als die Welt?
Ich soll an diesem aufgehaschten York,   10
Das Geschöpf und Machwerk Eurer Muhme glauben?
Belustigt hat mich dieses Spiel. Ich mag's
Wohl leiden, daß die Welt verworren wird,
Daß jenem überweisen Lancaster,
Den sie den Salomo des Nordens nennen,   15
So schlimme Händel zubereitet werden.
Die Bosheit freut mich des verruchten Plans,
Den ein verschmitzter Weiberkopf ersonnen,
Doch meinen Scharfsinn wolle man nicht täuschen!
Durchschaut hab ich mit einem einz'gen Blick   20
Die Maske, und entschieden bin ich nun!

Adelaide.

Unglücklicher Plantagenet!

Erich.

Ich habe mir die eigne Lust gemacht   25
Ihn zu   und ins Aug zu fassen,
Weil ich gerade müßig war — Auch die Muhme
Hab ich   und Blicke
Hab ich ertappt, die zwischen ihm und ihr
Bedeutungsvoll gewechselt wurden — Er   30
Ein Fürst? Ich muß auch wissen, wie ein Fürst
Sich darstellt — Würde weiß er sich zu geben,
Doch die Natur, das Unbewußte, fehlt,
Die glücklich blinde Sicherheit — Man muß
Ein Fürst geboren sein, um es zu scheinen.   35

Adelaide.

Wer leugnet, daß der Herzog neu noch ist
In seinem Stand! War er darin erzogen?
Ein Jahr ist's kaum, daß er sich selbst gefunden.

Erich.

Was man geboren ist, das lernt sich schnell.
Nicht die Gewandtheit ist's, die ich an ihm
Vermisse — Nein, er stellt sich leidlich dar —
Doch die Verlegenheit spür ich ihm an,
Die leise Furcht, man zweifl' an seinem Stand,
Und dies ist mir ein Pfand, daß er ihn lügt.

Adelaide.

Wem hat Natur den Fürsten auf das Antlitz
Geschrieben, wenn auf deiner Stirne nicht
Das hohe Zeichen leuchtet — Nicht vermochte
Das Mißgeschick, das dich im Staub gewälzt,
Den angestammten Adel zu verlöschen.
Nicht der Palast ist's und
Wo
Nur unter Menschen lernt sich Menschlichkeit,
O danke dem Geschick, das rauh und streng,
Das dich beraubte, um dich reich zu schmücken.
Die wahrhaft armen sind die Glücklichen
Die ein

Erich.

Sagt's nur heraus, daß wir Euch nicht gefallen.

Adelaide.

Das wißt Ihr und Ihr werbt um meine Hand!

Erich.

Ich bin Euch nicht empfindsam
              Erlaubt mir, Mühmchen, es zu sagen?
Ich brauch es nicht zu sein — Ich brauche mich
Nicht intressant zu machen, denn ich bin's.
Der Bettler muß gefallen, der Betrüger
Muß rühren, doch der Fürst steht auf sich selbst.

16*

Adelaide.

Erich.

Ich hab es wohl bemerkt, daß er Euch liebt —
Ja, ja das hab' ich — Seht wie Ihr errötet.
— Daß er im stillen sich um Euch verzehrt,
Aus seiner Rolle kommt in Eurer Nähe.
— Ich könnt es übelnehmen, doch das ist
Ein niederträchtig bürgerlich Gefühl,
Das ich verachte —
Daß ich Euch darum noch besonders liebe,
Weil dieser York sich um Euch quält — So bin ich!
Er liebt Euch, aber ich werd Euch besitzen!
Das ist die Sache! Im Besitze liegt's!
Und eine süße Lust gewährt es mir,

Adelaide.

O Schicksal! Was bereitest du mir zu!

Erich.

Nicht wahr, Ihr seid jetzt bitter bös auf mich,
Und Eure Blicke möchten mich durchbohren.
Gesteht's, Ihr haßt mich, Mühmchen, recht von Herzen.
Besänftigt Euch! Es war so böse nicht
Gemeint, die kleine Rache wollt' ich nur
Für Eure scharfe Stachelzunge nehmen.
Kommt gebt mir Eure schöne Hand — Laßt uns
Der Tante folgen. — Wie? Ihr zürnt im Ernst?
Wie? Ihr seid ernstlich böse? Werdet gut!
Nicht doch. Schickt Euch darein, so gut Ihr könnt.
Ihr müßt doch Herzogin von Gothland werden,
Ihr müßt, die Tante will's, ich will's, die Welt
Ist unterrichtet und es muß geschehen.

(Geht ab.)

Auftritt.

Adelaide (allein).

Ist's wahr, was der Verhaßte sagte? Hat
Er recht gesehen? Richard, liebst du mich?

Ja, ja, du liebſt mich, wir verſtehen uns,
Dein Auge ſprach, nicht konnte meines ſchweigen.
Doch weh' uns, weh'! Verwahren müſſen wir
Im tiefſten Buſen, was wir liebend fühlen!
Denn andre Bande ſollſt du ſchließen, ich   5
Soll dieſem Rohen aufgeopfert werden.
Ein fremder Wille waltet über uns,
Nicht darf das Herz ſich freudig ſelbſt verſchenken.
— O hart iſt unſer Schickſal, teurer York,
Und ach! es iſt ſich leider ſo verwandt!   10
Denn beide ſind wir elternloſe Kinder,
In die Macht gegeben einer herriſchen
Verwandtin, die uns liebend unterdrückt.
— Ich kenne ſie, ſie fodert Sklavendienſt,
Nie fühlte ſie der Mutter zarte Triebe.   15
Nicht
Als ihren Neffen liebt ſie dich, mit heſt'ger
Inbrunſt den neugefundenen umfaſſend.
Doch eben darum müſſen wir erzittern,
Denn ihre Liebe iſt gebieteriſch,   20
Und heftig eifert ſie auf ihre Rechte,
Und fördern wird ſie nie, was ſie nicht ſchuf.
Wohl hat er recht geſehen, der Verhaßte!
Dich zwingt und engt das Aug' der Herzogin
Und deine ſchöne Seele iſt nicht frei   25
In ihrer Nähe — zitt'r ich doch wie du!
Und unſre Blicke beben einverſtanden
Wie ſcheue Tauben vor des Geiers,

O hartes Los der Waiſen,
Die aus der Liebe Armen in die Welt,   30
Die kalte feindliche, hinausgeſtoßen,
Der fremden Großmut übergeben ſind.
Schwer laſtet auf der freien edlen Bruſt
Die Wohltat, die das ſtolze Mitleid ſchenkt,
Die Liebe nur verſteht es, ſchön zu geben!,   35
Und wo die Furcht es   niederdrückt,
Da wagt das Herz nicht freudig aufzuſtreben!

Die kalte Großmut hat kein innres Leben!
O Richard! Warum mußten wir uns auch
Hier an dem stolzen Fürstenhofe finden!
Dir selbst verborgen gingst du durch die Welt,
Mit harmlos glücklicher Unwissenheit   5
Dich in dem   Menschenstrom verlierend,
Frei warst du wie der Vogel in den Lüften,
Du hattest keinen Namen, doch dein Herz war dein,
Jetzt bist du angefesselt, angeschmiedet
Mit ehrnem Kettenring an deinen Stand   10
           denn geboren
Du fandest dich und hast dich selbst verloren!
O warum mußtest du deinen Stand erfahren!
O hätten wir, uns ewig unbekannt,
Dort unter einem niedern Dach getroffen!   15
Da hätten unsre Herzen uns vereint,
Den Glanz der Größe hätten wir entbehrt
In sel'ger Blindheit und das Glück gefunden!
   Doch warum schelt' ich das Geschick,
Dort in der Dunkelheit hätte ich dich nie gefunden,   20
Gepriesen sei mir des Geschickes Gunst,
Das dich dir selber, das den verlornen Namen
Dir wiedergab, dich an das Licht der Welt
Herfür zog, es führt uns ja zusammen!

Nach den „Feindlichen Brüdern zu Messina" nennt
Schillers Dramenliste als nächsten Titel „Themistokles".
Das Leben des Siegers von Salamis war Schiller aus den
seit früher Jugend bewunderten Biographien des Plutarch
vertraut. Während der langen Arbeit am „Wallenstein"
mochte ihm das verwandte Schicksal des griechischen Kriegs=
helden von neuem vor die Seele getreten sein. Hier wie
dort ein Ehrgeiziger, der durch große Taten zum Retter in
höchster Not geworden ist und Undank geerntet hat. Hier
wie dort die Versuchung, die Feinde gegen das eigene Land
zu führen, um mit der Befriedigung des Racheverlangens
zugleich neue, erhöhte Macht zu gewinnen. Wallenstein tut

den entſcheidenden Schritt, er verbündet ſich mit den Schweden;
ſein Tod bedeutet gerechte Sühne des Hochverrats. Themiſto=
kles bleibt in dem Kampfe unedlen Verlangens und der Liebe
zum Vaterlande Sieger; freiwillig trinkt er den Giftbecher.
In den großen einfachen Linien der klaſſiſchen Tragödie,
nach denen Schiller ſich ſehnte, als er die romantiſche
„Jungfrau von Orleans“ vollendet hatte, hätte dieſer Stoff
zu einer erſchütternden Wirkung geführt werden können, aber
es iſt bei einer flüchtigen Erwägung geblieben. Die nach=
folgenden Notizen darüber beruhen in den Tatſachen auf
Plutarchs Angaben.

Themiſtokles.

1.

Der gediegene menſchliche Inhalt dieſer Tragödie iſt die
Darſtellung der verderblichen Folgen verletzter Pietät gegen
ſein Vaterland. Dieſes kann nur bei einer Republik ſtatt= 5
finden, in welcher die Bürger frei und glücklich ſind, und
nur von einem Bürger recht gefühlt werden, dem das Ver=
hältnis zum Vaterland das höchſte Gut war. Themiſtokles
iſt in Perſien heimatlos, heiß und ſchmerzlich und hoffnungs=
los iſt ſein Sehnen nach Griechenland, es iſt ihm nie ſo teuer 10
geweſen, als ſeitdem er es auf ewig verloren. Ewig ſtrebt
er, ſich in dieſes geliebte Element zurückzugeben.

Hier gilt es alſo, die möglichſt innige Schilderung des
Bürgergefühls vis à vis eines ruhmvollen wachſenden
Staats und im Kontraſt mit dem ſklaviſchen Zuſtand eines 15
barbariſch erniedrigten Volks; die Begeiſterung muß für das
öffentliche Leben, für den Bürgerruhm uſw. erweckt werden,
und allem muß eine hohe, edle, energiſche Menſchheit zum
Grund liegen.

Themiſtokles ſtirbt, wie er gelebt hat, nämlich mit einem 20
gleichen Anteil reiner und unreiner Antriebe. Er hatte eine
hohe Geſinnung, eine Begeiſterung für die wahre Tugend und
den wahren Ruhm; aber ihn nagte die Ehrſucht, und dieſe
tadelhafte Leidenſchaft war Urſache, daß er die Probe der

wahren Tugend nicht aushielt. Und so mischt sich auch in
seine heroische Selbstaufopferung der Schmerz der gekränkten
Ruhmsucht; doch wird er gewissermaßen Herr über diese un=
reine Empfindung, oder sie läutert sich wenigstens zu einer
schön menschlichen Regung, und er scheidet zuletzt als ein edler
Mensch, von der Idee seines unsterblichen Nachruhms über die
gekränkte Hoffnung getröstet. Mit dem Giftbecher am Munde,
wird er wieder zum Bürger Athens.

2.

Themistokles soll die persische Flotte gegen seine Mit=
bürger anführen, er hat es dem großen König versprochen,
als er auf seiner Flucht bei diesem eine gütige Aufnahme
fand und gegen seine undankbaren Landsleute Rache brütete.
Aber unterdessen ist ihm ein anderer Sinn gekommen; er kann
es nicht über sich gewinnen, für die Barbaren und gegen sein
Vaterland zu fechten. Da er nun nicht länger auf persischem
Gebiete bleiben, mit seinem Volk aber sich nicht mehr ver=
söhnen, die heiligen Obliegenheiten des Gastrechts nicht ver=
letzen, noch weniger auf Unkosten seiner Ehre und seiner Vater=
landsliebe befriedigen kann, so entschließt er sich, als ein
würdiger Grieche freiwillig zu sterben.

Das Stück enthält die geschäftigen Anstalten zu einer großen
Kriegsexpedition. Man erwartet eine große kriegerische Hand=
lung und alles läuft auf nichts hinaus, da der, welcher die Seele
davon sein sollte, sich tötet. Beide Anstalten, die der Perser
zum Feldzug und die des Themistokles zum Tode, welche jene
aufhebt und vernichtet, gehen miteinander fort, und der Geist
des Stücks ist dieser, daß etwas ganz andres, schlechthin andres
erfolgt, als veranstaltet worden, und daß etwas Ideales das
Reale zerstört und in nichts verwandelt.

Es wird dargestellt;

a) Der Athenienser Themistokles, der hochgesinnte Grieche
   unter den Barbaren. Griechische und persische Sitten
   im Kontrast.

b) Themistokles' hohes Ansehen bei den Persern, und die
   Ehrenbezeugungen, die ihm von den Barbaren erwiesen
   werden.

c) Die Gnade des großen Königs, deſſen großes und un=
erſchütterliches Vertrauen zum Themiſtokles.

d) Joniſche Griechen, zwiſchen den europäiſchen Griechen
und den Barbaren in der Mitte ſtehend.

e) Echte Griechen, zwei wenigſtens, welche dem Themi=   5
ſtokles ſein griechiſches Vaterland wieder vor die
Seele bringen und eine heftige Sehnſucht danach
erwecken.

f) Themiſtokles Tochter Mneſiptoleme, die Prieſterin der
Mutter der Götter.   10

g) Der Neid der Perſer gegen den Themiſtokles.

h) Themiſtokles' frühere Taten und Heldenruhm. Geſchichte
ſeines Exils und ſeiner Schickſale.

i) Griechenlands Blüte und wachſender Ruhm, ſeitdem
er unter den Perſern iſt. Cimons Frühling.   15

k) Themiſtokles erinnert ſich mit Begeiſterung der frühe=
ren Zeit. Die Schlacht bei Salamis. Olympiſche
Spiele.

l) Er iſt dem großen König, den er verachtet, Pietät
ſchuldig.   20

m) Die Griechen verachten ihn, und er liebt ſie mit hef=
tiger Sehnſucht.

n) Ein Kind oder Enkel des Themiſtokles iſt für die
Griechen begeiſtert.

o) Themiſtokles hat Sklaven und Sklavinnen. Eine hoch=   25
geſinnte Jonierin iſt darunter.

p) Er wird in dem Stücke ſelbſt von dem perſiſchen König
beſchenkt.

q) Er ſtellt ein Opfer an, unter dem Vorwand ſeiner Ab=
reiſe in den Krieg, es iſt aber ſein Totenopfer.   30

r) Ein griechiſcher Philoſoph.

s) Griechiſche Mimen, einige Szenen aus einer verloren
gegangenen Tragödie des Äſchylus, die dazu geeignet
ſind, den Themiſtokles in eine rührende Begeiſterung
zu verſetzen.   35

t) Ungeachtet er außer Handlung iſt und ſich dem Tode
ſchon geweiht hat, ſo ſieht man in ihm doch ganz den
herrlichen Griechen, den klugen anſchlägigen Staats=

mann und Feldherrn, die hohe, treffliche, unzerstörliche
Natur; kurz, den ganzen unsterblichen Helden. Geist
fließt von seinen Lippen, Leben glüht in seinen Augen,
Feuer und Tätigkeit ist in seinem ganzen Tun.

***

Über das Schauspiel „Die Gräfin von Flandern"
gibt es außer dem Titel (in der großen Liste hinter dem
„Themistokles") nur eine einzige Notiz von Schillers Hand.
Sein Kalender meldet am 4. Juli 1801, er habe den Plan
vorgenommen. Umfang und Beschaffenheit der Niederschriften des Dichters bezeugt, daß es sich hier nicht um
eine flüchtig vorübergehende Absicht handelt. In dem kleineren
Verzeichnis künftiger Werke, das er am Rande eines Entwurfs
zu den „Kindern des Hauses" niederschrieb, kehrt der Titel
hinter diesen gleich an erster Stelle wieder; die Verteilung
der Rollen auf die Weimarer Schauspieler (f. u. S. 255, Anm. 1)
stammt aus dem Winter 1803—1804.

Monty Jacobs hat im „Euphorion" (Band XIV, 1907,
S. 270—274) die Konzeption der „Gräfin von Flandern"
aus Assoziationen abzuleiten gesucht, die sich bei den Vor-
studien Schillers zur „Maria Stuart" an die junge Königin
Elisabeth und ihre Freier knüpften. Aber die Stilbereiche
beider Stoffe berühren sich an keiner Stelle, und es beweist
nichts, daß Schiller einen Namen aus der Reihe der Werber
Elisabeths für das andere Stück verwenden wollte.

Es war der auch im „Warbeck" wiederkehrende Prinz
von Gothland. Man weiß, daß in Schillers Zeit das Wort
„gotisch" noch die verächtliche Bedeutung grotesken Barbaren-
tums, tölpelhafter Unbildung in sich trug. So war der Name
„Gothland" von vornherein prädestiniert für einen unsympathi-
schen lächerlichen Freier, und die historische Persönlichkeit jenes
minderwertigen Prinzen Erich von Schweden, der unter den
Bewerbern Elisabeths auftrat, brauchte Schiller weder Namen
noch Gestalt für eine typische Figur dieser Art herzuleihen.

Er konnte sie immer wieder in den Ritterromanen finden, die er auf der Suche nach neuen Stoffen durchnahm. Ihr populärster Bearbeiter, der Graf Tressan, auf den Schiller (f. u. S. 272 Anm. 1) selbst hinweist, hatte schon Wieland den Stoff für eine Reihe seiner anmutigen Verserzählungen und für den „Oberon" geliefert. Im Juli 1797 entlieh Schiller durch Vermittelung der Frau von Stein von der Herzogin Amalia Tressans „Contes" und er ließ sich im Dezember 1801 von Cotta die „Oeuvres choisis" besorgen.

Durch Tressan hatten die Menschen des aufgeklärten achtzehnten Jahrhunderts den Weg ins alte romantische Land zurückgefunden. In seiner „Bibliothèque des Romans" lasen sie mit Entzücken von vielumworbenen, durch abgewiesene Freier bedrängten Gräfinnen, von jungen Rittern, die durch glänzende Taten ihre Liebe zu der heimlich angebeteten Gebieterin bewährten und zum Lohne dafür mit ihrer Hand die Krone empfingen.

In dieses Bereich einer fingierten historischen Welt, der auch der „Gang nach dem Eisenhammer", der „Ritter Toggen= burg", der „Handschuh" angehören, führt uns unter Schillers dramatischen Plänen nur die „Gräfin von Flandern". Die Handlung scheint frei erfunden zu sein, wenigstens ist eine ähnliche Fabel bei Tressan nicht nachzuweisen; aber ihre einzelnen Motive kehren in seinen Nachbildungen der alten Ritterromane als ständiger Apparat immer wieder: die Rettung der heimlich geliebten hohen Dame durch den mutigen armen Edelknecht, der ihr durchgehendes Pferd bändigt und nachher jede Belohnung, außer einem wertlosen Gegenstand aus ihrem Besitz, verschmäht; der Ritterschlag des frommen Knechtes und sein sogleich erwachender Tatendurst; die Leidenschaft einer anderen Dame, die ihn der Gebieterin entreißen möchte; die Verwechselung beider Damen und die durch den treuen Knappen und Vertrauten unfreiwillig verratene Neigung des jungen Ritters zur Gräfin; die Poloniusgestalt des alten

Kanzlers, die Bedrängnis der Gräfin durch den abgewiesenen
Freier; äußere Feinde und die aufrührerische Volksmenge;
der glänzende Sieg des Geliebten; der Raub der Gräfin und
die wunderbare Vereinigung der Liebenden am Ende.

Alles das hätte eine Folge von romantischen Situationen
ergeben, die das Publikum vertraut anmuteten und eine
behagliche Rührung erzeugten, vergleichbar dem Eindruck einer
lebendig vorgetragenen Romanze. Es sei noch daran erinnert,
welchen Erfolg August Klingemann bald nach dem Tode
Schillers mit einer Reihe sehr ähnlich gearteter Stücke hatte.
Drei Tage vor seinem Tode rief Schiller Karoline von Wol=
zogen zu: „Gebt mir Märchen und Rittergeschichten, da liegt
doch der Stoff zu allem Schönen und Großen." Ihn zog
es zu dieser Welt des Scheins, wo die Phantasie mit an=
mutigem Spiel um den Ernst des Lebens hingaukelt, gerade
weil diese Seite dichterischer Begabung ihm im geringeren
Maße verliehen war. Bei den meisten seiner Entwürfe läßt
sich beobachten, wie unsicher und mühsam die eigentliche Er=
findung vor sich geht. Für die „Gräfin von Flandern" bot
sich eine Fülle von Blüten der fruchtbaren Phantasie älterer
Zeiten als Ersatz dar, und Schiller brauchte sie nur zu einem
neuen Strauße zu binden, um sein Sehnen nach farbenfroher
Romantik zu erfüllen, das auch die „Jungfrau von Orleans"
bezeugt.

Die Gräfin von Flandern.
I. Entwicklung der dramatischen Fabel.
1.
Personen.

*Mathilde, regierende Gräfin von Flandern.   5
*   Gräfin von Lille.
*Graf von Aremberg.
*Florisel von Ligne.
*Gräfin von Ligne, seine Mutter.
*Robert, Prinz von Artois.   10

*Erich, Prinz von Gothland.
*Alfons, Prinz von Leon.
*Graf von Montfort.
Bischof von Ypern.
*Der Kanzler. 5
Robert, dessen Sohn.
*Rosmarin, Florisels alter Diener.
Jäger der Gräfin von Flandern.
*Bierbrauer, Anführer der Volksrebellen.
Bürger von Gent und Bürgerweiber. 10
Soldaten.
Kammerfrau der Gräfin von Flandern.
Troubadour.

Hauptmotive fürs Theater.

*1. Florisels fürstliche Großmut im Zustand der Dienstbarkeit. 15
**2. Er wird zum Ritter geschlagen und zeigt sogleich die Gesinnung.
*3. Rosmarin mit dem Antrag der Prinzessin fährt ab.
**4. Die Erklärung und das Mißverständnis. Großmut der Megen.
 5. Gräfin erklärt sich mit Aremberg.
*6. Montfort versteckt und hervorstürzend. 20
 7. Florisels Abschied.
**8. Florisel. Gräfin. Die Liebenden.
 9. Erichs Dummheit.
*10. Kanzler und sein Sohn.
*11. Kanzler und Sohn. Lächerliches Mißverständnis. 25
 12. Volksaufstand, befreit Gräfin aus Montforts Hand.
**13. Bierbrauer und Bürger. Gräfin.
 14. Gräfin als Montforts Gefangene.
 15. Die Staaten der Gräfin angefallen. Montfort geht.
*16. Gräfin verschwindet. 30
**17. Rückkehr Florisels als Sieger und Richter.
*18. Schmerzliches Wiedersehen der Megen.
 19. Florisels Abenteuer, wenn er sie sucht.
**20. Er und Montfort. Dieser wird überwunden.
**21. Gräfin und Florisels Mutter. Florisel und seine Mutter. 35
**22. Die Liebenden finden sich. Auflösung des Irrtums.
*23. Rückkehr und Freude.
 24.
 25.

Die Gräfin von Flandern.

Eine regierende Gräfin von Flandern wird von ihrem Volk und ihren Großen genötigt, binnen einer kurzen Frist die Wahl eines Gatten zu treffen, der sie lang auszuweichen gewußt hat.

Vier mächtige Freier machen Ansprüche auf sie, unter diesen sind zwei fremde Prinzen und zwei ihrer vornehmsten Vasallen[1]). Sie liebt keinen und fürchtet jeden.

Die fremden Prinzen machen ihre Geburt, ihre Macht, ihre Reichtümer geltend; die einheimischen Freier prevalieren sich ihrer persönlichen Vorzüge und des Staatsvorteils; die ersten suchen ihren Zweck durch Trotz, die andern durch Ränke zu erreichen.

Die Gräfin ist ganz ohne Stütze, ihre Freunde sind ohn= mächtig, ihr Volk verlangt ihre Heirat und wird von den Großen aufgereizt, sie hat keine andre Waffen als Klugheit und List, sich der verhaßten Wahl zu entledigen.

Ihre Abneigung dagegen gründet sich nicht bloß auf ihre Gleichgültigkeit und ihren Widerwillen gegen die Freier. Ihr Herz ist schon für einen andern interessiert, einen jungen Damoiseau an ihrem Hof, der nicht imstand ist, sie zu schützen, der keine Ansprüche an sie machen und den sie nicht wählen kann, ohne sich selbst und ihn zugrunde zu richten.

Florisel ist der jüngere Sohn eines sehr edeln aber herabgekommenen Geschlechts; er hat nichts als seine Ahnen und muß am Hof seiner Fürstin von seinen treuen Diensten sein Glück erwarten; aber er ist liebenswürdig, tapfer, ver= ständig und hochgesinnt und seiner Gebieterin mit einer Neigung, die an Anbetung grenzt, ergeben. Von dem Vorzug, den ihm die Gräfin gibt, weiß er nichts, und ob er gleich für keine andere Dame Augen hat als für sie, so ist ihm doch der Gedanke nie gekommen, sie zu besitzen. Selbst die bevorstehende Heirat der Gräfin beunruhigt ihn nur insofern, als er ihre Abneigung

---

[1]) Prinz Erich von Gothland mit seinem Gouverneur. Ein spanischer Prinz. Ein französischer Prinz. Zwei inländische Freier.

dagegen bemerkt und keinen der Bewerber für würdig genug
hält, sie davonzutragen[1]).

Die Aufgabe des Stücks ist also eine doppelte, erstlich,
die zudringlichen Freier zu entfernen; zweitens, dem Geliebten einen unwidersprechlichen Anspruch an ihre Hand zu
erwerben. Diese zweifache Aufgabe wird dadurch in eine
verwandelt, daß Florisel, indem er durch seine Wachsamkeit,
Treue und Tapferkeit die Unternehmungen der Freier vereitelt, sich zugleich das höchste Verdienst um das Land und
die Fürstin erwirbt, und sich als den würdigsten Gegenstand
ihrer Liebe darstellt. Aber erst nach den bänglichsten Proben
und Verwicklungen trägt die List, der Mut und die Liebe
diesen Sieg davon.

Um die fremden Freier loszuwerden, bedient sich die

[1])

1. Gräfin von Flandern.	Becker.	11. Kanzler.
3. Gräfin von Megen.		12. Kanzlers Sohn.
4. Graf von Aremberg.	Heide.	13. Bürger.
2. Florisel.	Dels. —	14. Bürger.
9. Robert von Artois.	Grimmer.	15. Bürgerweib.
Prinz von Spanien.	Grüner.	Bürgerweib
8. Erich von Gothland.	Becker.	Boten.
5. Montfort.	Cordemann.	Soldaten.
6. Rosmarin	Graff.	16. Diener.
10. Bischof von Ypern.		Diener.
7. Bierbrauer.	Ehlers.	Mutter Florisel. Teller.

Spektakel.

1. Jagdgefolg.
2. Die Freier versammelt
3. Die Bürger im Schloß
4. Die Armee zurückkehrend, militärisch Gericht.
5. Der Ritterschlag.
6. Die Verwechslung.
7. Der Überfall im Kabinett.
8. Das Gefecht.
9. Der Einzug am Ende.
10.
11.
12.

Gräfin mit vieler Klugheit der einheimischen. Diese haben
ein Interesse, die ausländische Heirat zu verhindern, und
obgleich das Volk jene begünstigt und die Großen selbst, aus
Neid gegen ihre mächtigen Mitvasallen, lieber einen Fremden
als einen Untertanen zum Herrn haben wollen, so weiß die
Gräfin doch sich der einheimischen Freier so geschickt zu be=
dienen, daß die ausländischen das Feld räumen müssen. Noch
ist von Florisel gar nicht die Rede; er steht noch im Dunkeln
und das Wohlwollen der Gräfin für ihn, das sie nicht ver=
hehlt, erscheint bloß als herablassende Güte. Doch auch jetzt
schon verliert sie das Interesse ihres Herzens nicht aus den
Augen, und in dieser Epoche, wo seine Erhebung noch ganz
unverfänglich ist, gibt sie ihm nicht nur Gelegenheit, sich zu
signalisieren, sondern läßt ihn auch durch einen von den
fremden Prinzen zum Ritter schlagen, der ihr gern diese Gunst
erweist.

Die Gräfin erklärt sich gegen die ausländischen Freier,
welche auf ihre Geburt stolz tun, daß sie darauf keinen Wert
lege, daß sie ihre Hand nur dem persönlichen Verdienst schenken
würde.

Dadurch bereitet sie die Erhebung ihres Geliebten vor;
die einheimischen Freier aber unterstützen diese Gesinnung
aufs lebhafteste, weil sie dadurch zu gewinnen hoffen. Der
Stolz des einen der zwei Prinzen läßt sich dadurch wirklich
rebutieren; er räumt das Feld ganz und ohne Ranküne.
Aber der andre, der die Länder der Gräfin zu seinem Augen=
merk gemacht hat und vom Geiz beherrscht wird, gibt seine
Entwürfe nicht so leicht auf. Wie er sieht, daß er seinen
Zweck nicht auf eine rechtmäßige Art erreichen kann, so be=
schließt er per nefas sich in den Besitz der Gräfin und ihrer
Staaten zu setzen. Er ist ferox und gewalttätig, voll Rach=
sucht geht er, um als Feind zu erlangen, was er als Freund
nicht gewinnen kann.

Jetzt also bleiben vorderhand nur die einheimischen
Freier auf dem Kampfplatz. Einer von diesen hat die schein=
barsten Ansprüche und hält sich (nach Entfernung des Prinzen)
des Erfolgs für gewiß. Er hat zahlreiche Vasallen, große
Schätze, machtgebende Hof= und Staatsämter, ist tapfer und

kühn und glaubt noch persönliche Vorzüge zu besitzen. Auf ihm ruht der Stolz einer alten mächtigen Familie, er verschlingt in Gedanken schon die Staaten der Gräfin und es wird ihm sogar schwer, die humble Miene eines Freiers anzunehmen. Seine Nebenbuhler verachtet er und möchte wütend werden, daß die Gräfin, um seinen Stolz zu demütigen, mit Achtung von seinem Nebenbuhler spricht.

Dieser ist gleichfalls der Erbe eines großen Hauses, und mehr die Eifersucht auf seinen Mitbewerber und die Nötigung seiner Familie als eigener Stolz oder Liebe zur Gräfin führen ihn auf die Arena. Vielmehr hat seine Neigung sich für eine andre edle Dame am Hof der Gräfin entschieden, welches der Gräfin nicht unbekannt und eine Ursache mehr ist, daß sie sich mit weniger Zurückhaltung gegen ihn beträgt.

Um sich den Nötigungen des Volks zu entziehen und Frist zu gewinnen, gibt sie sich also den Schein, als ob sie den Grafen von Aremberg begünstige, mit welchem sie aber eine Explikation hat und sich seiner dadurch entledigt, daß sie ihm ihr Wort gibt, den Montfort gewiß nicht zu heiraten, und ihm den Besitz seiner Geliebten zu verschaffen verspricht. Aus einem Freier, der sie drängt, wird er also ihr Vertrauter, ihr Freund und Beschützer.

Die Geliebte dieses Grafen von Aremberg, eine Gräfin von Megen und Anverwandte der Gräfin von Flandern, hat auch eine zarte Neigung zu Florisel, welche sie weniger verbirgt als ihre Gebieterin. Sie kann frei über ihre Hand gebieten, sie kann ihrem Herzen folgen und sie ist dazu entschlossen. Nachdem Florisel Ritter geworden und Aufmerksamkeit erregt hat, so gewinnt sie Mut, einen Schritt gegen ihn zu tun, um ihm ihren Besitz im Prospekt sehen zu lassen. Erst hat sie ihn selbst mit einer zarten Aufmerksamkeit angegangen, selbst in der Gräfin Gegenwart, welcher dieser Anteil nicht entgeht und Eifersucht einflößt — Nun tut sie aber einen entscheidenden Schritt, und weil sie zu hoch über ihm steht, als daß er um sie werben könnte, so steigt sie zu ihm herab und läßt ihn, entweder durch den Bischof oder durch seinen Diener Rosmarin, erfahren, daß er geliebt sei, und daß er ihre Hand erlangen könne.

Rosmarin in der größten Entzückung über dieses außerordentliche Glück seines jungen Zöglings und Gebieters kann nicht Worte genug finden, seine Freude auszudrücken, wenn er es ihm ankündigt, wird aber ordentlich böse, wenn Florisel
5 sich kalt und gleichgültig dabei bezeugt. Florisel wird aber in die Notwendigkeit gesetzt, sich gegen die Gräfin von Megen zu erklären.

Gräfin von F. ist von dem Schritt ihrer Nebenbuhlerin unterrichtet worden und fürchtet alles. Sie ist hier nicht
10 bloß Weib, sondern eine empfindliche Souveraine, und will es den Florisel fühlen lassen.

Man ist in einem Garten. Die beiden Gräfinnen sind auf einerlei Art angezogen. Rosmarin, im Wahn, daß er die Gräfin von Megen vor sich habe, sagt der Gräfin v. Fl.,
15 daß Florisel gleich da sein werde.

Imagina, Erbgräfin von Flandern.
Mathilde, Gräfin von Lille.
Fräulein von Megen.
Florisel von Ligne.
20 Seine Mutter.
Erich, Prinz von Gothland.
Robert, Graf von Artois.
Prinz von Leon. } Freier der Gräfin von Flandern
Graf Montfort.
25 Graf von Aremberg.

2.

Die Gräfin verbindet den Grafen Megen mit dem Fräulein, sie wünscht ihnen Glück zu ihrer Liebe, und beide wünschen ihr auch Glück in der Liebe. Man weiß, daß
30 Montfort diese Szene behorcht. Nun entdeckt er sich entweder selbst aus Ungestüm des Charakters, oder der Zufall entdeckt ihn. In beiden Fällen entrüstet sich die Gräfin aufs äußerste, sie flieht, er will sie halten, ihr nacheilen, sie spricht als Gebieterin.

35 Er steht verlegen, verwirrt, ärgerlich über sich selbst und doch zufrieden, daß er Megen nicht mehr als seinen Nebenbuhler weiß. Er hofft, die Gräfin, die keinen andern liebt,

zu besänftigen. Er bittet jene beiden um ihr Fürwort, er will alles tun, was der Gräfin gefallen kann — (Hier kann etwas zum Vorteil Florisels geschehen)

Wie er mit der Gräfin zusammenkommt, zeigt sie sich unversöhnlich, er entschuldigt sich mit der Heftigkeit seiner Liebe, er erniedrigt sich vor ihr, sie läßt es ihn fühlen und bleibt unversöhnlich. Ihr ist dieser Anlaß zum Bruch sehr willkommen.

Ein Dritter, etwa der Kanzler, kann dazu kommen, sie erklärt in dessen Gegenwart, daß Montfort nichts zu hoffen habe, daß sie nicht mißhandelt sein wolle.

Montfort bedient sich der Macht, die ihm seine Stelle gibt, um die Gräfin gleichsam als Gefangene zu halten. Sie ist in keiner geringen Bedrängnis, besonders hat sie auch für Florisel zu fürchten, wenn Montfort ihrer Liebe auf die Spur kommen sollte — Sie denkt darauf, ihm zu entfliehen und sich unter Megens Schutz zu begeben. Er bedeckt seine Gewalttätigkeit mit der Pflicht seines Amts, mit der Sorge für ihre Person und für die Ruhe des Staats.

Montfort hat versucht, sich der Gräfin mit Gewalt zu bemächtigen, es ist durch Florisels Wachsamkeit und Entschlossenheit fehlgeschlagen und Montfort hat sich davongemacht. Diesen Feind ist die Gräfin los und in demselben Augenblick tritt der ausländische Feind auf.

Gräfin erwählt den Florisel zu ihrem Feldherrn.

Das Volk wird aufrührisch über diese schlechte Wahl, und verlangt, die Gräfin soll sie widerrufen und Montfort dafür wählen.

Die Gräfin ist geraubt, wenn Florisel als Sieger zurückkommt. Montfort ist da, aber Megen ist verschwunden.

Montfort hat sie nicht geraubt, aber wer? Der Verdacht fällt auf Megen und man muß glauben, daß die Gräfin seine Mitschuldige sei.

Artois macht reißende Fortschritte und erregt zugleich das Volk; dieses wird aufrührerisch und verlangt, die Gräfin soll

17*

der Not ein Ende machen und dem Mächtigen ihre Hand geben. Es gehört etwas dazu, standhaft zu bleiben — Was tut hier Montfort? Er muß vorher entfernt werden; auch Florisel ist weg und in den Krieg, nur Megen ist da, aber 5 zu ohnmächtig — Gräfin bleibt fest und denkt nur darauf, aus der Gewalt loszukommen. Sie ist hart eingeschlossen und von trotzigen Untertanen.

3.

Auf einmal kommt Nachricht von der Niederlage des 10 Feindes und einer völligen Endigung des Kriegs durch den Tod des Prinzen von Artois. Florisel ist's, der an der Spitze von dreihundert Edelleuten den Sieg entschieden. Die flüchtige Armee des Montfort sammelt sich unter seinen Fahnen, alles strömt ihm zu, Soldatengunst, er ist im Anzug gegen 15 Gent.

Aber in eben dieser Nacht ist die Gräfin mit Megen unsichtbar geworden. Verzweiflung des Aremberg; Konsternation des Volks, Jammer des alten Dieners[1]).

Im fünften Akt erscheint Florisel als Feldherr in der 20 Stadt, die sich vor ihm und seinen Soldaten demütigt. Er richtet die Verbrecher. Er erfährt die Verschwindung der Gräfin, den bösen Verdacht, den das tiefe Schweigen des Aremberg und die Zunge seines Dieners ausdrückt. Er kann an der Gräfin nicht zweifeln und geht ab, sie aufzusuchen.

25   II. Scenar.

4.

Erster Akt[2]).

(1) Mehrere Freier, ausländische Prinzen und inländische Große, halten sich am Hof der Gräfin auf und werben um

---

30   [1]) Ende des vierten Akts.
       [2]) Spanier.
          Artois.
          Erich.
          Montfort.
35   Megen.

ihre Gunst. Die falsche Gravität, der Hochmut, die Herrsch=
sucht und die Ungeschicklichkeit repräsentieren sich in dem spani=
schen Prinzen, dem Grafen Robert von Artois, dem Grafen
Montfort und dem Prinzen Erich von Gothland.

Eine abgeschmackte Maskerade des letztern hat das Pferd 5
der Gräfin auf der Jagd scheu gemacht, daß es mit der Gräfin
durchgeht. Florisel, einer ihrer Edelknechte, rettet sie durch
seinen Mut und Geschicklichkeit. Er wird von den Freiern
geschmeichelt, gepriesen und beschenkt. (Erster Akt 25.)

2.   10

(2) Florisel teilt das Geschenk an die Diener der Gräfin
aus und legt nur auf eine Kleinigkeit, die der Person der
Gräfin angehörte, einen Wert. Sein Betragen kündigt eine
hohe fürstliche Gesinnung und eine Delikatesse der Gefühle an,
die ihn über alle andre Figuren erhebt. Er ist von einem 15
sehr edeln, aber armen Geschlecht, seine Mutter lebt noch
auf einem kleinen Stammschloß, er ist ihre einzige Hoffnung.
(3) Ein alter Escudero, ein Erbstück seines Hauses, ist zu=
gleich sein Diener und sein Gouverneur. Florisel hat die
Liebe des ganzen Hofgesindes, und seine Frömmigkeit macht 20
ihn auch dem (4) Bischof von Ypern, Beichtvater der
Gräfin, wert.

Dieser läßt ihn große Hoffnungen fassen und stellt ihm

Der lächerliche Freier.
A. Bediente. Man hört Jagdhörner. Jäger erzählt.   25
B. Gräfin. Florisel. Gefolge.
C. Florisel. Die Diener.
D. Florisel. Rosmarin.
E. Florisel. Gräfin von Flandern. Gräfin von Megen.
F. Florisel. Bischof.   30

G. Gräfin. Freier. Florisel, welcher zum Ritter geschlagen
    wird. — Kanzlers Vortrag. — Die ausländischen Freier
    werden abgewiesen. — Florisel gegen Robert.
H. Erich wird abgewiesen.
I. Montfort wird plantiert.   35
K. 10. Montfort. Erich.

gleichsam seine Nativität für die Zukunft; der Diener deutet
rückwärts auf seine Kindheit und seinen Ursprung.

3.

Gräfin und Fräulein von Megen, ihre Dame und
5 Freundin, haben Florisels Galanterie und Edelmut erfahren
— Jene ist gütig, diese schmeichelnd gegen ihn. Gräfin, von
den Freiern und ihren eigenen Untertanen gedrängt, spricht
ihm von ihrem Widerwillen gegen eine Wahl, von dem
Zwang, den man ihr antun will. (5) Florisel zeigt ihr
10 ein glühendes Devouement, läßt aber merken, daß er Mont=
fort für den Begünstigten halte, weil dieser selbst es behaupte.
Fräulein Megen hält nur den Grafen Aremberg ihrer Hand
würdig. Florisel meint, daß keiner seine Gräfin verdiene,
und sie selbst gibt zu erkennen, daß sie keinen liebt; dennoch
15 scheint sie kein freies Herz zu haben. (Florisel betet seine
Gebieterin an, aber er hat sich die Natur seiner Gefühle noch
nicht gestanden; er hält sie bloß für Ehrfurcht und Dienst=
eifer; er hat noch keinen Gedanken an den Besitz der Gräfin,
und selbst ihre Heirat beunruhigt ihn nur um ihretwillen.)
20 (Gräfin ist über ihre eigenen Gefühle schon viel ent=
schiedener, aber eben darum hat sie auch mehr Herrschaft über
die Äußerung derselben.)

4.

(6) Freier treten auf und bekomplimentieren die Gräfin
25 über ihre Erhaltung, dies veranlaßt sie, Florisels Verdienst
zu rühmen. Sie bittet den Prinzen von Spanien, ihm den
Ritterschlag zu geben; dieser, dadurch geschmeichelt, tut es mit
selbstzufriedener Gravität. Die andern schmücken und ehren
den neuen Ritter, dem Herkommen gemäß.

30 (7) Nun tut der Kanzler den Vortrag wegen der Wahl
eines Gatten — Staatsursachen und der Wille des Volks,
daß es geschehe. Man will ihr die Wahl lassen, aber sie
soll wählen. Er nennt einen jeden einzeln und seine An=
sprüche.

35 Erklärung der Gräfin, daß die äußern Vorzüge der Ge=
burt und der Macht ihre Wahl nicht bestimmen sollen.

Montfort unterstützt aus Selbstsucht diese Erklärung.
Prinz von Spanien tritt zurück mit höflichem Anstand.
Artois spricht hochmütig, und läßt Drohungen einfließen.
(8) Florisel, der neue Ritter, behauptet mit edelm aber
festem Anstand die Freiheit seiner Gebieterin.
Artois erstaunt über diese Kühnheit eines neugemachten
Ritters.
Montfort und Aremberg treten auf Florisels Seite und
loben ihn. Fräulein Megen bewundert ihn, und ihre Liebe
zu ihm nimmt zu. Artois entfernt sich drohend.
(9) Prinz Erich wird von Montfort spottweise nach einer
fabelhaften Braut ausgeschickt; er nimmt es in seiner krassen
Unwissenheit für Ernst auf und beurlaubt sich.
Montfort tut nun, als wenn alles für ihn gewonnen
wäre, und triumphiert voreilig über die abgefertigten unglück=
lichen Liebhaber, indem er sich schon als den Gemahl der
Gräfin betrachtet. Gräfin scheint anders gesinnt und gibt
dem Grafen von Aremberg einen sichtbaren Vorzug. Auch
beim Abgehen nimmt sie seinen Arm an und läßt Montfort
stehen.
(10) Dieser fühlt seinen Stolz sehr gekränkt und ist
wütend — Erich kommt noch einmal zurück, ihn wegen der
fabelhaften Prinzessin noch um etwas zu befragen, welches in
diesem Augenblick eine empfindliche Persiflage seiner eigenen
getäuschten Erwartung ist —
(11) Montfort geht voll Zorn, und Erich beschließt den
Akt oder die Szene.

Fräulein von Megen bewillkommt Florisel, den neuen
Ritter, zeigt ihm einen zärtlichen Anteil und bringt ihn auf
die Liebe. Er dürstet nach Taten, um etwas Großes, um
seiner Gebieterin würdig zu werden.
(12) Gräfin und Fräulein haben sich eine Confidence zu
machen. Die Rede ist von Aremberg und Florisel. Fräulein
läßt ihre Parteilichkeit für letztern merken. Gräfin zeigt Eifer=
sucht darüber und wird beinahe empfindlich über ihre Freundin,
doch weiß sie ihr Geheimniß noch ziemlich vor ihr zu ver=
bergen — Aremberg kommt und das Fräulein entfernt sich.

(13) Gräfin spricht dem Aremberg von seiner Bewerbung um sie, zeigt ihm, daß sie ihn hochschätzt, aber daß sie recht gut wisse, daß nicht seine eigene Neigung, nur die Rivalität mit Montfort und die Instigationen seiner Partei ihn auf
5 den Kampfplatz gestellt. Sie sagt ihm, sie wisse wohl, daß er sie nicht liebe, er liebe das Fräulein von Megen. Sie gibt ihm ihr Wort, daß Montfort nie ihre Hand erhalten werde, daß er also seiner Bewerbung quitt sei — Sie verspricht ihm ihre Dienste bei dem Fräulein, beide scheiden als
10 die besten Freunde und Montfort, der am Schluß hereintritt, sieht den dankbaren Grafen ihre Hand mit Leidenschaft küssen.

Montfort und Aremberg.

Dieser läßt den stolzen Gegner in seinem Irrtum, als ob
15 er von der Gräfin begünstigt wäre, und geht ab.

Montfort[1]).

(14) Das Fräulein hat unterdessen einen Schritt getan, dem Florisel Hoffnung auf ihre Hand zu geben. Rosmarin, der alte Diener Florisels, ist über das glänzende Glück seines
20 Herrn ganz außer sich[2]), denn das Fräulein ist nach der Gräfin die erste Partie in Flandern, und dabei voll persönlicher Vorzüge. Florisel ist aber nicht so entzückt, als es sein Diener erwartet und dieser ärgert sich über diese Gleichgültigkeit —
25 Der Bischof kann auch dazu gebraucht werden.

Geschichte der Troubadours usw.

Gräfin von Lille schickt dem Florisel ihre Farbe[3]).

----

[1]) Montfort und Florisel? M., weit entfernt, diesen für seinen Nebenbuhler zu halten, sucht ihn sich zu attachieren. Er möchte ihn
30 gegen Aremberg aufbringen, wozu F. nur zu sehr geneigt ist, aus heimlicher Eifersucht — darin bestärkt ihn der erhaltene Befehl, an den **Hof zu gehen.

[2]) Monolog des Alten, wenn er seinen jungen Ritter erwartet.

[3]) Bis zum feindlichen Einfall   40. 38.
35   Volksaufruhr usw.   7. 6.
         Bis zur Ankunft d[es] A[remberg]   7. 6.

Gräfin übt eine unschuldige List aus, um hinter das Geheimnis Florisels und ihrer Nebenbuhlerin zu kommen. Es ist kein prämeditierter Betrug, aber sie benutzt die Gelegenheit, die der Zufall ihr darbietet. Rosmarin kann sie mit der Gräfin verwechseln, und dies bringt sie nun natürlich auf den Gedanken, sich für jene auszugeben.

(15) Florisel glaubt, mit dem Fräulein zu sprechen und schlägt ihre Hand aus. Die Ähnlichkeit des Anzugs und der herabgezogene Schleier täuscht ihn; auch ist er nicht frei und unbefangen genug, um scharfsichtig zu sein. Die Stimme der verschleierten Dame entdeckt ihm zuletzt die Gräfin, er erschrickt, und da sich das Fräulein nun zugleich nähert, so entfernt er sich schnell.

(16) Das Fräulein durchdringt zugleich den gespielten Betrug und das Herzensgeheimnis der Gräfin, sie beträgt sich dabei zart und großmütig, edel, Gräfin fühlt sich zugleich beschämt und gerührt, ihre Herzen ergießen sich, das Fräulein erscheint im schönsten Licht einer edeln, uneigennützigen Freundin; sie gibt den Wünschen der Gräfin nach, Aremberg glücklich zu machen. Über die Mittel, Florisel emporzubringen, wird deliberiert, und seine Entfernung an einen berühmten Hof beschlossen, wo er sich Ruhm erwerben soll.

III. Akt.

(17) Dem Montfort fällt ein Billett der Gräfin an Aremberg in die Hände, worin sie ihm sein Glück verkündigt und ihn zu einer Zusammenkunft einlädt[1]).

Montfort, in eifersüchtiger Wut, entschließt sich zu horchen, und läßt sich von einer treulosen Kammerfrau im Kabinett der Gräfin verstecken.

Soldaten. Bis zur Entf[ernung] Florisels	7.	7.
Letzter Akt	16.	15.
	77.	72.
	80.	

[1]) Florisel ist sich jetzt seiner Leidenschaft für die Gräfin bewußt worden.

(18) Gräfin mit ihrem Kanzler, der auf den Einfall kommt, sie für verliebt in seinen Sohn zu halten.

(19) Gräfin. Fräulein von Megen. Aremberg. Dieser empfängt von der Gräfin die Hand des Fräuleins, sein Glück. Gräfin segnet diese Verbindung und spricht von ihrer eigenen Lage mit Wehmut.

(20) Montfort stürzt hervor, zu ihren Füßen. Sie flieht erschreckt, er hält sie, ihr Schrecken macht dem Unwillen Platz. Er entschuldigt seine Zudringlichkeit mit der Stärke seiner Liebe, sie bleibt unversöhnlich, er erniedrigt sich, sie zeigt ihm nichts als Verachtung und schickt ihn fort. Er ist glücklich und unglücklich zugleich; jenes, weil er Aremberg nicht mehr zum Nebenbuhler hat.

Florisel kommt dazu. Montfort sucht sich der Gräfin durch eine Gunst oder eine bisher verweigerte Gerechtigkeit, die er diesem erzeigt, gefällig zu machen. Florisels edles Benehmen gegen den Grafen.

(21) Florisel erhält, nachdem Montfort weg ist, Befehl von der Gräfin, sich an den **Hof zu begeben. Er ist trost= los, daß er aus ihren Augen verbannt werden soll, und es beruhigt ihn nicht, daß er Zeichen von ihrer Gnade erhält, daß sie ihn als einen Mann und Herrn behandelt; vielmehr ist ihm diese Veränderung ihres Betragens von der schlimm= sten Vorbedeutung.

(22) Fräulein Megen macht sich anfangs eine mutwillige Freude daraus, ihn zu necken, bald aber rührt sie der Ernst seines Schmerzes und sie sucht, ihm Trost einzusprechen.

(23) Der Kanzler kommt mit seinem Sohn und gibt ihm Lehren wegen seiner künftigen Erhebung. Ein komisches Inter= mezzo. Gräfin hat dem Sohn des Kanzlers Florisels Stelle gegeben, dieses hält der alte Bonhomme für ein Achemine= ment zu der Heirat, und beide machen sich durch ihren eiteln Hochmut lächerlich.

(24) Florisels leidenschaftlicher Abschied von dem Ort seiner Liebe. Rosmarin ist bei ihm.

(25) Abschied der Gräfin von Florisel. — Sie zeigt ihm ihre Liebe. Er ist auf dem Gipfel seines Glücks.

(26) Ihre Verzweiflung, wenn er weg ist, sie zeigt ihre

ganze weibliche Schwäche. Nun will sie sich vor Montfort
in Sicherheit setzen und einen andern Aufenthalt wählen,
aber sie entdeckt, daß sie so gut als eine Gefangene ist und
in Montforts Gewalt[1]). Sie will als Souveraine mit ihm
sprechen, aber er eludiert ihre Erklärung und unter dem Schein, 5
für sie zu sorgen, hält er sie gewaltsam. — Megen erbietet
sich, sie zu befreien, sie will es nicht haben — Die Rede ist
von einer Appellation an das Volk; sie fürchtet es. Endlich
nimmt sie ihre Zuflucht zur Verstellung.

(27) Montfort bedient sich seines Ansehens, um die Gräfin 10
unter dem Schein, für sie und den Staat zu sorgen, ganz in seine
Gewalt zu bekommen. Sie ist so gut als seine Gefangene,
ihre eignen Diener gehorchen dem Montfort mehr als ihr selbst,
aristokratische Unterdrückung. Sie sucht vergebens aus seiner
Gewalt zu entfliehen. 15

Aremberg und ihre andre Freunde erbieten sich zwar, sie
in Freiheit zu setzen, aber sie fürchtet die gewaltsamen Folgen
und untersagt es ihnen. Sie nimmt sich in acht, den Mont=
fort zu sehr zu reizen, und folgt ihm gutwillig in der Hoffnung,
sich dieses verhaßten Zwanges auf eine andere Art zu ent= 20
ledigen.

Das lächerliche Mißverständnis des Kanzlers vermehrt ihre
Verwirrung, da es sich ihr in einem Augenblick entdeckt, wo
sie Schutz und Rat verlangte.

(28) In diesem Zeitpunkt geschieht der feindliche Einfall 25
Roberts von Artois.

Montfort als Feldherr muß in den Krieg, die Staaten
der Gräfin zu verteidigen. Eh er geht, wendet er noch alles
an, sich der Hand der Gräfin zu versichern, da sie aber stand=
haft bleibt, so läßt er sie so gut als eine Gefangene zurück, 30
und geht, um gegen den Feind zu marschieren.

Florisel nach seiner Trennung von der Gräfin wird schnell
zum Ritter ausgebildet, tut große Taten und erwirbt sich Län=
der und Ehre. Er sammelt Ritter, wird ihr Anführer, und
befindet sich so imstand, die geschlagene Armee des Montfort 35
zu verstärken.

---

[1]) Aristokratische Macht.

IV. Akt.

Die Bürger von Gent sprechen von dem Krieg; der Krieg geht unglücklich. Montfort wird geschlagen, Artois macht rei=
ßende Fortschritte und bedroht Gent, indem er zugleich durch
5 seine Emissärs einen Volksaufstand zu erregen sucht.

(29) Die Furcht vor Montfort macht dem größern Schrek=
ken vor dem Feinde Platz. Das Volk erobert das Schloß[1]),
wo Montforts Diener die Gräfin gefangen halten, diese aber
stürzt von der aristokratischen Tyrannei unter die demokratische.
10 Sie soll dem Artois ihre Hand geben, bleibt aber standhaft.
Komisch=fürchterliche Szenen der Volksherrschaft. Gräfin
unter den Bürgern. Ein Volksanführer. Lächerliches Be=
tragen des Pöbels[2]), Klugheit der Gräfin. Sie sucht umsonst,
einen aus dem Volk zu bestechen; ihre Flucht mißlingt.

15 (30) Die Bürgerwache in den vornehmen Zimmern.

Aremberg hat sich entschlossen, auf dem Schloß in der
Nähe der Gräfin zu bleiben, um sie zu verteidigen.

Montfort erscheint wieder in Gent, nachdem er geschlagen.

Auf einmal kommt Nachricht von einer Niederlage des
20 Feindes und einer völligen Endigung des Kriegs durch den
Tod des Artois.

Die lächerliche Furcht der Bürger.

(31) Florisel ist's, der an der Spitze von 500 Edelleuten
den Sieg entschieden, die flüchtige Armee des Montfort sam=
25 melt sich unter seinen Fahnen, er ist im Anzug gegen Gent.
Gunst der Soldaten. Ein Offizier des Florisel bringt dem
Fräulein diese Nachricht[3]).

(32) Aber in eben dieser Nacht ist die Gräfin und der
Graf von Aremberg unsichtbar worden[4]).
30 Das Rätselhafteste daran ist, daß das Fräulein nichts da=
von weiß, sonst könnte man glauben, daß Aremberg sich mit

---

[1]) Man kündigt der Gräfin die Freiheit an, aber sie vertauscht
nur die Sklaverei mit einer andern.
[2]) Es werden doch Exzesse begangen.
35 [3]) Der Zuschauer ist auf dem Gipfel der Freude und wird
auf einmal zurückgestürzt.
[4]) Montfort vollendet diese Entführung.

der Gräfin durch die Flucht gerettet. Aber warum hätte ihr Geliebter, hätte die Gräfin sie zurücklassen sollen.

Montfort ist gegenwärtig, auf ihn kann daher der Verdacht nicht wohl fallen. —

(33) Siegender Einzug der Armee — Militärische Obergewalt — Florisel als Feldherr richtet die Rebellen und erscheint als höchste Obrigkeit, man sieht ihn anticipando als Grafen von Flandern.

(34) Sein treuer Diener berichtet ihm die Verschwindung Arembergs und der Gräfin und zeigt einen bösen Verdacht.

(35) Seine Zusammenkunft mit dem Fräulein von Megen. Ihr stummer Schmerz klagt die Gräfin mehr an als Rosmarins Zunge.

Er leidet tief, kann aber die Gräfin nicht für schuldig halten. Er entfernt sich heimlich mit seinem Diener, sie aufzusuchen. Sein Gelübde, wenn der Himmel sie ihn finden läßt.

V. Akt.

Schicksale der beiden Verlorengegangenen.

Die Gräfin und Florisels Mutter kommen zusammen. Gräfin gibt sich dieser nicht gleich zu erkennen, eine äußerst rührende Situation.

Florisel kommt zu seiner Mutter, ohne zu ahnen, daß die Gräfin dort sein werde. Er erfüllt die kindliche Pietät.

Aremberg ist auch von der Gräfin getrennt und sucht sie.

Gräfin ist durch ihre Klugheit oder auch durch ein wunderbar glückliches Ereignis aus den Händen ihres Räubers entkommen.

Montfort und Florisel geraten aneinander, fürchterliche Wut, Montfort soll dem Florisel den Aufenthalt der Gräfin entdecken, aber er stirbt, ohne es zu tun.

Ein Troubadour kommt vor.

Eine Jagd.

Aremberg ist verwundet und gefangen. Imagina ist auf eines von Montforts Schlössern gebracht, wo man ihr heftig zusetzt, dem M. ihre Hand zu geben —

Schicksale des Florisel, der die Gräfin aufsucht.

Gemütszustand eines unglücklichen Liebenden.

Verkleidung.

Vereinigung der Liebenden und glückliches Ende. Die Zurückkunft muß ein Freudengenuß, ein Fest sein, es muß zu dem langen Streben und Ausharren ein Verhältnis haben.
5 Oberons Schluß. Das Volk zieht den Wagen; den Verbrechern wird verziehen. Florisel begrüßt mit Rührung die bekannten Orte, ist freundlich gegen die, die vorher seinesgleichen waren, der Bischof überreicht ihm die Insignien, er kniet nieder davor. Florisel hat in der Angst um die Gräfin ein Gelübde getan,
10 welches die Entwicklung auf eine interessante Art verzögert und eben dadurch rührender und reizender macht. Die Arem= berg empfängt ihre Freundin,

     Zu erfinden ist:
1. Wie die Gräfin mit Aremberg verschwindet.
15 2. Wo sie beide in der Zwischenzeit hinkommen, daß ihre Spur sich nicht findet (Aremberg muß, anstatt dadurch zu verlieren, sehr ge= winnen).
3. Was Florisel, sie suchend, unternimmt.
4. Montforts Katastrophe.
20 5. Florisels frommes Gelübde.
6. Erichs Ungeschicklichkeit am Anfang und Florisels Verdienst um die Gräfin.

     Florisel gelangt auf seinen eigenen Weg zu Gütern und Land und Titeln, er heißt am Ende Graf und ist der Gräfin nun an
25 Reichtum so nahegekommen als Aremberg, von Montforts Besit= zungen nimmt er nichts an, er verlangt seine Güter auf einem viel schöneren Weg.
     Seine schöne Kindlichkeit gegen seine Mutter. Seine Fröm= migkeit und Andacht, aber auch furchtbar und streng zeigt er sich
30 einmal, wenn er Richter ist, kühn gegen Artois, schrecklich gegen Montfort.
     Eine höhere Hand ist im Spiel, deren Organ ein Mönch ist, Träume und Visionen. —
     Das Chevalereske in Florisels Erziehung.

III. Entwürfe zu Akt I.

5.

¹)1. Szene.

Schloßhof. Man hört Jagdhörner in der Ferne. Ein Jäger der Gräfin kommt und erzählt dem Hausgesinde oder Hofgesinde das Abenteuer der Gräfin auf der Jagd, welches durch eine abgeschmackte Maskerade des Prinzen von Gothland veranlaßt wurde — ihre Gefahr und ihre Rettung durch Florisel, den Damoiseau der Gräfin. Alle, die zuhören, freuen sich und ergießen sich in Florisels Lob.

2. Szene.

Gräfin kommt in Jagdkleidern mit ihrem Gefolge, worunter Florisel ist. Man lacht über Erich, man rühmt den Damoiseau, und die Gräfin gibt ihm ihr Wohlwollen lebhaft zu erkennen. Er hat sich in Besitz von etwas gesetzt, das der Gräfin angehört, und was ihm unendlich wert ist. Er steht da, überschüttet und überglänzt von der Gnade seiner Gebieterin. Noch scheint es nur Gnade; er der Diener und sie die Fürstin. Unter diesem Gesichtspunkte betrachten es alle und gönnen ihm, dem armen Edelmann, dieses Glück. — Wenn

3. Szene

die Gräfin fort ist, kommt ein Abgeordneter von dem spanischen Prinzen, welcher dem Florisel ein reiches Geschenk von spanischen Dublonen überbringt. Der hochmütige Prinz will dadurch, daß er den Retter der Gräfin fürstlich belohnt, eine Galanterie gegen diese zeigen und seinen Stolz dadurch kitzeln. Florisel verschenkt das Goldstück unter die anwesenden Hofdiener, welche sich um ihn versammelt haben. Ihn beglückt bloß eine Kleinigkeit, die der Gräfin angehörte.

---

¹) Exponiert wird:
  1. Erichs Albernheit.
  2. Florisels Mut und Eifer.
  3. Seine Gunst bei allen.
  4. Liebe aller zur Gräfin.
Almosenier. — Haushofmeister. — Hoffräulein. — Stallmeister.

4. Szene.

Florisel hat ein Gespräch mit Rosmarin, seinem alten Diener und Mentor, wodurch man in seine Herkunft und Personalien rührend zurückgeführt wird.

5. Szene.

Der Bischof von Ypern segnet den jungen und frommen Damoiseau und verheißt ihm alles Schöne und Herrliche von der Gnade des Himmels.

6. [Szene]

Gräfin von Flandern und von Megen kommen im Gespräch. Sie haben Florisels Edelmut erfahren und loben ihn. Er antwortet groß und fürstlich, wie ein Mensch, der nur von den höchsten Gefühlen belebt ist. Er wünscht, ein Ritter zu sein. Er spricht der Gräfin von seiner Mutter, sie äußert eine lebhafte Begierde, sein Geschlecht zu kennen.

6.

[1]) Actus I.

1. Schloßhof. Zurückkunft der Gräfin von einer Jagd, wo bald ein großes Unglück geschehen. Jäger erzählt dem Hofgesinde die Gefahr der Fürstin, die Sottise des Prinzen Erich, ihre Errettung durch eine mutige Tat des Florisel: aber eine außerordentliche Tat. Freude aller, sowohl über die Rettung der Gräfin, als über den Florisel, dem man den Ruhm davon am liebsten gönnt.

2. Florisel, gesegnet von dem Bischof, gepriesen von allen, kommt mit einem Schleier der Gräfin, den er bei der Gelegenheit habhaft geworden. Gräfin, die Prinzen, darunter der lächerlich vermummte Erich, treten auf. — Große Gunst des Florisel, seine Bescheidenheit und Anmut. Er allein ist nicht über seine Tat verwundert, nur über das Glück entzückt, ihr gedient zu haben.

3. Geschenk des spanischen Prinzen, er verteilt es, obgleich ohne Stolz zu zeigen, an die andern und hält sich an den Schleier der Gräfin.

---

[1]) Tressan.

4. Der Bischof prophezeit ihm sein Glück, weil er die Gnade Gottes und ein kindliches Herz besitze. Eine kurze Erwähnung seiner Mutter und der Notwendigkeit, in der er sich befindet, durch Verdienste seinen Weg zu machen.

7.

Erster Akt.

Erster Auftritt.

Schloßhof.

Man hört blasen. Hofdiener treten auf. Gleich darauf Stallmeister.

Hofdiener.

Hört ihr, sie sind's. Sie sind zurück vom Jagen.

Andre.

Stallmeister.

Sie lebt! Sie ist gerettet!

Hofdiener.

Wer? Was gibt's?

Stallmeister.

Bald kam sie uns nicht lebend mehr zurück!

Hofdiener.

Nach dem „Wilhelm Tell", dem letzten vollendeten Drama, nennt Schillers Verzeichnis die „Gräfin von S. Geran". Vielleicht wird dieser Stoff auch in einer anderen, bei den Papieren zu den „Kindern des Hauses" befindlichen Liste (siehe S. 278 f.) mit „Der aufgefundene Sohn" bezeichnet. Er stammt, wie die meisten Titel dieser sogleich näher zu betrachtenden kleineren Liste, aus Pitavals „Merkwürdigen Rechtsfällen". Dort war, in der von Schiller eingeleiteten Ausgabe (Bd. I, S. 314—371), unter dem

Schiller. IX. 18

Titel „Der Streit zweier Mütter um ein Kind oder Rechts=
handel des Grafen von Saint=Geran" der Verlauf des
Kriminalfalles erzählt, den Schiller einem künftigen Drama
zugrunde legen wollte.

Wir wiederholen das klare, den verwickelten Tatbestand
knapp zusammenfassende Referat Voxbergers. „Der Graf von
Saint=Geran hatte schon zwanzig Jahre mit seiner nunmehr
gegen fünfunddreißig Jahre alten Gemahlin in kinderloser
Ehe gelebt, als diese sich Mutter fühlte. Damals hielt sich
auf seinem Schlosse seine Schwester, die Marquise von Bonillé
auf, seine vermutliche einzige Erbin, und der Marquis
von Saint=Maixant, ein Verwandter des Grafen, der sich dahin
geflüchtet hatte, um einer sehr schlimmen obrigkeitlichen Unter=
suchung zu entgehen. Beide Personen lebten in einem straf=
baren Einverständnis; die Marquise hatte sich von ihrem siebzig=
jährigen Mann getrennt, und beide hofften, wenn der Tod
sie von diesem lästigen Ehegenossen befreite, sich durch das
Band der Ehe zu vereinigen; im Notfall, versichert man,
verließ sich der Marquis auf sein Geheimnis, einem zu lang=
sam schleichenden Greise früher ins Grab zu helfen.

Die Marquise hatte zwei Kammerfrauen bei sich, welche
Schwestern waren und Quinets hießen, Geschöpfe, ganz von
der gewöhnlichen Denkungsart ihrer Klasse, durchdrungen von
dem echten Zofengeiste, feil zu allem, verschwiegen solange
kein größerer Gewinn sie lockt, verräterisch sobald ihr Vor=
teil es gebietet, listig und untreu, demütig und unverschämt,
um die Geheimnisse ihrer Herrschaften buhlend, um diese von
sich abhängig zu machen und ihr Vertrauen, so oft es ihnen
gefällt, zu mißbrauchen. Außer diesen Personen war noch
auf dem Schlosse: der Haushofmeister des Grafen, Beaulieu,
ein Mann, der seinem Herrn, dem er auch einst im Gefecht
beigestanden hatte, schon deswegen sehr zugetan war, weil er
die Erhaltung seiner ganzen zahlreichen Familie von ihm
erwarten mußte — und die Hebamme, Louise Gaillard aus

Vichy, eines von den verworfenen Geschöpfen, die man zu jeder Schandtat leicht erkaufen kann und die mit kaltem Blute Verbrechen aller Art auszuführen imstande sind.

Nehmen wir noch dazu die Mutter der Gräfin, die der Graf hatte kommen lassen, um ihrer Tochter im Wochenbette beizustehen, so haben wir hier eine Reihe höchst interessanter Charaktere, die alle ein lebhaftes und höchst verschiedenes Interesse an dem erwarteten wichtigen Ereignis, der Nieder= kunft der Gräfin, hatten.

Den 16. August 1641 wurde die Gräfin von Wehen überfallen und in das Wochenbett gebracht. Alle auf dem Schlosse Anwesenden hatten sich um dasselbe versammelt, wurden aber, da die Hitze für die Kranke unerträglich wurde, von der Hebamme aus dem Zimmer entfernt, selbst die Mutter der Gräfin; es blieb niemand in dem Zimmer als die Hebamme, die Marquise und ihre beiden Kammerfrauen.

Unter dem Vorwande, die Gräfin würde die Anstrengungen sonst nicht aushalten können, brachte ihr die Hebamme gegen Abend einen Schlaftrunk bei, auf welchen sie bis zum andern Morgen fest schlief.

Als sie wieder erwachte, glaubte sie, die deutlichsten Spuren ihrer Niederkunft gewahr zu werden, und war schmerz= lich verwirrt, als ihr die Umstehenden versicherten, sie sei noch nicht entbunden worden. Sie wurde zuerst auf den nächsten Abend, dann auf den abnehmenden Mond, dann auf Wochen später vertröstet; aber sie wich nicht von ihrer Behauptung, daß sie schon entbunden sei und daß man ihr ihr Kind entwendet habe. Als sie aber einsah, daß sie doch niemanden überzeugen würde, verstummte sie und trug ihren Schmerz in sich, während ihr Gemahl und ihre Mutter sich allmählich an den Gedanken gewöhnten, daß ihre ganze Schwangerschaft nur eine eingebildete gewesen sei.

Mehrere Jahre waren so vergangen, als Beaulieu, der Haushofmeister des Grafen, ein Kind von einigen Jahren

18*

auf das Schloß brachte, welches angeblich der Sohn seines
verstorbenen Bruders war und das er mit seinen eigenen
Kindern erziehen wollte. Die Schönheit des Knaben gewann
ihm bald die Liebe des gräflichen Ehepaares, welches den=
selben nach Beaulieus plötzlichen Tode (man behauptete später,
er wäre vergiftet worden) zu sich nahm.

Um diese Zeit verbreitete sich das Gerücht von einer
Verschwörung, welche das Kind der Gräfin unterdrückt haben
sollte, und erregte selbst die Aufmerksamkeit des Grafen von
Saint=Geran, der Gouverneur der Provinz war. Er ließ die
Hebamme festsetzen und den Prozeß einleiten, in welchem die=
selbe sich in mannigfache Widersprüche verwickelte, indem sie
zu wiederholten Malen bekannte, sie habe die Gräfin ent=
bunden, dies aber ebensooft widerrief; in dem vierten Ver=
hör sagte sie aus, die Gräfin sei mit einem Sohne nieder=
gekommen, den Beaulieu in einem Korbe weggetragen habe;
im fünften Verhör leugnete sie alles wieder. Nichtsdestoweniger
wurde sie endlich der Unterdrückung des Kindes, das die
Gräfin zur Welt gebracht hatte, überwiesen und, für schuldig
erklärt, von dem Richter wegen dieses Verbrechens zum
Strang verurteilt.

Unterdessen bekam der Prozeß eine ganz neue Wendung
durch die interessante Entdeckung, die der Graf und die
Gräfin gemacht zu haben glaubten, daß das Kind, welches
sie bisher als Pagen bei sich gehabt hatten, ihr Sohn sei.
Ein gewisser Sequeville nämlich zeigte ihnen an, daß im
Jahre 1642 zu Paris ein Kind auf eine sehr geheimnisvolle
Art zur Taufe gebracht worden sei, wobei sich Marie Pigoreau,
die Schwägerin des Haushofmeisters Beaulieu, besonders ge=
schäftig gezeigt habe. Da diese Person es war, die den
Knaben als ihr Kind zum Grafen von Saint=Geran gebracht
hatte, so gab sich derselbe die größte Mühe, der Sache näher
auf die Spur zu kommen, und obgleich einiges, wie die Zeit
der Taufe des Kindes und die Zeit der Entbindung der

Gräfin, nicht ganz stimmte, hielt er es doch für erwiesen, daß jenes zu Paris getaufte und ihm später überbrachte Kind und sein verschwundener Sohn identisch seien, behandelte fortan den Pagen als sein Kind und nannte ihn Vicomte von Palisse.

Wir brauchen von hier an den Prozeß nicht genauer zu verfolgen und beschränken uns nur auf wenige Bemerkungen.

Tragisch war es, daß durch den Tod ihres Gatten die Gräfin von Saint=Geran ihrer Stütze beraubt wurde und zwei eifrige Gegnerinnen das Recht bekamen, den Kampfplatz zu betreten, die Herzogin von Ventadour, eine Schwester des Grafen, und die Gräfin von Lude, seine Nichte, die Tochter der Marquise von Bouillé, die ohne dieses Kind Ansprüche auf die Erbschaft hatten. Diese veranlaßten zunächst die Marie Pigoreau, den Vicomte von Palisse als ihr Kind zu reklamieren, und reichten dann selbst eine lange Klagschrift ein, in der sie 1. die Niederkunft der Gräfin überhaupt be- stritten und 2. zu beweisen suchten, daß, wenn auch diese Niederkunft stattgehabt hätte, der sogenannte Vicomte de Palisse unmöglich ihr Sohn sein könnte. Von den Zeugen des Vor- falls am 16.—17. August 1640 waren nur noch zwei am Leben, die beiden Kammerfrauen der Marquise; diese selbst, sowie ihr Geliebter, der Marquis von Saint=Maixant, die beiden Urheber des Komplotts, wenn ein solches wirklich stattgefunden hatte, waren aus dem Leben geschieden. Gleichwohl wurde von seiten der Gräfin unter anderm ermittelt, daß das von ihr geborene Kind von dem Haushofmeister Beaulieu, der mit in das Komplot gezogen worden war, in einem Korbe fortgetragen und in dem Dorfe Descontour bei einer Frau untergebracht wurde, die es aber bloß eine Woche lang be- hielt. Von da an verlor sich seine Spur, bis es in Paris in der Familie von Beauliens Bruder wieder auftauchte. Die späte Taufe des Kindes (7. März 1642) erklärte man aus der Furcht, den wahren Ursprung desselben und seine Entführung zu verraten. Daß Marie sich des Knaben später entledigte, erklärte man sich damit, daß man annahm, Marie sei von den Verschworenen im Stich gelassen worden, die sich nicht mehr darum bekümmert hätten, die Kosten des Unterhalts des Kindes zu entrichten. Sie hätte es zu Beaulieu gebracht, der als Mitverschworener es nicht hätte zurückweisen können. (Eher ist anzunehmen, daß Beaulieu, dem das Gewissen schlug, selbst darauf drang, daß das Kind unter den Augen der Gräfin erzogen würde, um sein Gewissen damit zu beschwichtigen.) Durch ihre Entweichung aus Paris bestätigte Marie ihr Verbrechen.

So wurde denn nach einem Prozeß, der länger als sechzehn Jahre gedauert hatte, den 5. Juni 1666 das Endurteil gesprochen, welches dahin lautete, daß der mehrerwähnte Graf von Palisse für den rechtmäßigen Sohn und Erben der Gräfin von Saint-Geran erklärt, die Herzogin von Bentadour aber und die Gräfin von Lude in die Prozeßkosten und Marie Pigoreau, wenn man ihrer habhaft würde, zum Tode durch den Strang verurteilt wurde.

Versucht man es, aus dieser Kriminalgeschichte die Stellen herauszuheben, die den Dramatiker Schiller interessieren konnten, so sind es vor allem zwei: die Entdeckung des Verbrechens und die Erhebung des geraubten Sohnes aus der Niedrigkeit. Die „Gräfin von S. Geran" hätte sich so auf der einen Seite mit den „Kindern des Hauses" berührt, deren Erfindung vielleicht geradezu von dieser Erzählung Pitavals ausgegangen ist, auf der andern Seite deutet der „aufgefundene Sohn" zu der ursprünglich geplanten Einleitung des „Demetrius" hin.

Das vorhin erwähnte kleinere Verzeichnis enthält folgende Titel:

Der Genius. Das Kind.

Der aufgefundene Sohn.

Gräfin von Gange.

Im Trauerspiel „Die Polizei" wird ein veraltetes Ver=
brechen entdeckt, ein unrechtmäßiger Besitz aufge=
hoben, usw.

Die Stiefmutter.

Der sich für einen andern ausgebende Betrüger.

Das Gespenst.

Die Reise zur Kaiserkrönung.

Die Braut in Trauer.

Der „Genius" und das „Kind" dürften schwerlich dra=
matische Pläne andeuten. Niemals hat Schiller für seine
Dramen so allgemeine Titel gebraucht. Viel wahrscheinlicher
dünkt es mir, daß zwei Gedichte gemeint sind, „Natur und
Schule", dessen späterer Titel „Der Genius" von Schiller
leicht schon bei der Entstehung mit ins Auge gefaßt werden
konnte, und entweder „Das Kind in der Wiege" oder „Der
spielende Knabe". Am 21. August 1795 sandte der Dichter
an Humboldt „Natur und Schule" und den „spielenden
Knaben", der mit den Worten beginnt: „Spiele, Kind, in der
Mutter Schoß!"

In demselben Sommer las er Pitavals „Rechtsfälle"
von neuem, und damals (nicht, wie Kettner meint, 1799 bis
1800) hatte er während dieser Lektüre mit kurzen Schlag=
worten die Stoffe verzeichnet, die Möglichkeiten der Drama=
tisierung zu enthalten schienen. In seiner Dissertation über
die „Polizei" hat Stettenheim (S. 22—28) die Beziehung
dieser Titel auf die Erzählungen Pitavals soweit als möglich
nachgewiesen. Ganz klar ist sie nur bei der „Gräfin von
Gange". Im ersten Teil der „Merkwürdigen Rechtsfälle"
steht Seite 372—446 die „Geschichte der Marquise von
Gange". Der Inhalt ist (nach Stettenheim): „Die Marquise
wird von ihrem Gatten durch Eifersucht geplagt, und dessen
Brüder, der Abbé und der Ritter, bedrängen sie mit sinn=
licher Leidenschaft. Durch einen Vergiftungsversuch gewarnt,
macht sie ein Testament, welches ihre Mutter und nach deren

Tode ihre Kinder zu Erben einsetzt. Es wird mit der Er=
klärung, daß nur dieses eine gültig sei, niedergelegt. Un=
heimliche Tage folgen auf dem Gute Ganges. Der Abbé,
im Einverständnis mit dem Marquis, überredet sie, ein
zweites Testament zugunsten ihres Gemahls zu machen. Als
sie eines Tages krank liegt, bringen die beiden Schwäger zu
ihr und wollen sie zwingen, ein mit Gift gefülltes Glas zu
leeren. Sie muß den größten Teil trinken und springt durch
das Fenster auf den Hof. Ein Stallknecht trägt sie hinaus.
Die beiden Ungeheuer bringen ihr Wunden durch Degenstiche
bei. Der Marquis kommt schließlich in Gange an und sucht
mit erheuchelter Zärtlichkeit die Zurücknahme jener Testaments=
klausel zu erlangen. Sie weist das Ansinnen standhaft ab,
das ihr den Gemahl im Bunde mit ihren Mördern zeigt und
stirbt bald unter großen Schmerzen.

In bezug auf die anderen Titel der kleinen Liste, zu
denen keine weiteren Aufzeichnungen vorliegen, lassen sich bei
Pitaval nur vermutungsweise Beziehungen entdecken.

Eine der interessantesten Gruppen unter Schillers dra=
matischen Entwürfen bilden die Seestücke. Das große Ver=
zeichnis nennt nach der „Gräfin von S. Geran" „Die
Flibustiers", Schauspiel. Dann folgt „Bluthochzeit zu
Moskau" (Demetrius) und „Das Schiff". Von den vierzehn
geplanten Stücken, die Schiller auf einem der Blätter zu den
„Kindern des Hauses" notiert hat, heißt das zehnte „Das
Schiff", das dreizehnte „Seestück".

Alle diese Titel gehören demselben Stoffkreis an und
bedeuten Variationen desselben Themas. Es ist insofern der
„Polizei" verwandt, als Schiller auch hier zunächst die Um=
welt ins Auge faßt, in der das zukünftige, noch nicht er=
fundene Drama spielen soll. Dort war es der weite Ozean
der Pariser Gesellschaft, der ihn anzog, hier lockte ihn der
Reiz des wirklichen Ozeans, das kühne, gefahrvolle Leben der

Seeleute, seine befreiende Wirkung auf den Geist, die Ge=
legenheit, exotische Landschaften und ihre Bewohner auf die
Bühne zu bringen. Die Erfindung sucht also, wie bei der
„Polizei", in einen gegebenen. Rahmen ein Bild zu zeichnen.

Dieses Verfahren widerspricht nicht nur der Schaffensart
Schillers; es ist keinem Dichter angemessen, dem nicht die
äußerliche Befriedigung der Schaulust des Publikums als
wichtigste Aufgabe gilt. Trotzdem hat es Schiller immer
wieder gelockt, Bilder fremder Länder und weiter Meere zu
beseelen, die lockend vor seinem geistigen Auge aufstiegen.

Reisebeschreibungen las er von jeher gern. Es war
ihm, wie er am 27. November 1788 an Charlotte von
Lengefeld schrieb, immer ein unaussprechliches Vergnügen, sich
im möglichst kleinsten körperlichen Raume im Geiste auf der
großen Erde herumzutummeln. Als er am „Wallenstein"
arbeitete, las er zu Beginn des Jahres 1798, als Gesund=
heit und Stimmung versagten, Niebuhrs „Reisebeschreibung
nach Arabien" und Volneys „Reisen nach Syrien und
Ägypten in den Jahren 1783—85". Er schreibt darüber
den 26. Januar 1798 an Goethe: „Ich rate wirklich jedem,
der bei den jetzigen schlechten politischen Aspekten den Mut
verliert, eine solche Lektüre; denn erst so sieht man, welche
Wohltat es bei alledem ist, in Europa geboren zu sein. . . .
Ich hielte es wirklich für absolut unmöglich, den Stoff zu
einem epischen oder tragischen Gedichte in diesen Völkermassen
zu finden, oder einen solchen dahin zu verlegen." Aber als
er immer wieder von seinen Leiden so geplagt wurde, daß
er an das große Unternehmen der Wallensteintragödie nicht
einmal denken durfte, beschäftigte er sich mit dem Gedanken,
welchen Gebrauch der Poet von einem Stoffe, wie ihn die
Reisebeschreibungen boten, machen könnte und gelangte (an
Goethe, 13. Februar 1798) zu der Entscheidung, daß ein
Weltumsegler wie der große James Cook einen schönen
Stoff zu einem epischen Gedichte entweder selbst abgeben

oder doch herbeiführen könnte und suchte auch Goethe zu der
Behandlung eines solchen Themas zu veranlassen. „Wenn
ich mir aber", heißt es in demselben Briefe, „eben diesen
Stoff als zu einem Drama bestimmt denke, so erkenne ich
auf einmal die große Differenz beider Dichtungsarten. Da
inkommodiert mich die sinnliche Breite ebensosehr, als sie mich
dort anzog; das Physische erscheint nun bloß als ein Mittel,
um das Moralische herbeizuführen; es wird lästig durch seine
Bedeutung und den Anspruch, den es macht, und kurz der
ganze reiche Stoff dient nun bloß zu einem Veranlassungs=
mittel gewisser Situationen, die den innern Menschen ins
Spiel setzen."

Trotz dieser durchaus berechtigten Bedenken und trotzdem
Goethe erklärt hatte, er würde nie wagen, einen solchen
Gegenstand zu behandeln, weil ihm das unmittelbare An=
schauen fehle, hat Schiller doch mit der ihm eigenen zähen
Tatkraft das einmal ergriffene Thema festgehalten. Die Er=
oberung des Erdballs durch die Kultur und durch ihre Träger,
Krieg, Wissenschaft und Handel, im Kampf mit den stärksten
Naturgewalten, erschien ihm als ein erhabenes Schauspiel; in dem
Sieg europäischer Gesittung über die Barbarei wilder Völker
sah er den Geist über den Stoff triumphieren. Schon 1795
hatte er es ausgesprochen („Kolumbus"), daß die Natur mit
dem Genius in ewigem Bunde steht und vom Kaufmann
gerühmt: „Güter zu suchen, geht er, doch an sein Schiff
knüpfet das Gute sich an." Im Jahre 1801 entwarf er,
wohl für ein Gedicht, folgendes mythologische Bild: „Seine
Götter ruft der Meerkönig zusammen und beratschlagt mit
ihnen, wie sie gegen die menschliche Kunst ihre alte Götter=
freiheit behaupten wollen, weil die Mechanik ihnen über den
Kopf wachse. Alles Göttliche verschwindet aus der Welt,
und die alten Götter machen den Menschen Platz. Immer
hör' ich die Humanität rühmen, man will sie überall pflanzen,
und darüber wird alles Große und Göttliche ausgerottet.

Wie klein war die Welt des Odyssens, als die beiden
Äthiopien sie umschlossen! aber da war der Mensch noch groß,
und kräftig stand er da."

Eine andere flüchtige Niederschrift derselben Zeit, schon
metrisch gegliedert, geht von dem Freiheitssehnen aus, das
dem drückenden Zwange der alten Welt jenseits des Meeres
zu entrinnen sucht:

> Nach dem fernen Westen wollt' ich steuern
> Auf der Straße, die Kolumbus fand,
> Die Kolumb mit seinem Wanderschiffe
> An die alte Erde . . . . . . band.
> Dort vielleicht ist Freiheit
> Ach, dort ist sie nicht,
> Flieh!
> Liegt sie jenseits dem Atlantenmeere,
> Die Kolumb mit wandernder Galeere —

Der Träger und das Symbol aller sinnlichen und höheren
Motive des Themas erdumspannender Fahrten ist das Schiff.
Von ihm geht Schillers Erfindung aus, zu ihm kehrt sie immer
wieder zurück. Das Auge soll auf das weite Meer gerichtet,
zu fernen Küsten geleitet werden, zuerst zu einer selten be=
suchten Insel, etwa Isle de Bourbon, der heutigen Insel
Réunion im Indischen Ozean, dann denkt er vorübergehend
an einen indischen Hafen: Madras, Surinam, Timor.

In ähnliche Bereiche hatte nach Friedrich Ludwig
Schröders Dramatisierung des Stoffes der Gellertschen Fabel
„Inkle und Yariko" (nach George Colman) Kotzebue seine
dankbaren Zuschauer häufig hinausgeführt. Mit den „In=
dianern in England" nützte er zuerst den Gegensatz euro=
päischer Kulturverderbnis und erträumter harmloser Natür=
lichkeit „wilder" Völker zu pikanten Theaterwirkungen.
Dann war er mit der „Sonnenjungfrau" ebenso erfolgreich,
als er seine Theaterfiguren in peruanische Gewänder kleidete,
und kehrte auf denselben Boden noch einmal mit den

„Spaniern in Peru" 1795 zurück. Im folgenden Jahre
lieferte er das historisch-dramatische Gemälde „Die Neger-
sklaven", das auf der Insel Jamaika spielte, und 1798 das
Schauspiel „La Peyrouse". Der Held ist schiffbrüchig auf
einer unbewohnten Insel der Südsee von einer jungen
Polynesierin gerettet und beschützt worden. Nachdem sie neun
Jahre glücklich zusammen gelebt haben und einen achtjährigen
Sohn besitzen, kommt die erste Gattin La Peyrouses auf
die Insel und wird von der Nebenbuhlerin vor dem Tode
bewahrt. Edelmütig will sie nun freiwillig aus dem Leben
scheiden, damit ihre Retterin weiter in ungestörtem Glücke
lebe, aber La Peyrouse hindert sie daran und veranlaßt die
beiden Frauen, auf der Insel ein Paradies der Unschuld zu
gründen, in dem sie alle drei durch Geschwisterliebe vereint bleiben.

Auch mit diesem Stücke hat Kotzebue den Zeitgenossen
eine sehr willkommene Gabe dargebracht. Für Schiller
mochte die Beliebtheit der exotischen Schauspiele des geschickten Technikers den Weg andeuten, auf dem in höherer
künstlerischer Sphäre das gleiche Stoffbereich ihm selbst
fruchtbar werden könnte. Auch seine Erfindung für ein
Schauspiel „Das Schiff" geht davon aus, daß ein
junger Europäer, den er zuerst Eduard, dann Jenny nennt,
mehrere Jahre auf einer Insel zurückgehalten worden ist.
Ein Pflanzer (später ein Kaufmann) trägt ihm die Hand
seiner Tochter an, auf die er aber verzichtet, als er hört,
daß sie einen anderen liebt und mit diesem und den Schätzen
des Vaters, wie Shylocks Tochter Jessika, entfliehen will.
Eduard wird von einer Eingeborenen angebetet. Das Schicksal
aller entscheidet sich durch die Ankunft eines Schiffes. Es bringt
die in Europa zurückgelassene Geliebte Eduards und deren
Vater mit, und in ihrer Begleitung kehrt er nach Europa
zurück. Vorübergehend dachte Schiller auch daran, daß der
Kapitän des Schiffes von der Mannschaft gefangen sein und

Schillers Aufzeichnungen zum „Schiff“.

Verkleinerte Wiedergabe der im Schiller-Museum zu Marbach befindlichen Handschrift.

Die Handlung kann
[...] einer Insel, etwa
die Bourbon, oder einer
[...], [...] bequemen
[...] seyn.

Eduard hat [...]
[...] die [...]
[...] nach Europa geschickt
[...] und das [...]
[...] [...] [...],
[...] ist auf dem Punkt die
Hoffnung aufzugeben und
[...] ist auf der Insel zu
[...], wo ihm die Pflanze
[...] [...] aufträgt.

Diese Pflanze ist auch
in Europa [...] und durch
[...] [...] gekommen.
Ein [...]

das [...] kann so [...],
das schadet in [...] gefangen,
[...] des Schiffs [...]
[...] [...], [...] ihm
[...] Schiff [...], hält
und [...] die [...], statt
der [...], [...] auch
[...] zurückbleiben.

Ort der Handlung:
Madras in Bengalen.
Surinam
Timor.

[...] [...] [...]
[...]?

Diese dem Bogen angezündeten Schrift meiner Natur freundig nach Ihnen habe ich meinem geschätzten Freund Eduard Schüller zum Zeichen meiner besonderen Zuneigung hierin übernommen und bezeuge freundlich die Achtheit der Schrift meiner Natur.

Wien d. 9ten Juli 1833.

Ernst Schüller

durch Eduard befreit werden sollte. Und immer wieder rief er sich ins Gedächtnis zurück, daß das Hauptinteresse bei diesem Stücke der Schiffahrt, dem freien, wechselvollen Leben des Seemannes, den Reizen fremder Landschaften und wilder Völker zugewandt sein sollte. Zwischen dieser Absicht und den Einzelschicksalen, die in unsicher schwankender Erfindung, dürftig und konventionell vor ihm aufstiegen, bestand kein organischer Zusammenhang, und die Gefahr, in dem seichten Fahrwasser des bürgerlichen Rührstücks festzufahren, stand nur zu nahe vor Augen. Die Aufzeichnungen zum „Schiff", die hier als Beilage in getreuer Nachbildung wiedergegeben sind, lassen die daraus entsprungene Unsicherheit klar erkennen.

Das Schiff.

Die Aufgabe ist ein Drama, worin alle interessante Motive der Seereisen. der außereuropäischen Zustände und Sitten, der damit verknüpften Schicksale und Zufälle geschickt verbunden werden. Aufzufinden ist also ein Punctum saliens, [5] aus dem alle[1]) sich entwickeln, um welches sich alle natürlich anknüpfen lassen, ein Punkt also, wo sich Europa, Indien, Handel, Seefahrten, Schiff und Land, Wildheit und Kultur, Kunst und Natur usw. darstellen läßt. Auch die Schiffsdisziplin und Schiffsregierung, der Charakter des Seemanns, [10] des Kaufmanns, des Abenteurers, des Pflanzers, des Indianers, des Kreolen müssen bestimmt und lebhaft erscheinen.

Ein Europäer hat sich in Indien etabliert und durch Fleiß und Treue die Neigung seines Patrons in solchem Grade erworben, daß dieser ihn zu seinem Eidam erwählt[2]). [15]

---

[1]) Landen und Absegeln. Sturm. Seetreffen. Meuterei auf dem Schiff. Schiffjustiz. Begegnung zweier Schiffe. Scheiterndes Schiff. Ausgesetzte Mannschaft. Proviant. Wassereinnehmen. Handel. Seekarten, Kompaß, Längenuhr. Wilde Tiere, wilde Menschen.

[2]) England strickt ein Netz von Entdeckungsfahrten um den [20] Globus, womit es alle Meere umfängt.

Seine Tochter aber liebt schon einen andern, dem aber der Vater nicht hold ist.

An demselben Tag, wo der Kaufmann sich gegen den Europäer erklären will, langt ein europäischer Ostindienfahrer
5 auf der Reede an[1]).

Der junge Europäer hat in Europa etwas Geliebtes verlassen[2]), sein ganzes Herz ist dahin gewendet, er ist nie glücklich gewesen, seine einzige Freude sind Schiffe aus Europa, aus dem Land seiner Liebe, ankommen zu sehen[3]) und Nach=
10 richten zu empfangen. Auch heute treibt ihn diese Begierde, da er von dem Schiffe gehört, an das Ufer.

Auf dasselbe Schiff hat auch die Tochter des Kaufmanns ihr Absehen gerichtet, um mit ihrem Liebhaber nach Europa zu fliehen, weil sie den Vater nicht zu erweichen hofft[4]).
15 Gespräch zwischen der Tochter und dem jungen Jenny. Ihre Fragen nach Europa, seine wehmütige Schilderung der Heimat.

Tochter erklärt ihm ihren Entschluß.

Vater hat ihm zuvor den seinigen erklärt.

Jenny erhält aus Europa keine Nachrichten und ist sehr
20 traurig.

Er schlägt die Tochter des Kaufmanns aus.

Er will selbst nach Europa. ⸺

Ein Kapitän, der von einer rebellischen Mannschaft aus= gesetzt wird oder geworden ist[5]).

25   [1]) Das Schiff muß ein lebhaftes Interesse erregen; es ist das einzige Instrument des Zusammenhangs, es ist ein Symbol der europäischen Verbreitung der ganzen Schiffahrt und Welt= umseglung. Episode vom Schiffskapitän, Matrosen und Passagiers.
    [2]) Eine unglückliche, auf einem Irrtum beruhende Geschichte hat
30 ihn von Europa exiliert.
    [3]) Fremde Nationen erscheinen im Stück: Chinesen, Eingeborne, Mohren. Jenny ist allen teuer, er ist ein Engel der Unterdrückten.
    [4]) Sie versieht sich mit Juwelen und Gold. Eine gewisse Härte des Vaters und die Heftigkeit ihrer Liebe entschuldigt ihren Entschluß.
35 Der Liebhaber kämpft mit sich selbst, er verschmäht den Reichtum der Tochter,
    [5]) Ein wegen eines Mords nach Botanybay Geschaffter; sein junger Sohn teilt freiwillig sein Schicksal; dieser ist zum Jüngling herangewachsen.

Das Schiff, welches auf der Reede liegt, ist von der auf=
rührerischen Mannschaft in Besitz genommen. Vergebens hat
Eduard seine Hoffnung auf dieses Schiff gesetzt: er glaubt, jede
Aussicht sei ihm nun zur Rückkehr verloren, als sich alles aufs
freudigste für ihn entwickelt.   5

---

¹) Das Schiff, auf welches man alle Hoffnung setzt, kann
entweder untergehen, oder verschlagen werden, oder eine
Meuterei kann auf demselben ausbrechen. Gefangene auf dem
Schiff.
    Wie kommt es in dieses Gewässer?   10

    Die Handlung kann auf einer Insel, etwa Isle Bour-
bon oder einer ähnlich, selten besuchten Station sein²).
    Eduard³) hat mehrere Jahre vergebens die Wirkungen
seiner nach Europa geschickten Briefe und der Versprechung
eines Freundes erwartet; er ist auf dem Punkt, die Hoffnung · 15
aufzugeben, und sich auf der Insel zu binden, wo ihm der
Pflanzer seine Tochter anträgt.
    Dieser Pflanzer ist auch ein Europäer und durch Schick=
sale hieher gekommen.
    Seine Tochter   20

    Das Stück kann so endigen, daß Eduard in dem ge=
sangnen Hauptmann des Schiffs seinen Freund entdeckt, daß
er ihm sein Schiff wieder erobern hilft und daß die Auf=
rührer statt der vorigen Bewohner auf der Insel zurück=
bleiben.   25

---

    ¹) Die spurlose Bahn des Schiffs. Die Korallen. Die Seevögel.
Das Seegras. D
    ²) Gestrichen: Ort der Handlung: Madras in Bengalen. Suri=
nam. Timor.
    ³) Wie ist Eduard hieher gekommen?   30

Das Lokal des Landes, wo das Stück spielt. Eine Ein=
geborne liebt den Europäer und beweint ihn nach seiner
Abfahrt. Ein Weltumsegler. Ein Eingeborner, der ihn nach
Europa begleitet.

Jennys Patron wird für den Verlust seines Lieblings
durch etwas andres entschädigt.

Ein Wegsegeln und Dableiben muß zugleich vor=
kommen[1]). Beides hat etwas Trauriges, aber das Freudige
ist überwiegend.

Unter den Dableibenden ist ein Europäer, der sich mit
Freude und Hoffnung ansiedelt; oder einer, dem Europa
fremd war und der hier sein Vaterland findet. Er hat die
Schrecknisse der europäischen Sitten hassen gelernt und weil
er alles in Europa verloren, was ihm teuer war, so umfaßt
er mit Hoffnung das neue Vaterland.

Zwischen beiden steht der Seemann, der überall und
nirgends zu Hause ist und auf dem Meere wohnt.

Der sich expatriierende Europäer redet die fremde Erde
an; Jenny hat sich zuvor an das Meer gewendet.

Schiffe sind selten auf dieser Küste, nur ruhige Pflanzer,
nicht Kaufleute leben hier.

Es erscheint also im Stück: der Pflanzer, der anlandende
Kaufmann, der Seemann, der Inder, der Europäer, der
Halbeuropäer; außer diesen die Hauptpersonen[2]).

Was bringt das Schiff mit, um Jennys Schicksal zu
verändern? Entweder seinen Freund, oder seine Geliebte, oder
seine Zurückberufung, oder seinen Vater.

---

[1]) Es könnte so gefügt werden, daß die Person, die sich weg=
sehnt, bleibt, und die, welche zu bleiben gedachte, wegsegelt oder

[2]) Eduard, der junge Mann.
Jenny, seine Geliebte.
Löhr, Patron Eduards.
Olof, dessen Bruder, Jennys Vater.
Parsen, Kapitän des Schiffs,
Neger in Löhrs Diensten.
Wally, Löhrs Tochter.
Riouff, ihr Liebhaber.
Matrosen des Schiffs.

Ein entscheidendes Motiv, warum er nach Europa geht.
Darf die Revolution mit eingewebt werden?
Jennys Geliebte hat ihren Bruder oder Oheim be=
gleitet.
Ein reicher Kaufmann ist der Vater von seiner Geliebten. 5
Dieser ist ganz arm geworden, und hat sich deswegen aufs
Meer begeben, um außer Europa sein Glück zu verbessern.
Er ist's, der mit dem Schiff anlangt, er und seine Tochter
steigen allein ans Land, sein Bruder ist der Patron Jennys.

Die Aufzeichnungen zu dem ursprünglichen Seedrama
bezeugen, daß Schiller auf dem Wege freier Erfindung nicht
weiter kam. Er suchte deshalb dort Hilfe, wo sie für sein
dramatisches Schaffen am ergiebigsten floß, bei den Geschichts=
quellen, um, wie er an Körner schrieb, seine Ideen durch
die umgebenden Umstände strenger zu bestimmen und zu ver=
wirklichen. Unter allen kühnen, zur Phantasie sprechenden
Taten, deren Schauplatz die Meere und ihre Küsten gewesen
waren, durften als die kühnsten die Raubzüge der Flibu=
stier gelten. Der Abbé Raynal hatte sie 1770 in seiner be=
rühmten „Histoire philosophique et politique des établisse-
ments et du commerce des Européens dans les deux Indes“ geschildert, wozu Diderot das Beste beitrug. Das
Buch wurde in die meisten europäischen Sprachen übersetzt,
deutsch erschien es in Kempten 1783—87 in elf Bänden.
Die ausführliche Geschichte der Flibustier, die es enthält, be=
nutzte Hoff in seiner, von Schiller 1788 rezensierten „Historisch=
kritischen Enzyklopädie", Kotzebue zu der „Kurzen Geschichte
der Flibustier erzählt nach Raynal“ (im dritten Bande seiner
„Kleinen gesammelten Schriften“, Reval und Leipzig 1793,
S. 293 ff.), Archenholz, der Historiker des Siebenjährigen
Krieges, zu einer ähnlichen knappen Darstellung im zweiten
Bande seiner „Kleinen historischen Schriften“ (Berlin 1803),
die Schiller von ihm zum Geschenk erhielt.
Alle diese deutschen Erzählungen gingen also auf dieselbe

Schiller. IX. 19

Quelle zurück und stimmten deshalb in den Tatsachen und der Gesamtauffassung überein. Es läßt sich nicht feststellen, welche von ihnen Schiller benutzt hat und die wiederholten Erörterungen darüber in der wissenschaftlichen Literatur waren im Grunde genommen ergebnislos. Vielleicht darf man so= gar mit einiger Sicherheit behaupten, daß Schiller noch eine andere und mehr romanartige Schilderung der Flibustier gekannt und benutzt hat, denn die Seeräubernamen an der Spitze seiner Aufzeichnungen sind, bis auf einen, bei Raynal und seinen deutschen Nachfolgern nicht zu finden.

Auf der Schildkröteninsel bei St. Domingo hausten im letzten Viertel des siebzehnten Jahrhunderts die Flibustier oder Bukanier. Sie überfielen und brandschatzten die spa= nischen Kolonien, kaperten die Gold= und Silberflotten und blieben im Kampf mit vielfach überlegenen Gegnern dank ihrer totverachtenden Tapferkeit und dem Schrecken, der von ihnen lange Zeit ausging, Sieger, bis sie 1697 durch eine holländisch= englische Flotte vor Kartagena aufgerieben wurden. Dann wußten Engländer und Franzosen die Besten unter ihnen in geordnete Verhältnisse zu locken, und der in seiner Art einzige Bund löste sich auf.

Raynal und seine Nachfolger erzählen von den Flibu= stiern viele Taten, die ihren staunenswerten Mut, ihre Grau= samkeit und ihr strenges Rechtsgefühl bezeugen.

Aber auch hier bestätigt es sich, daß die interessante Anekdote, die heroische Gesinnung, die seltsame und spannende Situation noch nichts von dramatischer Lebenskraft in sich trägt. Eine kühne, unter eigenen Gesetzen außerhalb der Gesellschaftsordnung stehende Schar, wie die Räuber in Schil= lers Erstlingsdrama oder die Seeräuber, um die es sich hier handelt, konnte einer dramatischen Handlung erhöhte Energie verleihen; den eigentlichen, menschlich ergreifenden Inhalt empfing sie doch nur von Einzelschicksalen, in denen das äußre Geschehen, durch Charakteranlagen bedingt, sich vollendete. Weil die Berichte über die Flibustier dafür keine Hilfen darboten, mußte hier wieder die freie Erfindung des Dichters einsetzen. Der Ansatz dazu zeigt sich am Schlusse der kurzen Niederschrift. Wieder hat Schiller erkannt, daß er auf dem eingeschlagenen Wege nicht weiterkam, und auf die Fortsetzung verzichtet.

Die Flibustiers.

1.

Namen von Seeräubern. Philipps. Martel, Anna Bonni, Marie Read. Mönbars, Eisenarm, Jones.

Die schwarze Flagge (roter Tod auf derselben)   5
Auf der See geboren, in der See begraben.

Das Frauenzimmer ein Seeräuber.

Lotsen.

Teilung der Beute. Jeder muß schwören, daß er nichts beiseite gebracht.   10

Alles Gewonnene wird gleich verschwelgt. Ungeheure Verschwendung und größter Mangel wechseln schnell aufeinander.

Unmenschlichkeit der Flibüstiers, sie ist eine Folge ihrer Desperation, weil sie keine Gnade zu hoffen haben.

Einer von den Seeräubern fällt den Karaiben in die   15
Hände und wird gefressen.

Unsicherheit eines solchen Räuberchefs vor seiner eigenen Mannschaft.

Das Theater kann das Schiff selbst sein, es ist ein Kriegsschiff. — Man ist bald auf dem Verdeck, bald im   20
Raum, bald in der Cajute.

Das Boot auf dem Verdeck.

Der Schiffsgottesdienst.

Die Schiffsstraße.

Die Taufe unter der Linie.   25

Die Anstalten zu einem Seetreffen.

Das Entern.

Das Schiffsbegräbnis.

Wilde und ungeheure Naturen sind der Gegenstand, eine

19*

abgeschlossene Existenz unter eigenen strengen Notgesetzen, Gerechtigkeit, Gleichheit.

Unter diesen steckt ein edler und feiner Gefühle fähiger Mann, den seine Schicksale und Leidenschaften in dieses
5 Gewerbe geschleudert, der es im Grunde verabscheut, ohne sich losreißen zu können.

Ein weibliches Geschöpf steckt auch darunter, die als Mann verkleidet und einer der Tapfersten ist.

Das Charakteristische einer Schiffsverschwörung. Man
10 hat Mißtrauen gegen den Anführer, daß er die gemeine Sache verraten wolle.

Befehl des Anführers, mit brennender Lunte an der Pulverkammer zu warten.

Die Negern auf dem Schiff oder die Türkensklaven.

15 Trostloser Zustand auf dem Schiffe.

Matrose im Mastkorb entdeckt Land oder ein Schiff.

Ein Korsar Jones rettet eine Schöne aus der Gewalt seines wütenden Kameraden und imponiert diesem durch seinen Mut und Anstand. Er wird von der Liebe gerührt
20 und flößt Liebe ein. Diese Person ist von dem ersten Adel und findet Rächer. Man verfolgt den Korsaren, der sie weg=geraubt. Jones kommt in den Fall, das Korsarenschiff zu kommandieren, wenn es angegriffen wird.

Zwei heftige Leidenschaften, Haß und Liebe, beherrschen
25 den Korsaren.

Interessante Schilderung der Liebe, die sich durch Dienste und Attentionen äußert, ohne sich zu erklären. Die rohe Güte.

In der kürzeren Liste der dramatischen Pläne Schillers sind die „Flibustier" fortgefallen, und es erscheint darin außer dem „Schiff" neu „Das Seestück". Die Beschaffen=heit des Papiers der Niederschriften zu diesem Plan weist ihn, wie Kettner annimmt, dem Anfang des Jahres 1804 zu, der Zeit, wo Schiller vor dem Abschluß des „Wilhelm Tell" die Wahl des nächsten Stoffes erwog. Am 28. Januar 1804 schrieb er an Goethe, er habe die Mémoires von einem tüchtigen Seemann geleſen, die ihn im Mittelländiſchen und Indiſchen Meere herumgeführt hätten und in ihrer Art bedeutend genug ſeien. Vielleicht iſt dadurch Schiller von neuem zu dem alten Gedanken zurückgelenkt worden, ein Drama zu ſchreiben, das auf der hohen See und an fernen Geſtaden ſpielte. Indem er die alten, auf das „Schiff" und die „Flibuſtier" bezüglichen Papiere durchſah, unternahm er in dem „Seeſtück" den Verſuch, die verwendbaren Motive beider älteren Pläne zu kombinieren. Bei den „Flibuſtiern" hatte er daran gedacht, die Handlung ganz oder zum Teil auf dem Schiffe ſelbſt ſpielen zu laſſen, daran hielt er hier feſt, ebenſo an der Abſicht, das Korſarentum zu einem Haupthebel der Handlung zu machen, aber jetzt ohne beſtimmten hiſtoriſchen Hintergrund. Shakeſpeare oder die romantiſchen Dramen Tiecks regten wohl den Einfall an, den Oceanus als Zwiſchenredner auftreten zu laſſen. Neue Maſchineneffekte, die ſtarke Wirkung verſprachen, wurden notiert: ein Schiffsbrand auf offener See, ein Seegefecht und das Entern eines Schiffes durch einen Korſaren, ein Schiffer, der ſich in die Luft ſprengt, das allmähliche Aufſteigen der Küſte vor dem herannahenden Schiffe. Als Schiller die Handlung zu erfinden begann, benützte er das Motiv aus der Geſchichte der Flibuſtier, daß Monbars, der berühmteſte Führer, von einem unerbittlichen Haß gegen die Spanier beſeelt war.

Auch hier blieb es bei ganz primitiven Anſätzen. Ob Schiller ſpäter noch einmal, wenn ihm ein längeres Leben vergönnt geweſen wäre, auf ſie zurückgekommen wäre?

Das Seeſtück.

1.

Die Szene iſt in einem andern Weltteil, aber zwiſchen Europäern.

Es iſt eine Inſel oder eine Küſte, wo Schiffe anlanden. 5

Alles muß ſich in einem Tag begeben, die Nacht mit eingeſchloſſen.

Europäer, die in ihr Vaterland heimstreben.

Andre Europäer, die es verließen und das Glück unter einem andern Himmel aufsuchen. Ankommende und Abgehende, auch beständig Bleibende, die hier zu Hause sind.

5   Die unglückliche Liebe, die strafbare Tat, der Entschluß der Verzweiflung.

Europa und die Neue Welt stehen gegeneinander.

Ein Akt, der letzte, kann in Europa spielen, wenn vorher in einem Zwischenakt der Oceanus aufgetreten und diesen 10 ungeheuren Sprung launigt entschuldigt hat.

Chor der Matrosen, ein Schifflied.

Der Bootsmann und die Schiffregierung.

Alle Hauptmotive, die in diesem Stoffe liegen, müssen herbeigebracht werden.

15   Auch eine Meuterei auf dem Schiff.

Brand im Wasser.

Verlorener Anker.

Seebegräbnis.

Seegefecht, Seeraub.

20   Tauschhandel mit Wilden.

Geographische Entdeckungen. Mitreisende Gelehrte.

Transportierte Verbrecher.

Charakter eines großen Seemanns, der auf dem Meer 25 alt geworden, die Welt durchsegelt und alles erlebt hat.

Der Held des Stücks ein junger werdender Seeheld.

Das Schiff als eine Heimat, eine eigene Welt[1]).

Es geht einmal verloren.

Abschied des Seemanns von seinen Gefährten, oder doch sonst ein höchst rührender Abschied.

30   Eine rührende Ankunft.

Seelenverkäufer schaffen einen ordentlichen Menschen durch Zwang nach Indien.

Die neue Natur, Bäume, Luftton, Gebäude, Tiere, Kleidertrachten.

35   Das Prägnante kommt zu dem Prägnanten, eine wichtige Stellung der Dinge auf dem Schiff, eine ähnliche auf dem Lande.

---

[1]) Seine spurlose Bahn.

Matrosen fangen gleich einen Handel an, wenn sie gelandet.

Ein Schiff ist von seinem Gefährten getrennt worden und findet sich in demselben Hafen nun mit ihm wieder zusammen.

Notschüsse auf einem bedrängten Schiff.

Krieg in Europa macht Krieg in Indien, hier weiß man 5 noch nichts.

Szenen für die Augen, voll Handlung und Bewegung, auch neuer Gegenstände.

1. Regsames Gewühl eines Seehafens.
2. Matrosengesang. 10
3. Die neue Landschaft und Sitten.
4. Die Ankunft.
5. Der Abschied.
6. Die Flucht und Verbergung.
7. Der Streit. 15
8. Die Verzweiflung oder der Sklave.
9.

2.

Qualität des Schiffs — Ist's ein Kauffahrer, ein Korsar, ein Entdecker, ein Transportschiff? 20

Eine furchtbare Schar von Seeräubern, ihr Anführer ein ehemals edler Mensch, ihre strenge Justiz, rohe Güte.

Es erklärt sich ein Schiff für einen Seeräuber und steckt die schwarze Flagge auf. — Diese Handlung ist bedeutend und verhängnisvoll. Die schwarze Flagge kann von einem 25 Trauerflor genommen sein, den eine geliebte Person besaß.

Ein Schiffer sprengt sich in die Luft.

Der Korsar entert ein andres Schiff und macht sich davon Meister. Dieses geht auf der Szene vor.

Hinaufsteigen der Küste kann vorgestellt werden. 30

Entschluß des Korsaren mitten auf der See bekannt ge= macht. Er verändert seinen Lauf.

Passagiere auf dem Schiff in das ungeheure Schicksal verflochten.

Ein Befehlshaber wird ausgesetzt, wenn das Schiff 35 rebelliert hat.

Eine große Leidenschaft ist Ursache an dem Schritt des

Korsaren. Er hat seine Geliebte durch eine Ungerechtigkeit verloren, er ist bitter gekränkt durch die Gesetze und kündigt darum der gesellschaftlichen Einrichtung den unversöhnlichen Krieg an. Seine Natur ist durch dieses Unglück verändert, sein Herz erbittert.

Wütende Rachsucht gegen eine bestimmte Nation, gegen einen besondern Stand (die Mönche) und Neid gegen die ganze zivilisierte Gesellschaft beseelt ihn.

Oder er erwählt auch den Stand des Korsaren aus Notwendigkeit, weil er nicht mehr zu den Europäern zurück kann.

Die Handlung eröffnet sich mit einer Schiffsverschwörung. Ein Schiff ist nach Jamaika bestimmt.

Ein Teil der Manuschaft ist unzufrieden. Kühner An= führer beredet sie, sich des Schiffs zu bemächtigen.

Am Lande setzen sie den Kapitän und wer ihm sonst noch folgen will aus und segeln nun als Korsaren nach einem andern Weltteil.

————————

Nur der Titel, der in Schillers Kalender auf das „Schiff" folgt, bezeugt uns den Plan eines „Henri IV. oder Biron". Aus den Denkwürdigkeiten Sullys, die mit einer Vorrede Schillers in seiner „Sammlung historischer Memoires" er= schienen waren, kannte er die französische Geschichte aus den Zeiten der Liga, und sie schien ihm sehr reich an dramatischem Stoff. Heinrich IV. war einer seiner Lieblingscharaktere, und er meinte, man könne, jedenfalls mit ihm als Mittelpunkt, eine Folge von Stücken aufstellen, wie es Shakespeare in der englischen Geschichte getan. So berichtet Karoline von Wol= zogen in ihrer Schillerbiographie, im Anschluß an die Ent= stehung des „Wilhelm Tell", und in dieselbe Zeit mag Schillers Absicht fallen, die Verschwörung des Charles de Gon= taut, Herzog von Biron, gegen Heinrich IV. zu dramatisieren.

In die neueste französische Geschichte greift Schiller mit dem nächsten Titel der Liste „Charlotte Corday. Tragödie." Die heroische Tat der Mörderin Marats war

schon nach einem Jahre von Zschokke auf die Bühne gebracht
worden, 1796 hatte Renatus Leopold Freiherr von Sencken=
berg ein zweites Drama „Charlotte Corday" drucken lassen.
Schiller scheint von beiden Dichtungen nichts erfahren zu
haben, denn als 1804 die Hamburger Dichterin Engel
Christine Westfalen ebenfalls eine Tragödie dieses Namens,
in fünf Akten mit Chören, erscheinen ließ, schrieb er an
Goethe: „Endlich eine Charlotte Corday, die ich zwar mit
Zweifel und Bangigkeit in die Hand nehme, aber doch ist
die Neugier groß." Aus diesen Worten ist mit hoher Sicher=
heit zu schließen, daß die dramatische Behandlung des Stoffes
vorher von Schiller und Goethe erörtert worden ist, und daß
Schiller damals ernstlich daran dachte, selbst die vielbe=
wunderte Mörderin auf die Bühne zu bringen. Schwerlich
hätte er für diesen Stoff aus der Gegenwart den idealisie=
renden Stil seiner letzten vollendeten Dramen verwenden
können; er wäre wohl zu einer ähnlichen, dem bürgerlichen
Schauspiel nahestehenden Form gelangt, wie Goethe bei dem
verwandten Thema des „Mädchens von Oberkirch".

„Rudolf von Habsburg" und „Heinrich der
Löwe von Braunschweig", die beiden in dem großen
Verzeichnis folgenden Titel, sind seit dem „Wallenstein" die
ersten aus der Geschichte Deutschlands. Schon fünf Jahre,
ehe August Wilhelm Schlegel in seinen Wiener Vorlesungen
über dramatische Kunst und Literatur den deutschen Dichtern
die Pflege des national=historischen Schauspiels ans Herz
legte, hatte Iffland an Schiller am 28. Juli 1803 ge=
schrieben: „Sollte nicht die deutsche Geschichte aus der Zeit
der Reformation ein historisches Schauspiel liefern? Der
Vorgang mit dem Kurfürst von Sachsen, vor und nach der
Mühlberger Schlacht? Karl V., der wilde Hesse, Kardinal
Granvella? Die Gemahlin und Kinder des Kurfürsten? In
neuern Zeiten ist der große Kurfürst von Brandenburg ein
dramatischer Gegenstand." Schillers Antwort auf diesen Brief

fehlt, aber Iffland sagt in seinem nächsten Schreiben, nach=
dem er die Hoffnung auf „Warbeck" und „Tell" erwähnt
hat: „Ja, wenn Sie dann Heinrich den Löwen uns geben
wollten? Das wäre vortrefflich!"

Schiller hat demnach die Absicht, den großen Welfen=
herzog zum Helden eines Dramas zu machen, gegen Iffland
ausgesprochen, vielleicht, nachdem er durch diesen angeregt,
im Gebiete der deutschen Geschichte Umschau gehalten und
gleichzeitig als künftig zu erwägendes Thema auch „Rudolf
von Habsburg" notiert hatte.

Karoline von Wolzogen berichtet in ihrer Biographie
Schillers seinen Ausspruch, unsere deutsche Geschichte, obgleich
reich an großen Charakteren, wiche zu sehr auseinander, und
es sei schwer, sie in Hauptmomenten zu konzentrieren. Als
anziehender Charakter daraus erschien ihm Friedrich der
Schöne von Österreich, dessen Freundschaft mit dem frü=
heren Gegner, Ludwig dem Bayern, Schiller in dem Ge=
dicht „Deutsche Treue" 1795 gefeiert hatte.

Als er nach langem Schwanken zwischen „Warbeck"
und „Demetrius" sich im März 1804 für den „Demetrius"
entschieden hatte, trat ihm mitten in den Vorarbeiten dazu
ein neuer Stoff verlockend nahe. Er nannte ihn in dem
großen Verzeichnis „Der Graf von Königsmarck", in der
kleineren Liste „Herzogin von Celle". Der erste Name
besagt, daß der Stoff den Dichter zunächst als die Geschichte
der verbotenen Liebe eines Hofmannes zu einer fürstlichen
Frau anzog. Sehr bald jedoch mußte dieses Lieblingsthema
epischer und dramatischer Dichtung dem höheren Interesse
weichen, das die Geschichte der hochgeborenen Märtyrerin
in ihm erweckte. Jugendlicher und reiner als seine „Maria
Stuart" sucht sie vergebens aus unerträglicher, ihren Stolz
und ihre Frauenehre zerfleischender Umgebung zu entrinnen
und wird lebendig zu den Toten geworfen.

In derselben Art wie beim „Don Karlos", beim

„Warbeck" und einigen andern seiner dramatischen Pläne, konnte Schiller hier den historischen Stoff in der poetisch zurechtgestutzten Auffassung einer historischen Novelle be= nutzen. Es war die „Histoire secrette de la duchesse d'Hanover, épouse de Georges premier, roi de la Grande Bretagne. Les malheurs de cette infortunée princesse. Sa prison au chateau d'Ahlen ou elle a fini ses jours; ses intelligences secrettes avec le comte de Konigsmarck, assassiné a ce sujet. London, par la compagnie des libraires 1732."

Aus dieser, auch in deutscher Sprache mehrmals er= schienenen Darstellung leuchtete das Bild der Prinzessin, von keinem Zweifel an ihrer Unschuld verdunkelt, und ebenso sollte sie auch bei Schiller erscheinen, nachdem er sich am 12. Juli 1804 zu dem Drama entschlossen hatte. Damals kannte er noch nicht eine zweite, strenger historische Arbeit über die Prinzessin von Celle, den „Essai sur l'histoire de la princesse d'Ahlen", erschienen in den „Archives Litté= raires de l'Europe" 1804, Heft 8, S. 162 ff.

Als er im Oktober 1804 durch Cotta diese Zeitschrift erhielt und als die Übersetzung des Aufsatzes im November= heft der Archenholzschen „Minerva" zu erscheinen begann, war Schillers Neigung schon wieder im Begriff, zum „Deme= trius" zurückzukehren. Nur seine letzten Niederschriften und einige Korrekturen in den älteren bezeugen den Einfluß der zweiten Quelle. Von den historischen Daten brauchen, da Schiller nicht von ihnen ausging, nur die wichtigsten mit= geteilt zu werden. Sophie Dorothea, gewöhnlich Prinzessin von Ahlden genannt, geboren am 15. September 1666, war die einzige Tochter des Herzogs Georg Wilhelm zu Braun= schweig=Lüneburg=Celle und einer armen adligen Französin, der Eleonore d'Olbreuse, die der Herzog in Holland kennen gelernt hatte. Zehn Jahre nach der Geburt der Tochter machte der Herzog die Mutter zu seiner rechtmäßigen Ge=

mahlin, nachdem der Kaiser schon vorher Sophie Dorothea
für den Fall der Ehe mit einem fürstlichen Gatten den
Rang einer geborenen Herzogin zu Braunschweig=Lüneburg
verliehen hatte. Um seinem Hause die Erbschaft Georg Wil=
helms zu sichern, vermählte dessen Bruder, der Herzog Ernst
August von Hannover, am 2. Dezember 1682 seinen Sohn,
den Erbprinzen Georg Ludwig. mit der verachteten, uneben=
bürtigen Base, die durch ihre Schönheit und ihren Geist des
Thrones durchaus würdig war. Aus dieser, nur um äußerer
Vorteile willen geschlossenen Ehe entsprangen zwei Kinder,
der spätere König Georg der Zweite von England und
Sophie Dorothea, die erste Königin Preußens. Von seiner
Mutter Sophie hatte der Erbprinz Georg Ludwig die ver=
ächtliche Abneigung gegen seine Gemahlin geerbt. Er be=
handelte sie ohne Liebe und Achtung, beleidigte sie durch
öffentliche Bevorzugung seiner Maitressen und ließ sie ohne
Schutz vor dem unauslöschlichen Haß seiner Mutter. Die hilflose
junge Frau suchte ihre Zuflucht bei einem wüsten Abenteurer,
dem Grafen Philipp Christoph von Königsmarck, damals
Oberst in hannöverschen Diensten. Sie wollte mit ihm ent=
fliehen und wurde, als der Plan entdeckt war, verhaftet,
während Königsmarck am 1. Juli 1694 spurlos verschwand,
vermutlich gewaltsam aus dem Wege geräumt. Die Ehe der
Prinzessin schied ein zu diesem Zwecke gebildeter Gerichtshof,
und sie lebte von nun als Gefangene in dem einsamen
kleinen Schlosse Ahlden auf der Lüneburger Heide, ohne
jemals einen der Ihrigen, außer der Mutter, wiederzusehen.
Am 23. November 1726 ist sie dort gestorben, nachdem schon
längst die Legende ihr geheimnisvolles Schicksal umsponnen
hatte.

In diesem halbdunkeln Bereich zwischen Geschichte und
Sage hat Schiller besonders gern verweilt. Hier blieb ihm die un=
willkommene Mühe erspart, das Gerüst der Tatsachen auf=
zurichten und zugleich war ihm höhere Freiheit gegeben, die

einzelnen Glieder durch neue Verbindungsstücke fester zu ver=
ankern, Unbrauchbares auszuschalten, die psychologischen Fun=
damente seiner Neigung gemäß in den Felsengrund allgemeiner
Ideen einzusenken.

In der Tradition von der Prinzessin von Celle traten
Schiller manche altvertraute und erprobte dramatische Eigen=
schaften entgegen. Gleich dem „Don Karlos" (nach seiner
ersten Anlage) war sie ein Familiengemälde aus einem fürst=
lichen Hause, wie in der „Maria Stuart" fiel auch hier
eine zum Throne bestimmte Dulderin als Opfer der Selbst=
sucht ihrer Gegner, noch dazu, was Schiller für einen erheb=
lichen Vorteil erachtete, schuldlos, während die schottische
Königin erst im Tode von niederen Leidenschaften und aus
ihnen geborenen Verbrechen entsühnt werden mußte. Das
Problem des seit langer Zeit erwogenen „Warbeck" und des
„Demetrius", das Ringen des Unebenbürtigen um die An=
erkenntnis seiner Rechte, stellte sich hier in der reinsten Form
dar, weil die Prinzessin nicht nur den guten Glauben ihrer
unzweifelhaften Abkunft aus fürstlichem Geblüte besaß, sondern
auch durch Kaiser und Reich feierlich legitimiert worden war.

Einen weiteren Vorzug des Stoffes bedeutete die Um=
welt. Das Treiben eines machtlüsternen, frivolen deutschen
Hofes der Rokokozeit, mit glänzenden Maskenfesten, Assem=
bleen, Maitressenwirtschaft und Intrigen, konnte 1804 schon
als historische Folie einer zeitlos gedachten Idealgestalt ver=
wendet werden, die, ähnlich dem Liebespaar im „Wallen=
stein", den Untergang als Erlösung aus gemeinen, herzlosen
Verhältnissen empfand. Dagegen fehlt es, wie Schiller richtig
fühlt, der Novelle, von der seine Erfindung ausgeht, an
einem prägnanten dramatischen Moment, überhaupt an
äußerer Handlung, und bei derjenigen Auffassung des Cha=
rakters der Prinzessin, die Schiller als unbedingt notwendig
ansieht (s. S. 312, Z. 69), an einem starken inneren Kon=
flikt; denn, daß sie für Glanz und Größe nicht unempfind=

lich ist, tritt neben den andern beherrschenden Eigenschaften
ihres Wesens zurück, die alle nur zur Behauptung ihrer ein=
heitlichen, in sich festen Charakteranlage beitragen. Die Er=
eignisse sind an sich wohl geeignet, diese duldend zu be=
währen, aber sie bieten nicht jene reiche Fülle des Geschehens,
die Schiller liebte und von der er sich nur durch theoretische
Erwägungen eine Zeitlang zu dem Streben nach möglichster
Simplifikation der Handlung hatte ablenken lassen. Deshalb
wäre es schwerlich zur Ausführung dieses Dramas gekommen,
wenn auch, wie gewöhnlich bei den Plänen der letzten Jahre,
die Rollenbesetzung für Weimar und Berlin schon ent=
worfen war.

Die Prinzessin von Celle.

I. Entwicklung des Plans.

1.

5 [1]) Da es dieser Geschichte an einem prägnanten drama=
tischen Momente und überhaupt an sogenannten äußern Hand=

---

[1]) Dramatische Szenen wären:
Der anscheinende Triumph der Prinzessin.
Ihre Szene mit dem Kurprinzen und erlittene Mißhandlung.
Vergeblicher Versuch auf das Herz ihres Vaters.
10 Rührende Szene mit ihrer Mutter.
Königsmarcks leidenschaftliche Aufwallung.
Königsmarcks letzte Szene, wo er ihr seine Liebe zeigt.
Szene nach dessen Ermordung und Arrestation der Prinzessin.
Szene des Herzogs mit der Herzogin, wo es nahe zu einem
15 Bruch kommt.
Kurfürstin und Prinzessin erklären sich über Fürstenehen.
Erwachende Neigung des Kurprinzen zu seiner Gemahlin.
Erweckte Eifersucht desselben.
Zurückkunft des Kurprinzen.
20 Eine Cour oder kleinere Assemblee, den Abend vorher ehe
Königsmarck die geheime Zusammenkunft mit der Prinzessin hat.
In dieser Gesellschaft fragen ihn ihre Augen, ob alles zu ihrer
Flucht veranstaltet.

lungen fehlt, so sind diese zu suchen und aus dem Stoffe
herauszuwickeln.

Vor allen Dingen muß die Handlung prägnant und so
beschaffen sein, daß die Erwartung in hohem Grade gespannt
und bis ans Ende immer in Atem gehalten wird. Es muß　5
eine aufbrechende Knospe sein, und alles, was geschieht, muß
sich aus dem Gegebenen notwendig und ungezwungen ent=
wickeln.

Daher müssen alle Partien in höchster Einheit ver=
schlungen sein und alle bewegenden Kräfte auf einen einzigen　10
Punkt hindrücken.

Alles steht in Korrelation.

Die königliche Hoffnung und die niedrige Abkunft der
Prinzessin.

Die zwei fürstliche Gattinnen, nämlich die Herzoginnen.　15

Die zwei Maitressen.

Der blühende Königsmarck und der alte Herzog.

Der feurige Freund und der kaltsinnige brutale Gatte.

†††† Prinzessin	Jagemann †	Fleck	
††† Königsmarck	Oels	Bethmann	20
†† Kurfürstin	Teller †	Meiern	
†† Herzogin	Becker †	Böhm	
†† Herzog	Malcolmi	Labes	
†† Erbprinz	Cordemann	Beschort	
† Kurfürst	Graff	Böhm	25
† Fr. v. Platen			
† H. v. Platen	Heide †		
† Fr. Moltke	Silie †		

2.

Die Handlung besteht also darin, daß die Prinzessin　30
mit einer lebhaften Natur und zur duldenden Resignation
weniger fähig[1]), anfangs 1. gegen ein drückendes Verhältnis

---

[1]) Ihr Unglück und ihr Fehler ist, sich entweder nicht mit ge=
meiner Klugheit der Verhältnisse Meister machen oder nicht mit ge=
meiner Passivität und Ergebung darein schicken zu können.　　35

Eins von beiden würde jede gemeine Weltnatur gewählt haben,
aber ihr Gemüt ist nicht von dieser Art. Sie hat im väterlichen

strebt, und da sie umsonst versucht, einen lieblosen Gemahl zurückzuführen, weil er selbst gemein zum Gemeinen hingezogen wird, da sie gerade durch ihren Widerstand dagegen ihr Ver= hältnis nur mehr verschlimmert, 2. es zu zerreißen und in
5 die väterlichen Arme zurückzukehren sucht, welches wieder mißlingt und durch die Maßregeln kleinlicher Politik vereitelt wird, so daß sie 3. einen gewaltsamen Entschluß ergreift.

Der Fürstenstolz des Kurprinzen kehrt sich auch einmal gegen seine Maitresse, und er sagt ihr einige harte Dinge,
10 indem er sie neben seiner Gemahlin herabsetzt[1]).

Aber er kann sich darum doch aus dem Netz der Buhlerin nicht loswickeln, weil sie seine ganze Schwäche kennt und zu benutzen weiß. Sein beharrlicher Charakter ist für sie bloß die augenblickliche edle Anwandlung gegen sie. Hingegen ist
15 bei der Prinzessin der beharrliche Charakter edel und nur die augenblickliche Anwandlung zuweilen weibliche und menschliche Schwäche.

Interessant ist die anfangende Neigung des Prinzen zu seiner Gemahlin, von der sie nichts ahndet. Er verliert das
20 schöne Glück, dessen er nicht wert ist und fällt zu der Buhlerin zurück, was er wert ist.

Die Katastrophe muß das Gefühl des Unherstellbaren geben. Entschiedene Verachtung der Prinzessin gegen ihren Gemahl[2]).

Haus die Behandlung eines geliebten einzigen Kindes erfahren, sie
25 war die Liebe der Menschen.

Kurz, sowohl ihre schöne edle Natur widerstrebt diesem Zu= stand, als auch ihre verzeihliche Eigenliebe und ihr Stolz können sich nicht leidend darein ergeben. Dazu kommt, daß eine beredte Zunge, die ihrer Hofdame und noch mehr die ihres Freundes, ihren Un=
30 willen schüren.

Sie muß aber auch etwas zu erleiden haben, was sich schwer ertragen läßt.

[1]) Indem die Maitresse des Kurprinzen von ihm beleidigt ist, ist die Buhlerin des Kurfürsten von dem Königsmarck beleidigt worden.
35 Davon, daß beide Schwestern sich in Vater und Sohn teilen, ist auszugehen. Sie werden dadurch unüberwindlich.

[2]) Er hat eine Krone gewonnen, aber er hat ein edles Herz verloren. Entweder bin ich seiner nicht wert oder er nicht meiner.

3.

Damit die Geschichte rasch zu einer Katastrophe sich ab=
rolle, muß gleich anfangs ein lebhafter Stoß hineingebracht
werden, es muß alles gleich so anfangen, daß eine Krise
erwartet wird.

Gleich die erste Szene muß leidenschaftlich und entweder
selbst Tat oder doch unmittelbare Wirkung davon sein[1]). Das
schlimme Verhältnis der Ehegatten exponiert sich schnell, aber
zugleich müssen sich mehrere andre Verhältnisse exponieren,
daß man in ein rasches und reiches Leben sogleich versetzt wird.

Politische Vergrößerungsplane[2]) der einen Partei und
auf der andern der Familienverdruß. Kurfürstin hat beide
sur le bras[3]).

Sind die Eltern aus Celle schon in Hannover oder kommen
sie erst an, während des Stücks?

Indem die Hannöverischen ihr Haus zu erheben be=
schäftigt sind, strebt die Prinzessin hinweg, weil sie es nicht
mehr darin ertragen kann[4]). Die Eltern aus Celle, besonders
der Vater, freuen sich der künftigen Erhebung ihrer Tochter
und zu ihrem Erstaunen und Schmerz will sie ins väterliche
Haus zurück.

[5])Prinzessin will anfangs ihren Eltern nicht die Confidence
machen, sondern ihren Verdruß allein tragen, aber es wird
zu arg und ihre Empfindlichkeit ist stärker als ihr Entschluß

---

[1]) Königsmark kommt erst im Verlauf des Stücks zu der Hand=
lung hinzu, und bleibt dann bis zu seinem Tod.
Prinz Georg ist anfangs da und zuletzt abwesend.
Ganz am Schluß, nach Königsmarks Tod, kommt er zurück.
[2]) Die Kurfürstenwürde und die englische Sukzession.
[3]) Die Kurfürstin hat noch anderen Kummer.
[4]) Warum kann sie es nicht mehr ertragen? Wegen
    1. der Kälte ihres Gemahls,
    2. der Impertinenz der Buhlerinnen,
    3. der stolzen Zurückhaltung der Kurfürstin,
    4.
[5]) Die Gräfin Platen bietet der Prinzessin etwas ganz Uner=
trägliches.

Schiller IX. 20

zu schweigen. Noch in Anwesenheit der Eltern erfährt sie eine ihr unerträgliche Begegnung.

II. Skizze der dramatischen Handlung.

4.

Die Prinzessin von Celle.

Der Herzog von Hannover	Ernst August.
Der Erbprinz	Georg.
Die Herzogin von Hannover	Sophia.
Die Erbprinzessin	Sophia Dorothea.
Der Herzog von Celle	Georg Wilhelm
Die Herzogin von Celle	Madam d'Olbreuse[1]).
Der Graf von Königsmark.	
Der Graf von Platen.	
Die Gräfin von Platen.	
Die Baronesse von Moltke.	
Die Gräfin von Wick.	

Nachricht von der Eröffnung der englischen Thronfolge macht das Haus Hannover schwindeln.

Versuch der Prinzessin[2]), ihren Gemahl zu gewinnen, schlägt fehl.

Eine zweite Hoffnung bleibt ihr, sich von ihm zu trennen und ihren Eltern in die Arme zu werfen, schlägt fehl.

Ihre letzte Ressource ist endlich, mit Hülfe des Grafen von Königsmark in ein Kloster in *** zu fliehen, schlägt auch fehl, weil sie in ihn, als ihren einzigen Freund ge=

[1]) Gräfin Platen und Kurfürst.
  Kurfürstin und Herzog.
  Herzog und Herzogin.
  Kurprinz und Gräfin Platen.

[2]) Szenen der Kurprinzeß:

1. Mit dem Kurprinzen *.	7. Mit demselben *.
2. Mit der Kurfürstin *.	8. Mit der Baronesse.
3. Mit ihrem Vater *.	9. Mit derselben.
4. Mit ihrer Mutter *.	10. Mit Graf Platen.
5. Mit Königsmark *.	11. Mit dem Kurfürsten.
6. Mit demselben.	12.

zwungen ist, ein Mißtrauen zu setzen[1]). Aber nicht genug, daß sie[2]) sich in ihrer Hoffnung getäuscht sieht, dieser Schritt, den sie in aller Unschuld gegen Königsmark getan, stellt sie dem Schein der Schuld bloß und führt einen unglückseligen Eclat herbei, der ihren Ruf vor der Welt zugrund richtet. 5

Sophia von Cleve, eine edle Natur, ist, eigennützigen Absichten zu Gefallen, mit einem herzlosen Fürsten und einer stolzen seelenlosen Fürstenfamilie zusammengeknüpft worden, wo man sie ganz verkennt, geringschätzt und unerträglich vernachlässigt. Um ihre Erbschaft des Herzogtums Celle, nicht 10 um ihre Person war es zu tun; man sieht auf sie als auf eine Noturiere herunter und möchte sich ihrer lieber gar schämen, da man auf seinen alten Fürstenadel dumm stolz ist, und königliche Hoffnung auf die Englische Krone richtet[3]).

Von den Hauptpersonen verachtet, sieht sie sich verlassen 15 von den Höflingen und insultiert von den frechen Buhlerinnen ihres Gemahls und ihres Schwiegervaters. Sie kennt ihre Pflichten und ob sie gleich ihren Gemahl nicht aus Liebe wählte, so ist es ihr doch ein Ernst, ihm zu leben und den Namen seiner Gattin im ganzen Umfang zu verdienen. Sie 20

Die rührende Situation ist, daß sie sich mit einem gewissen Feuer von Vertrauen und Freundschaft an den Grafen Königsmark anschließt, der sie liebt und ihrer nicht wert ist — daß sie, in größter Unschuld, sich dem schwersten Verdacht mit ihm aussetzt und der unwiderleglichste Anschein von Schuld 25 auf sie fällt, indem sie rein ist wie die Unschuld.

---

[1]) Szenen Königsmarks:
    1. Mit der Gräfin Platen.
    2. Mit dem Kurprinzen.
    3. Mit der Baroneß. 30
    4.
    5. 6. 7. Mit der Prinzessin.

[2]) Sie ist also ganz hülflos und ihr Schicksal wird vollends tragisch, daß das Mittel, welches sie zu ihrer Rettung erwählt, zu ihrem Untergang ausschlägt. 35

[3]) Welche gerade in dem Moment der Handlung ratifiziert worden.

20*

Den Kurprinz inkommodieren ihre Ansprüche auf sein Herz. Er meint, sie habe genug, daß sie seine Hand und seine Würde besitze. Er hat sie ohne Neigung geheuratet.

Nachher aber wirft er sich doch sein hartes Betragen vor
5 und glaubt, ihr zuviel getan zu haben[1]). Diese Stimmung ist ihren Feinden, der Familie Platen, gefährlich und sie müssen alles anwenden, um eine Versöhnung unmöglich zu machen. Jetzt bedienen sie sich des Motivs der Eifersucht, denn da er anfängt, eine gewisse Neigung für die Prinzessin zu fühlen,
10 so ist er auch der Eifersucht desto fähiger.

Wehmut der Prinzessin, wenn sie ihre Eltern fort=reisen sieht.

Jetzt ist sie ganz ihren Feinden preisgegeben und muß ihren Hohn, ihren Triumph erfahren[2]).

15 Erst nach der Abreise ihrer Eltern hat sie den Auftritt mit ihrem Gemahl. Sie will noch einen Versuch machen, ihn zu gewinnen, aber sie wählt einen bösen Augenblick[3]).

---

[1]) Nach der Mißhandlung, die sie von dem Kurprinz erfahren, ist ihr Herz ganz von ihm abgewendet. Aber gerade jetzt fängt das
20 seinige an, sich ihr zuzuwenden. Die Scham, das Mitleid, die Reue tun diese Wirkung. Doch da sie weit entfernt ist, dies zu ahnden, so benutzt sie diesen Moment nicht und ihre Feindinnen haben Zeit, ihn fruchtlos zu machen.

Auch die junge Prinzeß kann dazu dienen, den Vater zu
25 rühren.

[2]) Maitresse des Prinzen Georg ist weniger tätig, nicht sie ist's, welche von der Prinzessin am meisten gehaßt wird.

Prinz Georg ist abwesend, wenn K. ermordet wird.

[3]) Eine Szene, wo jemand versteckt ist und anhört, was ein
30 andrer sagt.

Eine Szene, zu welcher jemand kommt und die letzten Worte hört.

Ein Zweikampf.

In Hannover ist um diese Zeit eine Konspiration.

Hannover ist noch kein Kurfürstentum.

35 Merkmale eines ungnädigen Empfanges.

Kann und darf eine Nebenhandlung eingemischt werden, und wenn dieses ist, soll sich die Haupthandlung zu ihr groß oder klein verhalten?

Prinzessin hat einen großen Skrupel über die nächtliche Zusammenkunft, die sie dem Königsmark bewilligt. Geschichte mit dem nachgemachten Billett. NB. Königsmark will die Prinzessin bewegen, noch in der nämlichen Nacht sich zu flüchten. Seine heftige Leidenschaft schreckt sie und die Binde fällt ihr von den Augen.

5.

Königsmarks erster Auftritt muß aufs höchste prägnant und dramatisch sein. Er ist eine chevalereske, großmütige und feurige Natur, der sich aber doch zu sehr in seiner Rolle ge= fällt[1]), und der zum bloßen Freund und Helden zu zärtlich, auch zu eitel ist.

Er tritt später in die Handlung ein, wenn die Eltern aus Celle schon weg sind, wenn die Prinzeß schon den ver= geblichen Versuch auf ihren Gemahl gemacht hat[2]), kurz wenn sie das höchste Bedürfnis eines Freundes empfindet.

Prinzeß zeigt das mutige Streben eines freien Charakters gegen Borniertheit und Gemeinheit.

Prinzessin stellt dar eine edle Natur, welche gemeinen Verhältnissen und Absichten aufgeopfert worden, sich mit allen Waffen der Unschuld und Natur dagegen vergebens wehrt, und

Vorzüglich ist auf eine dramatischere Katastrophe und einen echt tragischen Ausgang zu denken, wo Unglück und Größe vereinigt sind. Die schlechten Menschen triumphieren, aber Unschuld und Seelenadel bleiben doch ein absolutes

---

[1]) Unfähigkeit des Ritters, seine Freundin durch Mut zu befreien.

[2]) Stationen also sind:
1. Der Vater.
2. Die Mutter.
3. Der Prinz.
4. Der Herzog.
5. Die Herzogin.
6. Die Maitresse.
7. Königsmark.

Gut. Das Edle siegt, auch unterliegend, über das Gemeine und Schlechte.

Die höchste Verlassenheit und Einsamkeit der Prinzessin, die nun nichts mehr hat als das Bewußtsein ihrer Unschuld und die Würde der Tugend.

6.

Die Volksliebe zu der Prinzessin wird auf eine mutige und rührende Art laut, bei ihrem Unglück.

Sie hat noch einen standhaften Willen in ihrem letzten Abschied, den sie durchsetzt.

[1]Von der Arretierung der Prinzessin an bis zum Schluß des Stücks verstreicht noch einige Zeit.

Trennung von der Baronesse, von ihrem Kind soll sie nicht mehr Abschied nehmen, Trennung von ihrer Dienerschaft, welche sie beschenkt — Frohe Trennung von den verhaßten Mauern.

Ein Porträt, welches sie zurückläßt. Es ist von ihrer Mutter.

Wenn die Tat geschehen, in derselben Nacht kann der Kurprinz zurückkehren. Er ist unwillig über den Eklat der Sache; aber jene Kaltsinnigkeit und Gravität, die ihn als Mensch und Gatte Mangel an Empfindung zeigen ließ, hat nun auch wieder das Gute, daß sie ihn das Gewaltsame verabscheuen lehrt.

Doch will er seine unglückliche Gemahlin nicht mehr sehen, er willigt in ihre Einsperrung, denn er hält sie für schuldig, wenigstens einer zu großen Begünstigung des Grafen. Diesen haßt er.

Es ist ein Charakterzug der Herzogin von Hannover, daß sie ihre Schwiegertochter verachtet und ihr doch mit einiger Zartheit begegnet.

Dieses tut sie aus Achtung gegen sich selbst, aus einer gewissen vornehmen Gesinnung, auch aus Mitleiden.

Zuweilen will auch die junge Prinzessin ein Herz zu ihr

---

[1] Ungewißheit über Königsmarks Schicksal. Georgs Zurückkunft nach Hannover.

faffen, aber dann findet sie die Herzogin immer kalt und ver=
schlossen und ihr aufwallendes Vertrauen sinkt sogleich wieder.

Herzogin von Celle antwortet ihrer Tochter (welche sagte,
daß sie, die Herzogin, doch durch Liebe sei beglückt worden,
daß ihr Mann ihr den Fürstenhut zu Füßen gelegt habe), sie 5
sehe an ihrem Beispiel, daß Heiraten der Liebe doch nicht
glücklich enden, daß sie, die Herzogin, jetzt eine ganz andere
Begegnung von ihrem Gemahl erfahre — Dulden sei des
Weibes Los, es sei doppelt das Los der Fürstentöchter[1]).

III. Ausführlicher Entwurf. 10

7.

Das Haus Hannover ist im Emporstreben, es hat Hoff=
nung auf die Thronfolge in England, und in Deutschland
geht es der Kurfürstenwürde mit starken Schritten entgegen.
Dazu bedarf es aber der Vergrößerung, und es kommt doppelt 15
darauf an, alle Besitzungen des Hauses Hannover und Celle[2])
zu vereinigen.

Die Herzogin betreibt die englische Sukzession, der Herzog,
ihr Gemahl, das Kurfürstentum[3]).

---

[1]) Charaktere also sind: 20
  1. Die Prinzessin. 12.
  2. Der Graf. 6.
  3. Die Herzogin von Hannover. 5.
  4. Die Gräfin Platen. 4.
  5. Der Prinz. 5.   c. 25
  6. Der Herzog von Hannover. 3.
  7. Der Herzog von Celle. 3.
  8. Die Herzogin von Celle. 2.
  9. Graf Platen. 3.
  10. Fräulein von Moltke. 5. 30
  11. Prinz Max.
  12. Gräfin Wick.

[2]) Welche zu trennen von andern gearbeitet wird.

[3]) Die Maitressen betreiben ihre Angelegenheiten, Prinz Georg
jagt und alles ist in Bewegung, während daß die deserierte Prinzessin 35
sich abhärmt.

Prinzeſſin Sophia iſt aus politiſchen Abſichten in dieſes ſtolze Fürſtenhaus hineingeworfen, dem ſie gleichgültig iſt, und nur als ein notwendiges Übel aufgenommen worden.

8.

5   Ideen
zu einem Trauerſpiel:

Die Herzogin von Celle.

Aus dieſem Stoff kann eine Tragödie werden, wenn der Charakter der Prinzeſſin vollkommen rein erhalten wird und 10 kein Liebesverſtändnis zwiſchen ihr und Königsmark ſtattfindet.

Das tragiſche Intereſſe gründet ſich auf die peinliche Lage der Prinzeſſin im Hauſe ihres Gemahls und am Hof ihrer Schwiegereltern. Mit einem Herzen, welches Liebe fodert und im Hauſe ihrer Eltern einer zärtlichen Behandlung ge= 15 wohnt, iſt ſie an dem Hof zu Hannover unter Menſchen ge= kommen, welche für nichts Sinn haben als für ihre Fürſt= lichkeit und für die Vergrößerung ihres Hauſes. Als die Tochter einer bloßen Adeligen (denn ihre Mutter war nicht fürſtlichen Geblüts) wird ſie an dem ſtolzen Hof zu Hannover 20 mit Verachtung angeſehen. Ihr Gemahl hat ſie nicht ſelbſt, viel weniger aus Liebe gewählt; bloß um die Erbſchaft des Herzogtums Celle ſich nicht entgehen zu laſſen, hat die Kur= fürſtin ihre Abneigung gegen ein ſolches Mißbündnis über= wunden und die Prinzeſſin ihrem Sohn zur Gemahlin gegeben. 25 Für ihre Perſon iſt ſie alſo unwillkommen in dieſem Fürſten= haus, ihrem Gemahle, der ſie nicht gewählt hat und der ſchon in der Gewalt einer Maitreſſe iſt, iſt ſie gleichgültig und wird ihm bald durch ihre Empfindlichkeit läſtig.

Die Prinzeſſin iſt in einer Lage, worin viele ihres 30 Standes ſich befinden. Es blieb ihr alſo eins von dieſen beiden zu tun:

Die zurückgeſetzte Gemahlin, die beleidigte Frau, die gereizte Fürſtin ſtellen ſich in der Prinzeſſin dar.

Gräfin Platen muß eine Urſache haben, der Prinzeß übel mitzu= 35 ſpielen, ſie muß von ihr beleidigt ſein.

Entweder sich mit Klugheit der Verhältnisse Meister zu machen, in denen sie einmal ist, und folglich jene Menschen nach ihrer Weise zu beherrschen

Oder wenn sie dazu nicht den Charakter hatte, sich mit der gewöhnlichen Passivität und Ergebung in diesen Zustand 5 zu resignieren. Eins von beiden würde jede gemeine Welt= natur gewählt haben, aber für das erste denkt sie zu stolz und zu edel, und für das zweite ist sie zu lebhaft. Sie hat im väterlichen Haus die Behandlung eines geliebten einzigen Kindes erfahren, sie ist sich ihrer Vorzüge bewußt, und die 10 Vernachlässigung, die sie erfährt, kränkt sie aufs tiefste. Und eben, weil sie eine edle Natur ist, so verschmäht sie es, sich zu der Armseligkeit der Menschen, mit denen sie zu tun hat, herabzulassen, sie pocht auf ihr Recht, sie hüllt sich bloß in ihre Unschuld und natürliche Würde, wofür jene keinen Sinn 15 haben. Ihr lebhafter Verstand läßt ihr die Gemeinheit um sich herum lebhaft fühlen, und sie schont sie nicht, dadurch aber bringt sie nur Haß und Erbitterung hervor.

Sophie ist eine edle Natur, in gemeine, kleinliche, herz= lose Verhältnisse geworfen. Sie würde das Glück eines edeln 20 Mannes gemacht haben, aber das Schicksal hat sie zur Gattin eines gemeinen Alltagsmenschen gemacht, der für ihren Wert keinen Sinn hat, der in den Schlingen einer schlechten Person ist, dem jede schöne freie Menschlichkeit fremd ist.

Ihr erster Gedanke ist, da sie es an dem Hof zu 25 Hannover nicht mehr ertragen kann, sich in die Arme ihrer Eltern zu werfen. —

Diese befinden sich eben auf einem Besuch zu Hannover, wo die politische Vergrößerung dieses Hauses soeben alle Gemüter beschäftigt. Denn der Kaiser hat dem Herzog die 30 Kurwürde zugesagt und in England hat man die Herzogin von Hannover zur Sukzession in diesem Königreich berufen. Beide Ereignisse werden als höchst erfreulich gefeiert, und ein glänzendes Hoffest ist deshalb veranstaltet. Aber selbst dieses fröhliche Familienereignis führt eine Kränkung der Prinzessin 35 herbei. Denn die Herzogin von Hannover, ganz von könig= lichen Hoffnungen trunken, macht ihr ein Verbrechen aus ihrer

Gleichgültigkeit und läßt ihr fühlen, daß sie sie des sie er=
wartenden Glücks für unwürdig halte, und wirft einen be=
leidigenden Seitenblick auf ihre Geburt. Sophia fühlt bei
dieser öffentlichen Freude nur ihr häusliches Unglück, denn
5 eben jetzt ist ihr von ihrem Gemahl und seiner Maitresse eine
empfindliche Kränkung widerfahren.

Eben jetzt also, wo ihr die schönsten Hoffnungen zu blühen
scheinen, wo das Haus Hannover dem höchsten Glanz entgegen=
geht, überrascht sie ihre Eltern mit der unerwarteten Bitte,
10 sie wieder bei sich aufzunehmen. Dieser Widerspruch ihres
Zustandes mit dem öffentlichen gibt eine tragische Situation:
verlassen will sie dieses Haus gerade in dem Momente, wo
es das höchste Glück scheint ihm anzugehören, und ohne daß
sie für Glanz und Größe unempfindlich wäre.

15 Ihrem Vater tut sie zuerst dieses Geständnis, und wie
sie ihn unbeweglich findet, dann bestürmt sie das mütterliche Herz.

Aber ihre Mutter hat sich vergebens ihrer bei dem Vater
angenommen. Der Herzog von Celle steht unter der höhern
Influenz der Kurfürstin und ist selbst gegen seine Gemahlin
20 diesmal streng und hart. Mutter und Tochter vermischen ihre
Tränen und die Prinzessin muß . ihre Eltern abreisen sehen.

Wenn diese weg sind und die Feinde der Prinzessin über
sie zu triumphieren glauben, so rafft sie sich zu einem edeln
Entschluß zusammen. Sie will ihren Gemahl zurückführen,
25 sie will ihn gewinnen oder doch von seinem Unrecht überzeugen.
In dieser Absicht sucht sie ihn auf und sucht sich ihm zu
nähern. Sie schmückt sich, um ihre Schönheit geltend zu
machen, um ihre Nebenbuhlerinnen zu verdunkeln, um seine
Eitelkeit zu reizen. Auch trägt sie wirklich einen Triumph
30 davon, und ist nahe daran, seine Neigung zu erobern.

Königsmark wird von dem Liebespfeil getroffen, der auf
ihren Gemahl gerichtet war.

Der Triumph der Prinzessin macht ihre Feindinnen nur
desto erbitterter gegen sie. Sie bringen den Kurprinzen dahin,
35 daß er seine Gemahlin empfindlich beleidigt, und gerade in
dem Moment, wo sie sich ihm aufrichtig nähern wollte. Ihr
Herz wendet sich nun ganz entschieden von ihm ab.

Die Kurfürstin erscheint der Prinzessin in einem Augen=
blick als eine hilfreiche Freundin, wo sie sich ganz verlassen
sah. Sie irrt sich aber, wenn sie etwas von dem Herzen der
Kurfürstin hofft, die nur für die Verhältnisse handelt. Auch
diese Täuschung ist tragisch.

Unter diesen Umständen ist Königsmark für die Prinzessin
eine sehr gewünschte Erscheinung. Sie kannte ihn schon an
ihres Vaters Hof, es ist ein freundschaftliches Vertrauen
zwischen ihnen, sie weiß sich von ihm verstanden, sie ist seines
Anteils gewiß. Deswegen erblickt sie ihn mit einem gewissen
Grade von Leidenschaft. Ein solcher Freund ist es ja, der ihr
längst gefehlt hat.

Ihr Entschluß steht fest, Hannover zu verlassen, alle
Bande sind los, die sie halten können. Aber zur Ausführung
bedarf sie eines Freundes, der Mut und Klugheit besitzt.

Königsmark findet die Prinzessin schöner als je und in
einer leidenschaftlichen Bewegung. Das Feuer, mit dem sie
seine Erscheinung ergreift, entzündet ihn

Königsmark wird durch die Liebe an den Hof zu Hannover
zurückgeführt.

Die Beleidigung, welche seiner geliebten Prinzessin von
ihrem Gemahl geboten wird, reizt seine chevalereske Gesinnung,
er will den Erbprinzen deswegen zur Rechenschaft ziehen.
Eigenes Verhältnis des freien Edelmanns zum Fürsten. Er
ist nicht hannöverischer Diener.

Ein Maskenball ist einzuführen, auf welchem Irrungen
möglich werden. Die Prinzessin verkleidet sich auf demselben
zweimal und hat mit ihrem Gemahl, ohne daß er sie kennt,
eine Szene.

Gräfin Platen kommt mit Königsmark zusammen. Königs=
mark sucht ein Tete=a=tete mit der Prinzessin.

Worin besteht die Beleidigung, die der Prinzessin von
ihrem Gemahl und von den Maitressen widerfährt?

Es wird ihr einmal verboten, an einem gewissen Ort zu
erscheinen, jemandes Besuch anzunehmen, einen gewissen
Schmuck zu tragen.

Eine Person, welche sie beschützt, wird beleidigt.
Ein unschuldiges Vergnügen wird ihr verkümmert.
Sie sieht sich deseriert

***

Vielleicht ist Schiller durch die „Prinzessin von Celle",
die in der großen Liste, wie erwähnt, mit dem Namen des
Liebhabers der fürstlichen Frau bezeichnet wird, auch auf das
folgende Thema, „Monaldeschi", gekommen. Am 2. Januar
1791 hatte er in Erfurt einer Aufführung des fünfaktigen
Schauerstückes von Zschokke „Graf Monaldeschi oder Männer=
bund und Weiberwut" beigewohnt und mochte damals schon
hinter der wüsten Mache des Abbälinodichters jene wirksamen
Eigenschaften des Stoffes entdeckt haben, die später u. a. den
älteren Dumas und Heinrich Laube zur Dramatisierung ver=
lockten. Auch hier hat das Verlangen nach romantischen Zu=
taten frühzeitig die Beziehung einer Fürstin zu einem unter
ihr stehenden Manne als Liebesverhältnis ausgedeutet. Wenn
die Königin Christine von Schweden ihren Oberstallmeister,
den italienischen Marchese Gian Rinaldo Monaldeschi, am
10. November 1657 in Fontainebleau als Hochverräter ver=
urteilen und ermorden ließ, so lag es für die Romanschreiber
und die von ihnen geleitete Phantasie der großen Masse nahe,
in dieser Tat der exzentrischen leidenschaftlichsinnlichen Tochter
Gustav Adolfs die Rache einer verlassenen Geliebten zu
erblicken. Gewiß hätte auch Schiller den Stoff von dieser
Seite ergriffen, denn die historische Wahrheit, eine reine Staats=
aktion, bot dem Dramatiker zuwenig, was zum Herzen spre=
chen konnte.

Die beiden letzten Titel des großen Verzeichnisses Schil=
lers beweisen, daß die Reihenfolge für die Chronologie der
Pläne nichts besagt; denn sie sind zu weit früherer Zeit ins
Auge gefaßt als eine ganze Anzahl der vorhergehenden Stoffe.
Für den ersten Titel: „Rosamund oder die Braut der
Hölle" läßt sich Anlaß und Entstehungszeit genau feststellen.

Schon 1797 hatte Schiller eine Ballade „Don Juan" ent=
worfen und über ein Gegenstück dazu mit dem Titel „Die
Braut in Trauer" mehrfach mit Goethe gesprochen. Man
denkt bei diesem Titel sogleich an den zweiten Teil der
Räuber (f. o. S. 17), der mit seinen Gespenstererschei=
nungen derselben Region wie die Don Juansage angehört und
in einem der Entwürfe den Nebentitel „Die Braut in Trauer"
führt. Leicht möglich, daß Schiller auch für diesen Stoff
neben der dramatischen Gestaltung die Balladenform erwogen
hat. Denn auch „Rosamund" geht von der Absicht einer
Ballade aus.

Am 1. August 1800 schreibt Goethe an Schiller: „Wir
haben lange auf eine Braut in Trauer gesonnen. Tieck in
seinem poetischen Journal erinnert mich an ein altes Mario=
nettenstück, das ich auch in meiner Jugend gesehen habe: die
Höllenbraut genannt. Es ist ein Gegenstück zu Faust, oder
vielmehr Don Juan. Ein äußerst eitles, liebloses Mädchen,
das seine treuen Liebhaber zu Grunde richtet, sich aber einem
wunderlichen unbekannten Bräutigam verschreibt, der sie denn
zuletzt wie billig als Teufel abholt. Sollte hier nicht die
Idee zur Braut in Trauer zu finden sein, wenigstens in der
Gegend?" Schiller erwidert am folgenden Tage, der Ge=
danke über die Höllenbraut sei nicht übel und er werde sich
ihn gesagt sein lassen. Er hat also auf Goethes Anregung,
vielleicht schon früher die Stelle in Tiecks „Poetischem Jour=
nal" (Heft 1, Seite 59—64) gelesen. Da seine Aufzeich=
nungen bezeugen, daß er erfindend davon ausgegangen ist,
geben wir diesen Teil von Tiecks „Briefen über W. Shake=
speare" hier wieder. Er spricht von der Aufführung einer um=
herziehenden Schauspielertruppe, die ihn mehr angezogen hat,
als die Vorstellungen der von Kotzebue beherrschten vornehmeren
Bühne: „Das Theater war in einem großen Zimmer auf=
geschlagen und nur mit wenigen Lichtern erleuchtet, das Stück
führte den Namen die Höllenbraut. Als sich der Vorhang,

nach einer Musik von etlichen verstimmten Violinen aufhob,
saß eine Frauensperson vor einem Spiegel, die in den
übermütigsten Ausdrücken ihre Reize und große Schönheit
bewunderte, bald erschienen einige von ihren Liebhabern, unter
denen sich besonders ein junger Mensch durch seine Treue
auszeichnete, die sie aber alle mit dem größten Hohne abwies,
da sie ihr alle nicht schön, reich und edel genug dünkten.
Von einer alten Freundin ward ihr nachher ihre Ruchlosig=
keit vorgehalten und geraten, daß sie ihr Gemüt mehr zu
Gott und zur Frömmigkeit wenden möchte, diese aber ward
verlacht und gar nicht gehört, worauf die Alte ihr ein un=
glückliches Schicksal prophezeite und sie wieder verließ. Kaum
sah sich die Übermütige allein, als sie sich wieder zu ihrem
besten Freunde, dem Spiegel wandte, von neuem an sich putzte
und schmückte und allen guten Rat, alle frommen Gedanken
und Gottesfurcht lachend verwarf. — Diese grellen Farben,
die ohne alle Übergänge und Vorbereitung hingestellt waren,
empörten die meisten Zuschauer gegen die Frauensperson und
sie stimmten alle gern in die Prophezeiung ihrer alten Freun=
din ein, ich ließ mich gern in die unbefangene Kindheit des
Schauspiels zurückversetzen und nahm die wunderlichen Ein=
drücke an, ohne sie zu prüfen. Der junge treue Liebhaber
in seinem grünen Kleide erschien hierauf und klagte den Lüf=
ten und Winden sein Leid, indem er auf seinen närrischen
Bedienten Lipperle nicht achtgab, der aus allen Reichen der
Natur Trostgründe herbeiholte, um ihn zu beruhigen. Dieser
Bediente hielt sich mit seinen Vergleichungen eben nicht in
den Grenzen der Bescheidenheit und Schicklichkeit und paro=
dierte in vielen Gleichnissen die unglückliche Leidenschaft seines
Herrn, die Szene endigte sich, wie man leicht vorhersehen
konnte, daß Lipperle mit Prügeln fortgejagt wurde, damit
er dem zartgesinnten Gemüt nicht länger zur Last fiele. Dieser
Vorfall ist ziemlich abgenutzt, aber doch gehörte er in diesem
Zusammenhange notwendig zum Ganzen.

Die Geschichte der verschmähten Liebhaber setzte sich fort, und die Schöne brachte es endlich dahin, daß ihr treuer grüner Liebhaber von einem andern in einem Zweikampfe erstochen wurde. Nun hättest du den Jammer des Lipperle um seinen lieben Herrn sehen sollen. Er heulte und raufte sich die Haare aus, und ich habe fast noch nie die Trauer mit dieser Wahrheit darstellen sehen. Dabei blieb er in seiner Dummheit immer possierlich. Hab' ich's dir nicht gesagt? Hab' ich's dir nicht gesagt? rief er in allen abwechselnden Tönen des Jammers, weinend und schluchzend, dabei freute er sich auf den schönen Sarg, den es nun geben würde, und wie die Leute herbeikommen würden, seinen Herrn und den schönen Sarg zu sehen, dann fiel es ihm wieder ein, daß die Liebe am Tode seines Herrn schuld sei, und er rief wieder aus: Hab' ich's dir nicht gesagt? Es war rührend und komisch zugleich.

Die schöne Dame freute sich über diesen Vorfall, weil sie dadurch ihrer Liebhaber los wurde, die sie ihrer unwürdig hielt. Plötzlich trat ein angesehener Mann herein, ganz in Schwarz gekleidet und mit einer großen Feder auf dem Hut, der sich ihr als den Herrn eines großen Reichs und vieler Untertanen ankündigte. Sie behandelt ihn sehr höflich und ist zuvorkommend gegen ihn, um ihn zu gewinnen, er erklärt ihr seine Liebe und sie ist nicht spröde; den Zuschauern aber wird dabei ganz unheimlich, denn er läßt gar seltsame Reden fallen, und man muß sich wundern, daß sie von diesen nicht im mindesten frappiert wird, man ahndet Unheil, er gibt sich durch heimliche Worte immer näher zu erkennen, die sie, die Verblendete, immer noch auf seinen weltlichen Stand deutet, sie reicht ihm endlich die Hand und verlobt sich mit ihm, er verspricht, sie in der Nacht abzuholen, und voller Freude geht sie ab, sich noch schöner zu chmücken, ganz erfüllt mit den Aussichten auf ihre künftige Hoheit.

Leider bleibt nun über den Stand des Bräutigams kein Zweifel mehr übrig, sein Wesen war schon verdächtig,

seine Art zu sprechen, eine gewisse Schadenfreude, die er nicht
hat verbergen können: er ist der Satan selbst. Die Nacht
kommt herauf, die Dame ist von Träumen und Bangigkeiten
beunruhigt, sie läßt den Lipperle kommen, um ihr die
Zeit zu vertreiben, dessen Spaß aber nicht in den Gang
kommen will, weil er sich fürchtet und immer wider Willen
von seinem toten Herrn zu erzählen anfängt; zitternd
geht er endlich fort und rät ihr wohlmeinend zu einem guten
Gebetbuch. Sie verachtet alles Gute, der Geist des Grünen
erscheint und warnt sie, sie erschrickt, bleibt aber auf ihrem
Sinne, der Geist geht fort, und nun fühlt sie sich in der
einsamen Nacht, von Entsetzen umringt, ohne menschliche
Hülfe und Mitleid, sie weiß sich nicht mehr zu lassen und
wünscht jetzt, daß ihr Bräutigam schon zugegen sein möchte.
Da hört man plötzlich seine Stimme, die sie bei ihrem Namen
ruft, sie schaudert und freut sich, doch traut sie ihren Sinnen
nicht, sie ruft, er antwortet und tritt herein. Noch einmal
fragt er sie um ihre Liebe, sie sagt sie ihm freiwillig zu,
versichert, daß sie ihn mehr als alle Menschen, mehr als sich
und Gott liebe, und reicht ihm mit diesen Worten die Hand.
Er faßt sie und erklärt ihr, wer er sei, sie schreit auf, doch
kann sie sich nicht retten, von höllischen Geistern und ihrem
Bräutigam wird sie unter Frohlocken und ihrem Zetergeschrei
hinweggeführt."

Tiecks Inhaltsangabe des alten Budenstückes hat Schiller
stark angeregt. Motive aus der Don Juansage, als dessen
weibliches Gegenstück die „Höllenbraut" erscheint, verbanden
sich damit. Die Technik sollte (s. S. 327, Z. 17) Mozarts
Oper entsprechen, nachdem Schiller zunächst geschwankt hatte,
ob er den Stoff als Ballade, als Schauspiel oder als Oper
ausführen würde. Für die Ballade hatte er bereits die unter
Nr. 2 der Entwürfe erscheinenden an S. 324, Z. 17 an=
knüpfenden Strophen entworfen.

Schiller hatte seine Neigung zur Oper schon in dem

oben (S. 24 f.) besprochenen Oberon = Plan gezeigt. Sein Jugendfreund, der Komponist Johann Rudolf Zumsteeg, hatte ihn 1784 um einen Text gedrängt.

Nachdem Zumsteeg inzwischen 1793 Kapellmeister des Stuttgarter Theaters geworden war und eine Reihe erfolgreicher Opern und Balladen komponiert hatte, wandte er sich am 12. Februar 1800 von neuem an den Jugendfreund, um von ihm einen Operntext zu erhalten und bat um eine heroisch=komische Behandlungsart. Aber für eine solche dachte Schiller damals von der Oper zu hoch. Nachdem Gluck und Mozart die Möglichkeit eines Musikdramas im großen Stil bewiesen hatten, sollte diese Gattung dazu helfen, den Sinn für die Idealkunst zu stärken, den die deutsche Bühne beherrschenden niedrigen Naturalismus zu bekämpfen.

Am 29. Dezember 1797 schrieb er an Goethe: „Ich hatte immer ein gewisses Vertrauen zur Oper, daß aus ihr, wie aus den Chören des alten Bacchusfestes das Trauerspiel in einer edlern Gestalt sich loswickeln sollte. In der Oper er= läßt man wirklich jene servile Naturnachahmung, und obgleich nur unter den Namen von Indulgenz, könnte sich auf diesem Wege das Ideale auf das Theater stehlen. Die Oper stimmt durch die Macht der Musik und durch eine freiere harmo= nische Reizung der Sinnlichkeit das Gemüt zu einer schönern Empfängnis; hier ist wirklich auch im Pathos selbst ein freieres Spiel, weil die Musik es begleitet, und das Wunder= bare, welches hier einmal geduldet wird, müßte notwendig gegen den Stoff gleichgültiger machen."

Als 1804 der Berliner Kapellmeister Bernhard Anselm Weber, der zur „Jungfrau von Orleans", der „Braut von Messina" und dem „Tell" die noch jetzt verwendete Bühnen= musik schrieb, den Wunsch nach einer großen Oper aus= gesprochen hatte, schrieb Schiller den 14. April an Iffland, er habe längst auch Lust zu einem solchen Unternehmen ge= habt, aber wenn er sich den Kopf zerbreche, um von seiner

Schiller. IX. 21

Seite etwas Rechtes zu leisten, so möchte er freilich auch gewiß sein können, daß der Komponist das gehörige leiste.

Dieser Zweifel, die Abhängigkeit von dem Können eines andern, mag auch die „Rosamund" nicht haben ausreisen lassen. An sich hätte der Stoff und die Opernform der Neigung des Dichters zu romantischer Phantastik, bunter gestaltenreicher Handlung, musikalischen und Ausstattungseffekten, reiche Befriedigung gewähren können, und die einfacheren Bedingungen des Operntextes wären mit geringerer Mühe als die jeder andern dramatischen Gattung zu erfüllen gewesen.

In Gozzis „Turandot", die Schiller zwei Jahre nach den Ansätzen zur „Rosamund" bearbeitete, steht ebenfalls eine stolze Schöne, die ihre Freier in den Tod treibt, im Mittelpunkt einer märchenhaften Handlung. Der wichtige Zug, daß die Heldin im entscheidenden Augenblick ihre ganze Schönheit entschleiert, findet sich schon in dem Opernentwurf (s. S. 327, Anm. 2), aber selbst hier ist nur ein zufälliges Zusammentreffen anzunehmen, denn die Richtung des Weges, den Schiller bei der „Turandot" einschlug, führte gerade von dem der Oper benachbarten heiteren Märchenspiel, das nur der Sinnenlust eines naiven Publikums Nahrung bieten wollte, so nahe als möglich an den Ernst der Tragödie heran.

Die Stellung des Titels fast am Ende des großen Verzeichnisses der dramatischen Pläne Schillers bezeugt, daß er bis zuletzt die Möglichkeit der Ausführung im Auge behielt und spricht ebenfalls dagegen, daß er etwa in der „Turandot" dasselbe Thema behandelt zu haben glaubte.

Rosamund.

1.

Rosamund oder die Braut der Hölle.

[1])Ein junger schöner zärtlicher Ritter hat Rosamunden
5 lange geliebt, alles an sie verschwendet, ihr alles geopfert mit

---

[1]) Rosamund. — Agnes. — Mathilde. — Roger. — Florisel.

treuer, redlicher Zärtlichkeit; sie hat ihn anfangs aufgemuntert, ihm Gegenliebe gezeigt, Hoffnung gemacht, sie zu besitzen.

Aber ihr Herz ist eitel, lieblos, gefühllos, sie liebt nichts als sich selbst, sie will nur glänzen, nur verehrt sein und weiß ein treues Herz nicht zu schätzen. 5

Sie hat schon viele Männer hintergangen und zur Ver= zweiflung gebracht. Man haßt sie, aber die Männer können ihrer Schönheit nicht widerstehen.

Ihr Sinn ist grausam aus eitler Selbstsucht. Kein Opfer rührt sie, kein noch so edles, großmütiges Betragen; 10 um ihre Eitelkeit zu vergnügen, kann sie Blut fließen sehn, wenn nur ihren Reizen gehuldigt wird. Die Unglücklichen, die sie gemacht, zieren nur ihren Triumphwagen.

Famagusta — Majorca.

Es muß etwas ausgedacht werden, wodurch Rosamunds 15 Rolle die Gunst gewinnen kann. Als Sängerin kann es durch Gesang geschehen, als Schauspielerin

[1] Der Unwille gegen Rosamund muß durch ihre kalte Grausamkeit gegen einen liebenswürdigen Ritter, durch seinen schmerzhaften verzweiflungsvollen Untergang und ihre Fühl= 20 losigkeit dabei aufs höchste gereizt werden.

Aufs äußerste von ihr verhöhnt und verraten liebt er sie dennoch und stirbt liebend, obgleich sein Tod ihr Werk ist.

— Grimoald. — Der Baumeister mit der Leier. — Der Gärtner. — Der Schatzmeister. — Der Stallmeister. — Der Marschall, Truch= 25 seß, Mundschenk. — Der Admiral.

Handlung.

Der sterbende Ritter. — Die entzweiten Freunde. — Die ge= trennten Liebenden. — Die Botschaft des Dämons. — Die Ankunft desselben. — Die Warnung. — Die Künste des Dämons. — Die 30 Katastrophe. — Die böse Ratgeberin. — Der Engel.

Sie gerät durch die Schmeicheleien des Dämons in eine wahre Trunkenheit, daß sie ganz schwindelt und blind und dumm wird, und alle die groben sichtbaren Schlingen nicht sieht.

[1] Wenn der Ritter, welcher ihr seine eigene Geliebte aufgeopfert, 35 nun kommt, um von ihr den Lohn zu erhalten, ist sie schon gleich= gültig gegen ihn geworden und von dem Glanz des neuen Freiers geblendet.

21*

Dies ist der Eingang in die Ballade. Unmittelbar von seinem Tode kommt man in das taumelnde Brautfest, wo alles glänzt und prangt und sich tobend erfreuet.

[1])Nachdem sie unzählige Liebhaber getäuscht hat, tritt
5 endlich ein Prinz auf, reich, schön, mächtig, kurz mit allem ausgerüstet, was ihre Eitelkeit reizen kann. Er zeigt ihr weder Liebe noch sonst irgendeine liebenswürdige Eigenschaft: er gewinnt bloß ihre eiteln Sinne durch Schmeichelei, durch seine äußern Vorzüge, keine Spur eines fühlenden Herzens.
10 Er will sie bloß besitzen. Diesem gibt sie den Vorzug.

Er befriedigt ihre ungeheuersten Wünsche, sie kann nichts so Phantastisches ersinnen, das er nicht gleich ins Werk setzte, er hat einen ungeheuren Komitat, Juwelen, Gold, kunstreiche Tänzer, Baumeister; der Betrug ist so grob, daß alle ihre
15 Diener Böses ahnden, aber ihre Eitelkeit macht sie so verstockt, daß sie alles glaubt.

Sie fragt ihn nach seinem Königreich[2]), er beschreibt ihr verdeckt die Hölle, sie merkt es nicht[3]). Seine Antworten sind rätselhaft, aber ahndungsvoll, daß sie Schrecken erregen:
20 alles wird durch Schmeichelei wieder zugedeckt.

Mitten in ihrem höchsten Taumel, den Augenblick vorher, ehe die Ringe gewechselt werden (das durch eine furchtbare Formel geschieht), wird sie von einem himmlischen Geist, dem ihres kurz zuvor abgeschiedenen Liebhabers, gewarnt. Sie
25 kann gradatim gewarnt werden und immer vergebens, weil der höllische Freier immer etwas ausfindet, wodurch ihre Eitelkeit geblendet wird.

Der Bräutigam macht solche Bedingungen, die nur durch

---

[1]) Sie hört, daß es irgendwo eine größere Schönheit gebe, das
30 bringt sie zur Verzweiflung.

[2]) Welche Ströme darin fließen, wie groß es sei, wo es liege.

[3]) Durch die Gefühle, die sie einflößt, wird sie immer wieder interessant gemacht, bei allem Empörenden ihrer Selbstsucht bleibt doch das Schöne lieblich — der Zauber ihrer Person fängt immer
35 von neuem an.

Der treue Ritter, den sie seiner Geliebten entführen will, hält sich von ihr geliebt. Ihre Schönheit hat nicht auf ihn gewirkt, aber ihre Empfindung. So wie er Hoffnung hat, liebt er sie.

Verleugnung alles menschlichen Gefühls erfüllt werden können. Sie erfüllt sie, die Natur empörend.

Mit kaltem Herzen sieht sie zwei Ritter[1] um ihretwillen auf Leben und Tod kämpfen.

Ein andrer ist bei einer gefährlichen Unternehmung umgekommen, die sie ihm auftrug.

Sie fodert etwas Unmögliches von ihren Freiern, bloß um eine Caprice zu befriedigen; ein Traum gab es ihr ein. Geschichte mit dem Spiegel.

Alle, die im Gefolg des Bräutigams sind, haben ein bedenkliches Abzeichen.

Die Ballade handelt von dem prägnanten Moment der Katastrophe, und das Vorhergehende muß daraus wiederscheinen.

Der sterbende Ritter und sein treuer Knappe. Dieser letzte verflucht die Schöne und nennt ihre Grausamkeiten[2].

Darf noch ein zärtliches Weib eingemischt werden, das mit ihr kontrastiert? eine von ihren Fräulein, deren Liebhaber für die Tigerin entbrennt und seiner treuen Geliebten untreu wird.

Rosamund ist nur eitel, aber sie ist es so ganz, daß diese Selbstsucht alle andern Empfindungen in ihr ertötet und alle Greuel erzeugt[3]. Diese Einheit der Quelle und diese Allheit der daraus entspringenden Laster zu zeigen, ist die Aufgabe — Leben und Tod der Menschen ist ihr nichts, wenn es auch nur das kleinste Opfer ihrer Eitelkeit kostet. Ein Fräulein, dem sie den Liebhaber raubte, tut einen Fußfall vor ihr, um nur eine geringe Gunst für den sterbenden Geliebten von ihr zu erhalten; aber vergeblich, denn sie müßte sich einen Genuß ihrer Eitelkeit versagen.

---

[1] Welche Freunde oder Brüder sind.

[2] Ein Fräulein, das den Ritter liebte und um der Grausamen willen von ihm verschmäht war, erweist ihm die letzten treuen Dienste.

[3] Es muß eine Gradation der Unmenschlichkeiten sein, und das Maß muß sich stufenweise vollenden.

Eine sehr tragische Geschichte ist als Episode eingewebt; sie rührt das Herz mit schönen Empfindungen und erfüllt die poetische Foderung, das Ganze des Gemüts zu bewegen.

2.

Silbenmaße.

Wer zeigt sich dort? Wer bringt heran?
Mit ehrnem Panzer angetan?
5 Wer bringet durch die finstre Nacht,
Als käm er aus der Todesschlacht?
Es ist mein Freund,
Die Seele weint,
Er kommt, er kommt in finstern Nächten,
10 Das nie gelöste Band zu flechten

Wer zeigt sich dort? Wer naht sich stumm?
Mit finsterm Angesichte?
Es flammt und schwirrt um ihn herum,
Ein grauend ernstes Heiligtum,
15 Und nie erhellt vom Lichte!
Fließet Tränen, Augen weint! [Bleibt vereint! über F. — w.]
Ewge Klage töne!
Bei den Schatten wohnt der Freund,
Hin ist seine Schöne! [Sonne scheint über H. — Sch.]

20 Und wie er geht und wie er schaut,
Beginnt's von weitem überlaut
Zu zimbeln und zu tönen?
Und durch die Straßen kommt ein Zug,
Der einen weiten Himmel trug,
25 Hoch über dem Haupt einer Schönen?
Und

Die dort kömmt hergezogen
Der Schleier, der sie kaum verhüllt,
Zeigt mir das schönste Frauenbild
30 Weit unter dem himmlischen Bogen.

3.

[1])Rosamund hat noch einen Vater, der die Eitelkeit seiner
Tochter verabscheut. Auch an ihm frevelt sie, gleichfalls nur
aus Eitelkeit, und tritt die Gefühle der Natur, die kindliche
35 Pflicht mit Füßen.

---

[1]) Sie hat Schwestern, ihre Familie.

¹) Sie ist Zuschauerin eines blutigen Zweikampfs, den zwei Freunde um ihretwillen miteinander halten. Der Sieger ermordet sich selbst mit Verwünschungen ihrer Schönheit.

Sie ist neidisch über eine glückliche Liebe, es ist ihr unerträglich, daß ein Ritter ihren Reizen widersteht und eine andre ihn erobert. Alle Lockungen versucht sie²), diesen zu fangen, es gelingt ihr, ihn untreu zu machen, seine Geliebte kommt dadurch in Verzweiflung, aber wie sie ihren Zweck erreicht hat, täuscht sie ihn und verhöhnt seine Liebe.

Gespräch der Grausamen mit ihrer Zofe. Sie weint für Zorn, daß ein Mann ihr widerstehen kann. Auch gegen ihre treue Dienerin hat sie kein Herz.

4.

³) Alles in dem Stück muß leidenschaftlich sein, man muß nie zur Reflexion kommen.

Es muß sich, gleich wie der Don Juan, mit einem Letzten und Höchsten eröffnen.

Rosamund muß bei ihrer ersten Erscheinung Gunst gewinnen.

Sie wird zu einer Wahl gedrängt.

Was ist sie? Wo geht die Handlung vor?

¹) Einer kommt ihretwegen um, den sie verschmähte.

Einer wird von ihr verlassen, um des Ritters willen.

Der Ritter wird von ihr seiner Geliebten untreu gemacht.

Der Ritter verläßt sie um des fremden Freiers willen, der sich schon angemeldet.

Um den fremden Freier zu gewinnen, opfert sie noch das Heiligste und tritt alle Gefühle der Natur mit Füßen.

Sie nötigt einen Freund, den andern zu töten.

²) Sie entschleiert in dem entscheidenden Augenblick ihre ganze Schönheit.

³) Eine Jagd. — Ein Einsiedler. — Wilde Tiere. — Das wütende Heer. — Der Riese. — Die Bildsäule. — Die Harpyien, die Vögel. — Die herausfahrenden Flammen. — Wolkenwagen. — Illumination und Transparent. — Versenkungen. — Tempel, Gärten, Paläste. — Meereswogen und Wasserwerke. — Farbenerscheinungen. — Gespenster. Larven.

Die Zwergin oder die Mohrin. Sie ist ein Dämon und
verführt die Rosamund. Sie hat aber auch einen guten
Engel, der ihr aber durch seine Wahrheit verhaßt wird, und
unermüdlich zurückkommt, bis er sie ganz verläßt.

5 Wenn Rosamunds Schicksal entschieden ist, so folgt noch
etwas Liebliches, Schönes, Reines, und der Zuschauer wird
mit einem erfreulichen Eindruck entlassen. Eine gefühlvolle
Schönheit, ein gutes Mädchen, auf welche Rosamund eifersüchtig war und der sie den Tod bereitet hatte, bleibt übrig
10 und erhält den Lohn ihrer Unschuld.

Der Sänger.

Die englischen Geschichten von Rapin de Thoyras und
Hume, denen Schiller die wichtigsten Materialien zur „Maria
Stuart" und zum „Warbeck" entnahm, erzählten in den
Hauptsachen übereinstimmend von einem Liebesabenteuer des
sagenumwobenen angelsächsischen Königs Edgar, der als der
mächtigste der Nachfolger Alfreds des Großen von 959 bis
975 regierte. Als ihm die Schönheit der Elfriede, der
Tochter des Grafen von Devonshire, gepriesen wurde, sandte
er seinen Günstling, den Grafen Ethelwold, zu ihr, damit
er für den König um sie werbe, falls das Gerücht die Wahrheit gesprochen hätte. Ethelwold wurde beim Anblick Elfriedens von heftiger Liebe zu ihr ergriffen. Er berichtete
dem König, das Gerücht habe gelogen, vermählte sich selbst
mit ihr, angeblich nur ihres Reichtums wegen, und wußte
sie längere Zeit in einem einsamen Landhaus vor dem König
zu verbergen. Durch Ethelwolds Gegner erfuhr Edgar die
Wahrheit und lud sich selbst bei dem Günstling zu Gaste.
Dieser beschwor, ehe der König kam, Elfriede, ihre Schönheit,
die Ursache seines Betrugs, zu verbergen. Sie versprach es
ihm, tat aber das Gegenteil, weil sie den Gatten nicht liebte
und er ihr die Aussicht auf die Krone geraubt hatte. Sie
erreichte ihre Absicht, die Liebe des Königs zu erregen, und
von Rachsucht und dem Verlangen nach ihrem Besitz erfüllt,

tötete er Ethelwold auf der Jagd und machte Elfriede zu
seiner Gemahlin. Weder die Berichte der englischen Histo=
riker, noch die Bearbeitungen früherer Dramatiker, an ihrer
Spitze Lope de Vega, haben in Schiller die Neigung zu diesem
Stoffe erregt, obwohl ihm auch die schwachen Dramen Ber=
tuchs (1773) und Klingers (1782) die starken Wirkungen,
die darin schlummerten, verraten konnten. Erst als er jene
Novelle las, die der „Herzogin von Celle" zugrunde liegen
sollte, erregte die darin als Episode vorgetragene Erzählung
das Interesse des Dramatikers. Den Beweis dafür, daß
Schiller von der „Histoire secrette" ausging, liefert der
von dorther stammende Name Graf von Devon. Am 14. Juli
1804 kaufte er sich die „Elfriede" von Bertuch; etwa in
dieselbe Zeit wird man die Aufzeichnungen über den Plan
und seine Notierung am Schlusse des großen Verzeichnisses
setzen dürfen.

Elfriede.

1.

Elfriede.

Wann Ethelwold seiner Gemahlin die Entdeckung des
gespielten Betrugs macht — gesetzt, daß er sie machte — so   5
muß es in einem Moment geschehen, wo diese Eröffnung die
fatalste Wirkung tut und die höchste tragische Furcht erweckt.

Der Reiz, Königin zu werden und durch Schönheit sowohl
als Größe alle andre zu überstrahlen, wirkt um so mächtiger,
da Elfriede die Eingeschlossenheit schon müde ist. Aller   10
Pflichten gegen den Gemahl glaubt sie sich quitt, seines
Raubes wegen.

Fragt sich nun, hat sie ihn geliebt, hat sie ihn nur als
Mittel zu einem andern Zweck gebraucht (ohne es nämlich
selbst zu wissen).   15

Ist das letztere, wo liegt denn alsdann das Tragische?

Ist sie selbst dabei geschäftig, dem König bekannt zu

werden, oder auch nur aus weiblicher Eitelkeit nicht ganz ohne Anteil daran[1])?

Ethelwolf fürchtet mehr den Verlust seiner Gattin als seines Lebens. Die Eifersucht muß in ihm so heftig sein, 5 daß sie mit der Heftigkeit seiner Leidenschaft übereinstimmt, welche nötig war, um ihn zu dem Betrug zu verleiten.

Situationen sind:

1. Wie er ihr das Geheimnis entdeckt.
2. Ihre Zusammenkunft mit dem König.
10 3. Seine Eifersucht und Verzweiflung.
4. Königs Ankunft auf dem Schloß.
5. Königs Leidenschaft.
6. Elfriede hält es mit dem König gegen ihn.
7. Athelwold aufgeopfert.
15 8.
9.
10.

2.

Elfriede.

20   Das Tragische beruht auf Ethelwold und nicht auf der Elfriede. Er wird unglücklich durch Leidenschaft und Verhängnis, sie aber folgt bloß ihrer Natur. Ethelwold ist schön, jung, leidenschaftlich, glänzend und mächtig, also mußte er der einfachen, eingeschlossenen, wenig Ansprüche machenden 25 Elfriede gefallen. Er ist der erste Mann, den sie eigentlich kennt, und ihre Empfindung für ihn ist Vergnügen, aber keineswegs Liebe.

Dieser Leichtsinn, diese Selbstsucht stellen sich gleich anfangs dar; man sieht, daß die Liebe ihr nicht alles ist, 30 daß also die Person ihres Gemahls ihr doch gewissermaßen gleichgültig ist[2]).

Anfangs sieht man beide in einem scheinbar glücklichen Zustand und in völligem Einverständnis, was eine glückliche

---

[1]) Die Eitelkeit ist grausam und ohne Liebe.
35   [2]) und das, was er ihr ist, sich leicht auf einen andern übertragen läßt.

Wechselliebe scheinen kann. Elfriede lebt auf dem Landsitz ihres Gemahls, in einer mäßigen Entfernung von dem königlichen Hoflager, aber in tiefster Abgeschiedenheit. Noch hat sie keine eigentlichen Wünsche außer den Besitz ihres Gemahls, aber doch ein gewisses unbestimmtes Verlangen, den Hof zu 5 sehen, sich auch von andern bewundern zu lassen ihrer Schönheit wegen, sich beneiden zu lassen ihres Gemahls wegen. Dann beunruhigt sie auch diese sorgfältige Einschließung und die Ängstlichkeit ihres Gemahls, sie vom Hof entfernt zu halten und es regt sich einige Eifersucht. Auch das Nitimur 10 in vetitum wirkt; eben darum möchte sie ihn an den Hof begleiten, weil er es nicht wünscht.

Weil seine Besuche mit Schwürigkeit und Heimlichkeit verbunden sind, so haben sie dadurch einen gewissen Reiz mehr und nähern sich mehr den Bewerbungen des Geliebten, 15 mehr dem Raube als dem Besitz.

Er hat eine vertraute Person um seine Gemahlin, welche über Befolgung seiner Befehle zu wachen hat. Alter Diener.

Welche Gründe führt er ihr an wegen ihrer Entfernung vom Hoflager? Sie wird aber nicht dadurch befriedigt. 20

Eine junge Person ist um sie, welche ihr den Reiz des Hoflebens schildert und sie gegen ihren Gemahl aufhetzt.

Könnte sie nicht mit dem König einmal unvermutet zusammenkommen, ohne ihn zu kennen?

Wie wird dem König Athelwolds Verräterei entdeckt; 25 durch Zufall oder durch Intrige seiner Neider?

Liebe des Königs für den Athelwold ist sehr feurig und charakterisiert ihn als eine passionierte Natur — Auch wird dadurch Athelwolds Verräterei desto krimineller.

Elfriede meldet ihrem Gemahl höchst vergnügt die an= 30 gekündigte Erscheinung des Königs.

Zwei höchst leidenschaftliche Männer, davon der eine mit dem Recht des Gatten, der andre mit der absoluten Gewalt ausgerüstet ist, kollidieren in der Liebe zu einer schönen, aber eiteln und lieblosen Frau. Sie folgt natürlich dem Glanz 35 und der Macht des letztern und verrät — aus bloßer Lieblosigkeit und Eitelkeit — die Pflicht und die Treue der Gattin.

Sowie Elfriede das Geheimnis von ihrem Gatten er=

fahren, ist es dem Zuschauer fast gewiß, daß sie ihn auf=
opfern wird.

Wenn Elfriede quasi über dem Leichnam ihres Gemahls
zum Thron geht, so ändert sich ihr Charakter, und ihre eigenen
5 Diener verabscheuen sie.

Zwischen der entdeckten Verräterei Ethelwolds und seinem
Tod verstreicht eine Zeit, verläuft eine Handlung[1]).

Zwar ist es zwischen Elfriede und dem König stillschweigend
ausgemacht, daß Ethelwold untergehen muß. Warum? Des
10 Königs Leidenschaft kann nicht weichen und ihre Wünsche kann
sie nicht aufgeben, Ethelwold aber kann seine Gattin nur durch
den Tod aufgeben. Also muß er aus dem Wege.

Elfriede, Ethelwold, Edgar stehen im Interesse vollkommen
gleich. Sie hat die Schönheit, Ethelwold die Leidenschaft und
15 den Besitz, Edgar die Leidenschaft und die Gewalt.

Edgars Liebe für den Ethelwold.

Ethelwolds Verlegenheit.

Elfriedens Leichtsinn und Untreue.

Edgars Leidenschaft für Elfrieden.

20 Ethelwolds Eifersucht und Qualen.

Elfriedens und Edgars Verständnis.

Ethelwolds Tod.

Elfriedens Erhöhung zur Königin.

Reue des Königs und sinistre Aspekten.

25   Ist's prämeditierter Plan oder Zufall, was den König
von der Wahrheit unterrichtet.

Besser ist der Zufall als die Absicht.

Hat Ethelwold Feinde um den König und was wirken
diese bei der Sache?

30   **3.**

Elfriede war in einem Zustande der Einschränkung und
Entbehrung, als Ethelwold sie zu seiner Gemahlin machte.
Diese Heirat war glänzend und gewinnreich für sie. Um so
mehr blendet sie nun der Glanz des Thrones.

―――――――

35   [1]) Es entsteht eine Hoffnung und eine Furcht.

Der Graf von Devon, ihr Vater, muß, wenn er vorkommt, eine würdige Rolle spielen. Er fühlt zwar den höchsten Un= willen über Ethelwolds Verräterei, aber seine stolze Recht= schaffenheit verabscheut ebensosehr die Verräterei seiner Tochter.

Elfriede kann ebensogut in die Nähe des Königs als er 5 in die ihrige kommen. Sie könnte z. B. aus weiblicher Legereté und Neugier sich unbekannt dahin begeben, wo sie ihren Gemahl und den König beisammen findet. Ethelwold erblickte sie und so entstünde eine sehr pathetische Situation durch seine Furcht; doch müßte er diesmal noch glücklich davonkommen. Die 10 Schönheit der Elfriede rührte den König auf das lebhafteste, und so wäre die Katastrophe schon avanciert, ehe sich Ethel= wolds Verräterei entdeckte.

Ethelwold, wenn er anfangen muß, an der Liebe und Treue seiner Gemahlin zu zweifeln, wird dem Grafen Devon 15 als seinem letzten Trost in die Arme getrieben.

Was hindert den König, daß er den Ethelwold nicht gleich seiner Rache aufopfert, da Leidenschaft und Vorteil ihn gleich stark dazu antreiben?

a) Edgar ist kein schlimmer Fürst und zur Güte mehr 20 geneigt als zu Ferocität.

b) Edgar liebte den Ethelwold wirklich und in einem solchen Grade, daß er mehr Schmerz über den Verrat als Wut wegen seines Verlustes empfindet.

c) Edgar fühlt im ersten Moment noch nicht die ganze 25 Gewalt der Passion für Elfrieden. Es fodert einige Zeit, bis diese Leidenschaft sich völlig entwickelt, und dann freilich sind ihre Folgen tödlich.

d) Ethelwolds Demütigung und Reue entwaffnen auch im ersten Augenblicke seinen Zorn. 30

Im letzten Lebensjahre Schillers verbreitete sich das Ge= rücht, er arbeite an einem „Attila", wohl ebenso grundlos wie früher das allgemeine Gerede vom „Wilhelm Tell". Die Berliner Zeitschrift „Der Freimütige" meldete am 19. Juli 1804: „Schiller bearbeitet jetzt den „Attila", um ihn zum Helden einer neuen Tragödie, die noch im Herbst fertig

werden soll, zu machen. Ob aber die Geschichte des Attila
sich wohl gut zum Sujet eines Trauerspiels qualifizieren
mag? Je nun, wir werden ja sehen." Eine Pariser Zeitung
stellte darauf, wie „Der Freimütige" am 21. September berichtete, die Frage, ob Schiller im „Attila" glücklicher als
Corneille sein werde. Der „Freimütige" erwähnt das (am
21. September 1804) und meint, es komme darauf an, ob
Schiller seinem Genie folgen oder „griechzen" werde. Von
der ersten Notiz im „Freimütigen" spricht Körner in seinem
Briefe an Schiller am 27. Juli. Er weiß nicht, was den
Freund am Attila für ein dramatisches Sujet besonders angezogen hätte, da er schon manche andere Pläne bereit hätte.
Schiller erwidert darauf am 11. Oktober kurz und bündig:
„Der Attila ist ein abgeschmackter Einfall, der mir nie in
den Sinn gekommen."

Indessen schrieb doch auch der bekannte Leipziger Musik-
schriftsteller Rochlitz, der mit den Weimarern in so engem
Verkehr stand, den 10. September 1804 an Böttiger: „Schiller
bleibt nun gewiß, ohngeachtet man ihm fast 2000 Thlr. jährlich in Berlin zugesichert. Sein ‚Zug des Bacchus nach
Indien' ist bald fertig, aber der Attila ist indessen beiseite
gelegt. Jenes ist nur Gelegenheitsstück." Böttiger gab die
Nachricht an Ludwig Schubart nach Stuttgart weiter, wurde
aber am 24. Januar 1805 vom Fräulein von Göchhausen,
bei der er wohl deswegen angefragt hatte, belehrt, Schiller
denke an keinen Attila. Gewiß hat die kluge Hofdame, mit
ihrem starken Interesse an allen literarischen Dingen, erst bei
dem Dichter angefragt, ehe sie diese Auskunft gab, und so
darf das Gerücht von dem „Attila" als zweimal von Schiller
selbst widerlegt gelten. Böttiger wird nicht verfehlt haben,
als Freund und Mitarbeiter Merkels, dem Herausgeber des
„Freimütigen", davon Nachricht zu geben. Nach dem Tode
des Dichters erklärte dieser in Nr. 140 des Jahrgangs 1805,
es sei unrichtig, daß Schiller ein Trauerspiel „Attila" hinter-

lassen habe, und bemerkte in Nr. 164 bei Gelegenheit einer genaueren Nachricht aus Weimar über den Nachlaß des Dichters, daß noch immer einige von einem „Attila" träumten. In der Tat erhielt sich das Gerücht geraume Zeit; noch am 4. April 1809 fragte der Wiener Buchhändler Bertonitz bei der Witwe Schillers an, ob ihm nicht gegen Veranstaltung einer Totenfeier zu ihren Gunsten aus Schillers Nachlaß der „Demetrius", „Attila" oder der Briefwechsel überlassen werden könnte.

Über das von Rochlitz neben dem „Attila" erwähnte Gelegenheitsstück „Zug des Bacchus nach Indien" wissen wir gar nichts. Minor vermutet, es handle sich um den älteren Plan eines Festspiels zum Einzug der Großfürstin Maria Pawlowna, an dessen Stelle später „Die Huldigung der Künste" getreten sei. Ernst Müller hat das schon mit Berufung auf die Entstehungsgeschichte des Festspiels zurückgewiesen.

Wie gewissenhaft Schiller alle dramatischen Pläne, deren
Ausführung er ernsthaft erwogen hatte, in das große Verzeichnis
eintrug, ergibt sich daraus, daß sein Nachlaß zu keinem
darin fehlenden Plane Notizen enthält, ausgenommen den
allerletzten, der erst wenige Monate vor dem Ende des Dichters
aufkeimte und vermutlich deshalb nicht mehr eingetragen wurde.

Am 16. Januar 1805 war Goethes „Bürgergeneral"
(übrigens zum letzten Male) in Weimar gegeben worden.
Schiller hatte der Aufführung beigewohnt und schrieb am
folgenden Tage an Goethe: „Bei dem Bürgergeneral ist mir
wieder die Bemerkung gekommen, daß es wohlgetan sein
würde, die moralischen Stellen, besonders aus der Rolle des
Edelmanns, wegzulassen, soweit es möglich ist. Denn da
das Interesse des Zeitmoments aufgehört hat, so liegt es
gleichsam außerhalb des Stückes. Das kleine Stück verdient,
daß man es in der Gunst erhalte, die ihm widerfährt und
gebührt, und es wird sich recht sehr gut tun lassen, ihm einen
rascheren Gang zu geben."

Goethe erwiderte an demselben Tage: „Den Bürger=
general will ich ehestens vornehmen. Ich dachte schon die
dogmatische Figur des Edelmanns ganz herauszuwerfen; allein
da müßte man einen glücklichen Einfall haben, am Schluß
die widerwärtigen Elemente durch eine Schnurre zu ver=
einigen, damit man den Deus ex machina nicht nötig hätte.
Das müßte man denn gelegentlich bedenken."

Wie das zu bewerkstelligen sei, hat Schiller erwogen
und zu diesem Zwecke ein knappes Szenarium aufgezeichnet,
das in Goethes Händen verblieb und unter seinen Papieren
wieder aufgefunden wurde. Riemer (Mitteilungen über Goethe,
Band 2, S. 619) berichtet davon; auch eine Bemerkung bei

Eckermann unter dem 4. Februar 1829 dürfte darauf zu be=
ziehen sein.

Zum Verständnis der Skizze sei folgendes angeführt.
Die einaktige Posse „Die beiden Billets" von Anton Wall
(d. i. Chr. Leberecht Heyne) brachte als Hauptgestalt einen
listigen, skrupellos selbstsüchtigen Dorfbarbier, namens Schnaps,
mit solchem Erfolg auf die Bühne, daß der Verfasser die
beliebte Figur in einer Fortsetzung „Der Stammbaum" von
neuem auftreten ließ. Goethe schrieb 1793 in drei Tagen
eine zweite Fortsetzung „Der Bürgergeneral", welche die
großen Weltereignisse der Revolutionszeit in dem Spiegel
dörflicher Verhältnisse karikierte. In den ersten Jahren des
neuen Jahrhunderts wurden die drei lustigen Stücke nach
einer längeren Pause in Weimar wieder einstudiert und mit
dem früheren Beifall aufgenommen, obwohl die politischen
Bezüge des dritten nun schon einigermaßen veraltet waren.

Schillers geplante dritte Fortsetzung der „Beiden Billets"
sollte eine Reihe von Jahren später spielen als die vorher=
gehenden Stücke. Das ursprüngliche Liebespaar Görge und
Röschen, die im „Bürgergeneral" schon als junge Eheleute
auftraten, sind nun Eltern einer erwachsenen Tochter Christin=
chen.- Sie wird von einem Bauernburschen und einem Junker
umworben. Schnaps spielt für beide den Helfer und weiß
sie zu bestimmen, daß jeder von ihnen einen Teil der Liefe=
rung eines Mahles übernimmt, bei dem Schnaps aus Groß=
mannssucht den Wirt spielen will. Görge muß für das Kreuz
seiner Frau, das Schnaps versetzen sollte, den Nachtisch be=
sorgen. Auch der Edelmann spendet zu dem Mahle, da seine
Tochter die eigentliche Festgeberin ist, und so kann Schnaps
sich ohne Kosten als freigebiger glänzender Wirt zeigen. Das
Fest des zweiten Aktes, eingeleitet durch eine Reihe lustiger
Verwechselungsszenen, sollte mit einem überraschenden Schluß=
effekt (Tableau) enden.

Der Entwurf erscheint durch das Fehlen des politischen

Schiller. IX. 22

Hintergrundes noch harmloser, noch tiefer unter den Höhen der großen Kunst liegend als Goethes „Bürgergeneral". In Anbetracht der Vorwürfe, mit denen dieses angeblich des Dichters unwürdige Werk gewöhnlich bedacht wird, erscheint es wertvoll, feststellen zu können, daß auch Schiller im Begriffe war, in dieselben Niederungen ohne alle Skrupel hinabzusteigen.

Fortsetzung von Goethes Bürgergeneral.

Schnaps.
Christinchen. Tochter.
Röschen. Mutter.
5   Görge. Vater.
Edelmann.
Baronesse.
Röschens Liebhaber.
Junker.
10   Schulmeister.
Schulknabe.
Jäger.
Tafeldecker.
Andre Bediente des Edelmanns.
15   Der Baron.
Jagdgesellschaft.

[Erster Akt.]

1.

Sonnenaufgang; im Dorf. Schnaps, nüchtern, sieht
20 sich nach einem Branntweinladen um, der noch nicht auf ist.

2.

Christinchen macht den Laden auf. Exposition. Verhältnis der Mutter zum Vater — Christinchens zu zwei Liebhabern. Schnaps begünstigt den Junker.

25   #### 3.

Röschen. Verlegenheit wegen der Kasse —, trägt ihm auf, das Kreuz zu versetzen.

4.

Görge kommt von dem vierten Hochzeitstag zurück. Be= ſchreibung des Gaſtmahls und der Gaſtfreiheit. Schnaps von der Idee begeiſtert, ein ſplendider Wirt zu ſein.

5.

Schnaps' Monolog — hungert und entſchließt ſich zu traktieren.

6.

Edelmann iſt früh auf, da er ſeiner Tochter ein länd= liches Feſt geben will. Schnaps kann die Gelegenheit nicht vorbeilaſſen, ſich zu ſignaliſieren und bittet ſich aus, zu traktieren — gibt noch Hoffnung, den Junker zu Erben ein= zuſetzen.

7.

Zum Edelmann kommt ſeine Tochter. Expoſition ihres Charakters und ihrer Lage, findet ihr Glück darin, wohltätig zu ſein.

8.

Chriſtinchens Liebhaber entdeckt ſich der Baroneß: ſie ab.

9.

Schnaps kommt zu ihm und beredet ihn, eine Laube zu bauen und ein ländliches Frühſtück hinzubringen. Verſpricht ihm das Liebchen hinzuſchaffen.

10.

Schnaps und der Junker. Ähnlicher Vorſchlag, mit einem galanteren Frühſtück. Gleiches Verſprechen.

11.

Szene mit dem Schulmeiſter, der die Bänke abſchlägt.

12.

Schnaps und Görge. Dieſer wird in die Stadt mit dem Kreuz geſchickt, das Deſſert zu bezahlen.

13.

Schnaps und die Baroneß. Er benutzt ihre Wohltätigkeit,

22*

um Geld von ihr zu kriegen und durch sie den Schulmeister über Land zu schicken.

14.

Schnaps allein. Hierauf die Schuljungen, die ihm Tisch und Bänke fortschaffen müssen.

Zweiter Akt.

1.

Töffel mit Maien, eine Laube zu bauen.

2.

Junker und ein Jäger mit Maien in gleicher Absicht. Töffel bleibt. Beide haben mehr gebracht, als sie Schnapsen versprochen. Versuch beider Parteien, einander wechselseitig wegzubringen. Da es nicht gelingt, gehen beide P. weg.

3.

Christinchen allein, die auch den Baron eingeladen, bringt den Käse.

4.

Beide Liebhaber und Christelchen. Jeder stellt sich, als ob ihn Christelchen nichts anginge.

5.

Endlich arrangieren sich beide Liebhaber, eine Partie zu drei zu machen. Schulknaben kommen mit Tisch und Bänken.

6.

Die drei erklären sich's aus einer ungeschickten Bestellung, fangen an, den Tisch zu decken, und aufzustellen, aber nur auf drei Personen eingerichtet.

7.

Bediente vom Edelhof arrangieren eine Tafel und bringen Essen, zur Verwunderung der vorhandenen Gäste.

8.

Röschen kommt mit einem Braten. Von der andern Seite ein anderer Braten vom Edelmann.

9.

Görge aus der Stadt mit dem Dessert. Schnaps mit den Schülern, bezeugt seine Zufriedenheit, ordnet das übrige noch an und macht die Krüppel.

10.

Edelmann mit der Baroneß. Man setzt sich. Schnaps macht den Wirt. Krüppel warten auf.

Baroneß ergreift diese Gelegenheit, eine Wohltat aus= zuüben, krönt Röschen zu Rosine. Krüppel singen Chorus. Man sieht einer Verheiratung Töffels mit Christinchen entgegen.

11.

Baron und Jagdgesellschaft kommen unerwartet dazu. Schnaps glänzt, fährt fort, den Wirt zu machen. Neues Arrangement des Sitzens, Tableau.

———

Schillers kleinere Dramenliste.

Diese Liste befindet sich auf dem Rande eines Entwurfs zu den „Kindern des Hauses". Die Zahlen dürften den Umfang der für jeden Stoff vorhandenen Vorarbeiten, links in einem früheren Zeitpunkt als rechts, bezeichnen.

Anmerkungen.

Der Wortlaut und die Anordnung der in diesem Bande enthaltenen Stücke beruht auf der vortrefflichen Arbeit Gustav Kettners: Schillers kleinere dramatische Fragmente nach den Handschriften herausgegeben (Weimar 1895). Einige inzwischen neu bekanntgewordene Handschriften gestatteten unerhebliche Verbesserungen der Texte; bedeutsamer sind die Verschiebungen der Reihenfolge, die zum Teil ebenfalls durch neue Funde, zum Teil durch innere Gründe bedingt wurden.

Zum großen Teil sind diese schon in der, ebenfalls von Kettner besorgten, abgekürzten Zusammenstellung der Fragmente berücksichtigt, die mit wenigen, aber wertvollen Erläuterungen als 9. Band der Säkular=Ausgabe von Schillers Werken (Stuttgart und Berlin o. J.) erschien. Sehr ausführliche Kommentare boten Boxberger (in der Hempelschen Ausgabe und in Kürschners „Deutscher National=Literatur") und Bellermann (in der Schiller=Ausgabe des Bibliographischen Instituts in Leipzig).

Die älteren, unvollständigen und ungenauen Ausgaben dieser Fragmente brauchen nicht genannt zu werden.

S. 6. Kettner setzt das große Verzeichnis der geplanten Dramen in den Sommer 1802; dagegen schließe ich mich durchaus der Ansicht Kösters an, daß dieses Register gar nicht in einem Zuge hingeschrieben ist und besonders auf der ersten Seite durch die Schrift für jeden Titel eine gesonderte Aufzeichnung beweist, und daß die drei Seiten von 1797 bis 1804 gefüllt worden sind. Die beiden kleineren Verzeichnisse setzt Kettner mit guten Gründen in bestimmte Zeitpunkte: die Liste S. 278 f. in die Zeit vom Oktober 1797 bis März 1799, die auf S. 432 abgedruckte in das Frühjahr 1804.

S. 11. Von Schillers Erstlingsdrama „Die Christen" wissen wir nur durch den Brief seines Vaters an ihn vom 6. März 1790. Alle Vermutungen über Inhalt und Form, insbesondere die Annahme eines Märtyrerdramas (siehe z. B. Minor, Schiller Bd. 1, S. 76) sind gewagt.

Auch über den „Absalon" besitzen wir nur die Notiz in der

Jugend=Biographie Schillers, die seine Gattin entwarf (Charlotte v. Schiller und ihre Freunde, Stuttgart 1860) Bd. 1, S. 85: „Noch früher (als Kosmus von Medicis) entstand ein dramatisches Gedicht ‚Absalon,‘ von dessen Ideen Schiller nur noch die Erinnerung hatte." Seine Schwester Nanette erhielt von ihm 1792 bei ihrem Besuch den Auftrag, daheim nach dem „Absalon" zu suchen, aber sie konnte ihn nicht finden.

S. 12. Die „Verschwörung der Pazzi gegen die Mediceer" ist später in Schillers „Geschichte der merkwürdigsten Rebellionen", Bd. 1, S. 226 ff. von seinem Schwager Reinwald aus der „Histoire des Conjurations, Conspirations et Révolutions célèbres" des Duport du Tertre (Paris 1754) übersetzt worden, die wohl auch die Quelle des begonnenen Dramas war. Die Be= nutzung von Motiven für die „Räuber" erwähnt Karoline von Wolzogen.

S. 13. Zum Stoffe des „Jahrmarkts" vgl. Max Herr= mann, Goethes Jahrmarktsfest zu Plundersweilern (Berlin 1900).

S. 14. Von „Friedrich Imhof" berichten drei Briefe Schillers an Reinwald, von denen nur der letzte datiert ist (27. März 1783). Nach dem ersten von ihnen scheint der Stoff dem „Geister= seher" verwandt gewesen zu sein.

Zum „zweiten Teil der Räuber" vgl. Stettenheim, Schillers Fragment „Die Polizey" (Berlin 1893), S. 28 ff. Die Handschrift ist wieder aufgefunden worden und befindet sich im Besitz der Cottaschen Buchhandlung.

S. 18. Nr. 1 und 2 stehen bei Kettner in umgekehrter Folge. Aber Abschnitt 1 sondert sich so deutlich von allem folgenden, daß er wohl entweder einem früheren Zeitraum oder einem vorüber= gehendem Einfall zuzuweisen ist.

S. 19, Z. 13. Die mit Schwabacher=Schrift gedruckten Worte sind hier und überall sonst in der Handschrift gestrichen.

Z. 28. Parricide (nicht Parricida), Verwandtenmord (Kettner).

S. 21, Z. 12. In der Handschrift ist hinter „begegnet" ge= strichen „die schwere Ketten schleppend".

Z. 34. Der irrtümlich eingesetzte Name Adelaide mag eine Reminiszenz an den „Warbeck" oder an die „Kinder des Hauses" sein.

S. 25. Der berühmte Musiker, den Körner für Schillers Operndichtungen ins Auge faßte, war Johann Gottlieb Nau= mann, der Dresdener Opern= und Kirchenkomponist, seit 1776 Hof= kapellmeister.

S. 27. Zu den „Maltesern" vgl. Kettner, Schillers Mal= teser in der Vierteljahrsschrift für Literaturgeschichte Bd. 4, (Wei= mar 1891), S. 528—566, Seuffert in den Göttinger gelehrten

Anzeigen 1898, S. 562 ff., Leitzmann im „Euphorion", 4. Ergänzungsheft (Leipzig und Wien 1898), S. 80—99.

Zur Erläuterung von Schillers Aufzeichnungen sei über die zu Grunde liegenden historischen Verhältnisse folgendes im allgemeinen vorausgeschickt: Die Türken hatten das Kastell S. Elmo schon soweit erobert, daß die dort eingeschlossenen Ritter ihren sicheren Untergang vor Augen sahen. Der Großmeister La Valette, der mit der Hauptmacht des Ordens in dem noch sicheren Borgo weilte, konnte S. Elmo nicht aufgeben, weil die Behauptung dieses Platzes vom Vizekönig von Sizilien zur Bedingung seines Eingreifens zugunsten der Malteser gemacht worden war. Er verweigerte deshalb den Rittern auf ihr erstes Gesuch den Abzug. Kurz darauf baten sie ihn noch dringender, sogar unter Drohungen, nach Borgo zurückkehren zu dürfen. La Valette ließ den Zustand des Forts durch drei Ingenieure prüfen, und einer von ihnen, der Grieche Konstantin Castriot, erklärte, er getraue sich die Festung mit einer Anzahl Soldaten zu behaupten. La Valette berief darauf die Ritter von S. Elmo mit Worten, die für sie demütigend waren, zurück. Ihr Ehrgefühl wurde dadurch von neuem geweckt, sie baten um Verzeihung und wollten die Festung bis auf den letzten Mann verteidigen. La Valette rügte ihren Ungehorsam und ließ sich erst durch wiederholte demütigende Bitten bestimmen, ihr Gesuch zu bewilligen. Sie behaupteten nun S. Elmo, bis der letzte von ihnen gefallen war, und trugen so am meisten dazu bei, daß die Türken nach vier Monaten, am 8. September 1565, die Belagerung Maltas aufgeben mußten, nachdem sie ihr 20000 Mann geopfert hatten.

Historische Persönlichkeiten sind, abgesehen von den nicht besonders hervortretenden Rittern: der Gesandte des spanischen Vizekönigs Miranda, von Schiller anfangs Mendoza genannt; der Admiral Romegas, bei Vertot ein kühner Seemann, in dessen Gestalt die ursprünglich geplanten Gegenspieler Montalto (auch Heredia genannt) und Ademar übergehen; der Grieche Castriot.

In der Geschichte Vertots war von einer besonderen Sittenverderbnis des Ordens zur Zeit der Belagerung nichts gesagt, Schiller setzte sie voraus, um die sittliche Läuterung der Ritter noch bedeutsamer erscheinen zu lassen.

Die mit römischen Zahlen bezeichneten Überschriften rühren von Kettner her.

Die Handschrift zu S. 64, Z. 26 bis S. 65, Z. 15, konnte vor der Versteigerung bei C. G. Börner in Leipzig am 6. November 1909 eingesehen werden.

S. 32. Mit freier Benutzung von Schillers Entwürfen hat

Heinrich Bulthaupt eine Tragödie „Die Malteser" gedichtet (2. Aufl., Oldenburg 1897).

S. 33, Z. 4. Der Name „Hospitaliter" geht auf den Titel Vertots (siehe S. 27) zurück.

Z. 30. Abandonniert, dem Untergang preisgegeben.

S. 34, Z. 8. Der Name „F. von Stein" mag, gemäß der Vermutung Kettners, vom Sohne der früheren Freundin Goethes entlehnt sein. Vertot erwähnt einen deutschen Ritter Henri Ferdinand de St.

S. 34, Z. 16 bis S. 36, Z. 19. Nach der richtigen Beobachtung Leitzmanns ist Kettners Nr. 2 in zwei zu verschiedenen Zeiten entstandene Entwürfe zu trennen.

S. 35, Z. 5. Der gestrichene Name „Saintfoix" wurde für „die Kinder des Hauses" verwendet, der „von Posa" bezeugt, daß Schiller ursprünglich daran dachte, den Freund des Don Karlos in den „Maltesern" wieder auftreten zu lassen.

S. 35, Z. 40. Man denkt an den sogenannten Schiffskatalog im 2. Gesang der Ilias oder an den Auftrittschor der von Schiller übersetzten „Iphigenie in Aulis" (siehe Bd. 11, S. 20f.).

S. 36, Z. 24. Debauchiert, verführt.

S. 38, Z. 10. Die Stadt La Valette, so zu Ehren des Großmeisters genannt, wurde erst nach der Belagerung 1566 gegründet.

S. 40, Z. 3f. Vgl. den „Kampf mit dem Drachen" (Bd. 2, S. 70).

Z. 37. Machinieren, Ränke anzetteln.

S. 41, Z. 11. Partie, Partei.

S. 42, Z. 8—16. Diese Verteilung der Rollen auf die Weimarer Schauspieler stammt aus den ersten Monaten des Jahres 1801. S. Priest sollte, wie der Name „Caspers" (Z. 14) bezeugt, als Hosenrolle von einer jungen Schauspielerin gegeben werden. Il Borgo ist der Ort, wo die Hauptzahl der Ritter sich aufhält.

S. 46, Z. 35 bis S. 47, Z. 10. Die Zahlen sind, wie häufig in Schillers Entwürfen, nicht zu deuten.

S. 47, Z. 14. Loyauté, Aufrichtigkeit.

Z. 28. Feu d'artifices, Feuerwerk (Bomben, Minen, griechisches Feuer usw.).

S. 48, Z. 22. In Schillers „Neuer Thalia", 5. Stück, S. 170 bis 228 und 6. Stück, S. 324—386, war eine Übersetzung von Platos „Gastmahl" erschienen, der bekannten Verherrlichung der griechischen Männerliebe. Kettner hat darauf hingewiesen.

S. 49, Z. 5. Chevalier, Ritter.

Z. 31f. Vgl. „Braut von Messina" IV, 9, V. 2765f. (Bd. 7, S. 362 unserer Ausgabe).

S. 50, Z. 7ff. Nr. 8 faßt noch einmal die Voraussetzungen der Handlung zusammen. Vier von den sechs Namen der Anführer der Türken sind schon im „Don Karlos", V. 2910f. (Bd. 5, S. 131) genannt.

S. 52, Z. 4. Sich entêtieren, sich darauf versteifen.

Z. 7. Scheinbar, einleuchtend.

Z. 35. Die Religion ist bei Vertot Bezeichnung des Ordens. Vgl. Kampf mit dem Drachen, V. 62 (Bd. 2, S. 72), „Die Zierden der Religion".

S. 53, Z. 27. Nach den Nationen oder „Zungen" der Ritter gliederte sich der Orden in die acht (später sieben) Abteilungen: Provence, Auvergne, Frankreich, Italien, Aragonien, Kastilien, Deutschland, England.

S. 56, Z. 26. Fühlbarkeit, im 18. Jahrhundert häufig für weiches Gemüt.

Z. 34. Werk, Befestigung, die äußerste S. Elmo, die innerste Il Borgo.

S. 57, Z. 7. Penetration, Scharfsinn.

Z. 20. Souteniert, behauptet.

S. 58, Z. 24. Einfließen, Einfluß haben.

S. 59, Z. 6. Konfondieren (vom franz. confondre), vereiteln.

Z. 11. Anständigsten, am meisten den Verhältnissen angemessen.

Z. 29. Keiner, d. h. von den Rittern, außer La Valette.

S. 60, Z. 4. Mutinerie, Widerspenstigkeit, Meuterei.

S. 63, Z. 15. Exoterisch, von außen kommend.

S. 64, Z. 5. Der Orden der Tempelherren war durch Ausschweifung, Habgier und Herrschsucht zu Anfang des 14. Jahrhunderts untergegangen.

Z. 10. Gerard, deutsch Gerhard, begründete 1099 die Bruderschaft der Hospitaliter in Jerusalem, sein Nachfolger Raimund Dupuy führte die Ordenstracht ein und verpflichtete die Ritter neben der Krankenpflege zum Kampf gegen die Ungläubigen.

Z. 16. Die Belagerung und Eroberung von Akkon (1291) vertrieb den Orden aus dem Heiligen Lande. Er eroberte unter dem Großmeister Fulco von Villaret 1309 die Insel Rhodus und erbte kurz darauf durch den Untergang des Tempelordens einen großen Teil von dessen Reichtümern. Ende 1523 eroberte der Sultan Soliman Rhodus und der Orden zog unter dem Großmeister Philipp Villiers de l'Jsle Adam ab. Erst am 24. März 1530 erhielt er von Karl V. als neuen Sitz die Insel Malta.

Z. 33. Lizenz, Sittenlosigkeit.

S. 65, Z. 22f. Vertot läßt La Valette nach dem Tode seines

Neffen sagen: „Tous les chevaliers me sont également chers; je les regarde tous comme mes enfants."

S. 66, Z. 8. Verhandeln, Geschehen.

S. 67, Z. 4. Desiderat, notwendiger, noch fehlender Bestandteil der Handlung.

S. 68, Z. 6. Pivot, Angelpunkt.

Z. 14. Unterschieden, ausgezeichnet.

S. 68, Z. 28. Kommittenten, Auftraggeber.

S. 70, Z. 3. Accomplissement, Ergänzung und Erfüllung.

Z. 10 ff. Dieses Personenverzeichnis stammt aus der Zeit vom Februar 1803 bis zum Januar 1804 (Kettner).

Z. 26. Irene ist die gefangene Griechin.

S. 71, Z. 23 und S. 74, Z. 26. Säkulum, für Zeitalter, auch im „Demetrius", V. 909 (siehe Bd. 8, S. 187).

Z. 35. Croissant, der Halbmond.

Z. 38. Spahis, türkische irreguläre Reiterei.

S. 74, Z. 28—30. Diese Anmerkung dürfte zu Nr. IV gehören.

S. 75, Z. 33. Ravelin, Außenwall.

S. 76, Z. 11. Günstling (oder Anverwandte), d. h. in den Augen der Ritter.

Z. 20. Faktion, Zusammenrottung.

S. 83, Z. 21. Releviert, rügt.

S. 84, Z. 1 f. Vgl. das „Siegesfest", V. 155 f. (Bd. 3, S. 148).

Z. 37. Rinaldo, der jugendliche Held in Tassos „befreitem Jerusalem".

S. 85, Z. 24 f. Vertot berichtet von einem Ritter de la Rivière, daß er, von den Türken als Gefangener gefoltert, einen besonders festen Punkt von Il Borgo als die schwache Stelle zum Angriff empfahl. Als die Türken erkannten, daß er sie belogen hätte, ließen sie ihn mit Stockschlägen töten.

S. 86, Z. 30. Der Kommentur (franz. commandeur) bekleidet im Orden eine der unteren Befehlshaberstellen. Er steht an der Spitze einer der Kommenden. Diese sind den Balleien untergeordnet, in welche die sieben Zungen des Ordens zerfallen. Später (S. 87, Z. 17) wird der Franzose durch die Bezeichnung Hospitalier als einfacher Ritter bezeichnet (siehe oben zu S. 33, Z. 4).

S. 89, Z. 4. Casen (franz. case), Miniergewölbe.

Z. 5 f. Der Berg Sceberras erhebt sich auf der langen, schmalen Landzunge, an deren Spitze das Fort S. Elmo liegt; diese teilt die sie umgebende Bucht in zwei Häfen.

S. 90, Z. 9. Convoy, eine Proviantflotte mit militärischer Bedeckung.

Z. 28. Orden, Schreibfehler Schillers statt „Chor".

S. 92, Z. 6. Die höchsten Würdenträger des Ordens, die Großkomture und Baillis, trugen auf dem Mantel ein größeres Kreuz als die übrigen.

S. 95. Vgl. Ludwig Stettenheim, Schillers Fragment „Die Polizey", mit Berücksichtigung anderer Entwürfe des Nachlasses (Berlin 1893).

S. 98, Z. 7 bis S. 100, Z. 10. Alle von Schiller benutzten Stellen aus Mercier sind von Stettenheim in der Beilage seiner Schrift S. 57—73 nachgewiesen.

S. 98, Z. 9. Exempts, Geistliche, die nicht unter den Bischof ihres Sprengels stehen; Porte-faix, Lastträger, Eckensteher.

Z. 10. Fats, Gecken; Devotes, Frömmlerinnen.

S. 98, Z. 13. Holzbeugen bezeichnet nach Mercier Bd. 1, S. 68, die haushohen Stapel, zu denen das in Paris auf der Seine ankommende Holz aufgeschichtet wird. Mercier erwähnt, daß die verbotene „Gazette ecclésiastique" lange Zeit unter diesen Stapeln gedruckt wurde und daß die Drucker als Holzsäger und Lastträger verkleidet waren. Bei dieser Stelle von Schillers Notizen liegt ein Zettel (nicht von Schiller geschrieben) mit den Worten: „Ein gewisser Raum, worin ein gewisses Quantum Holz gemessen wird, heißt eine Beuge, Holzbeuge, Heubeuge württembergisch."

S. 98, Z. 28. Mouchards, Polizeispione.

Z. 31. Rabat, die Kleidung des Geistlichen.

Z. 32. Marmiton, Küchenjunge.

Z. 35. Escroc, Betrüger.

S. 99, Z. 4. Vaudeville, Gassenhauer.

Z. 24. Hommes en place, Staatsbeamte.

S. 100, Z. 1. Marager, Gemüsehändler; Poissonniers, Fischhändler; Coquetiers, Geflügelhändler; La Hotte, die Tragkörbe, in denen, nach Mercier, alle Lebensmittel in Paris transportiert werden.

S. 100 ff. Der Titel Polizeileutnant bezeichnet im 18. Jahrhundert das Oberhaupt der Sicherheitsbehörde, das diese als Stellvertreter (franz. Lieutenant) des Königs leitet.

S. 101, Z. 1 ff. Auch für diese Notizen ist Mercier die Hauptquelle.

S. 103, Z. 3. Rétif de la Bretonne, dessen zahlreiche Werke Schiller mit Vergnügen las, schrieb in acht Bänden Les Nuits de Paris, ou Le Spectateur Nocturne (Londres 1788—1794), eine poetische Schilderung der Nacht in Paris. Auf den beigegebenen

Kupfern ist vieles dargestellt, was für Schillers Absicht dienlich war z. B. der Diebstahl einer Leiche durch junge Ärzte (vgl. S. 104, Z. 27). Z. 27 f. Diese Replik wird verschiedenen französischen Ministern und Polizeichefs zugeschrieben. Schiller zitiert sie in seiner Kritik der „Historisch-kritischen Enzyklopädie" von Hoff (siehe Bd. 19, S. 132), wo er auch eine ausführliche Charakteristik Argensons las.

Z. 30. Debauchiert, liederlich.

Z. 35. Roturier, Mann niederen Standes.

Z. 37. Mercier bemerkt, daß ein hoher Beamter, wenn er einmal ein „eitler Geck" (fat) sei, es in viel höherem Maße werde, als ein Offizier.

Z. 38. Ubique, ein Allerweltsmensch (siehe Stettenheim, S. 54).

S. 104, Z. 6. Die Scheinheilige.

Z. 10. Polizeibeamter.

Z. 13. Porte-faix, Lastträger, Eckensteher; Suisse, Türsteher.

Z. 17. Guet, die Nachtwache.

Z. 19. Marktweiber.

Z. 28. Mercier erzählt von einem Mann in verzweifelter Lage, der einen fremden Leichnam als den seinigen auffinden ließ, um ungestört zu entfliehen.

S. 107, Z. 26. Fatalität, Wirken des Schicksals.

S. 110, Z. 21. Passe partout, Nachschlüssel.

Z. 33. Hardes, Kleidungsstücke.

S. 111, Z. 28. Pretia affectionis, Gegenstände von besonderem, persönlichem Wert.

S. 112, Z. 10. Denouement, Auflösung.

S. 113, Z. 4 u. 8. Von dem Blatte ist nur ein abgeschnittener Streifen vorhanden.

S. 119, Z. 5. Seinen eigenen Sohn, d. h. den eigenen Sohn des Bruders Pierre, Philippe.

Z. 22. Die Inseln (les Iles) sind die Antillen, französische Kolonie, nach der die schweren Verbrecher transportiert wurden.

S. 120, Z. 17—31. Das Personenverzeichnis ist, wie die Namen der Schauspieler zeigen, zwischen dem 21. Januar 1799 und dem 7. April 1800 niedergeschrieben.

Z. 18. Saintfoix ist identisch mit Philippe.

S. 121, Z. 17. Besitzender, beherrschter.

S. 122, Z. 8 f. Eduard II. von England wurde auf diese Weise ermordet.

Z. 27. Fatale Konkurrenz, verhängnisvolles Zusammentreffen.

S. 124, Z. 11. Extremität, äußerste Bedrängnis.

Z. 14. Fatalität, Schicksalsfügung.

Z. 30. Expiation, Sühne.

S. 126, Z. 23. Ließ, stand.

Z. 31. Fièr, stolz.

S. 127, Z. 8. Konfundiert, vermischt.

S. 128, Z. 12f. De basse condition et sans aveu, in niedrigen Verhältnissen und eine dunkle Existenz führend.

Z. 24. Bailli, Haupt der Polizei und des Gerichts, Justiz= amtmann.

Z. 32. Impius, Mensch ohne Pietät.

S. 129, Z. 27. Der Vorname Charlot tritt später durch= gehends an die Stelle des Namens Saintsoix.

S. 130, Z. 1. Raoul ist der Helfershelfer Narbonnes, auch der Kapitän genannt.

Z. 19. Überschreibt, adressiert.

Z. 32. Unschuldigere, unbefangenere, naivere.

S. 131, Z. 25—35. Schiller stellt hier eine Reihe von Ein= fällen zusammen, aus denen das geeignetste Motiv für Narbonne, die Polizei in Bewegung zu setzen, gewählt werden soll.

S. 133, Z. 7. Zieht, den Degen.

S. 134, Z. 21f. Die seit dem Morde verflossene Zeit wird in den Entwürfen immer länger; S. 119, Z. 10 waren es sechs oder acht Jahre; S. 126, Z. 3 zehn Jahre, S. 136, Z. 22 hat die Zigeunerin die Kinder vor sechzehn Jahren erhalten, S. 137, Z. 23 sind es zwölf Jahre, wie hier.

S. 137, Z. 13—24 und S. 138, Z. 1—12 sind von Schiller gestrichen.

S. 141, Z. 12f. und Z. 28f. Der geringfügige Widerspruch zeigt, daß Schiller noch schwankte, ob er die Begegnung Adelaidens mit der Zigeunerin nur berichten lassen oder auf die Szene bringen sollte.

S. 142, Z. 8. Thierry ist derselbe alte Bediente, der S. 132, Z. 22 Jaques heißt.

Z. 9—25. Das erste Personenverzeichnis, entworfen nach dem 27. Oktober 1804, nennt Weimarer Schauspieler, das zweite neben ihnen einige Berliner.

Z. 37. Ein valet deutet darauf hin, daß Charlot die Schluß= worte des Schauspiels sprechen soll.

S. 144, Z. 1f. Das Bild ist der Odyssee, 11. Ges., V. 634 entnommen, vgl. Bd. 2, S. 210, Nr. 413.

S. 144, Z. 24 bis S. 145, Z. 41. Die Bedeutung der vor dem Text stehenden Zahlen ist nicht zu erklären.

S. 145, Z. 21. Incidenz, Vorfall.

S. 177, Z. 12f. Schiller nimmt an, daß Warbeck ein natü
licher Sohn Eduards IV. sei, was er bei Lizancour und Nocol
fand. Auch Rapin erwähnt es als Gerücht.

Z. 31. Das Hemd des Nessus, durch das Herkul
verbrannt wurde.

S. 178, Z. 17. Graf Kildare ist der Pflegevater Warbed

Z. 36. Erich ist der Name des Prinzen von Gotlan
siehe S. 165.

S. 180, Z. 10. Die frais, der Aufwand.

Z. 21—38 Dieses Verzeichnis nennt links Weimarer, rech
Berliner Schauspieler. Kettner weist nach, daß die Weimarer B
setzung erst nach dem 22. September 1804 niedergeschrieben ist.

S. 181, Z. 13. Der zweite York ist Simnel.

S. 183, Z. 2. Nausikaa, die Tochter des Phäakenfürste
die ihre heimliche Neigung dem Odysseus schenkt.

S. 184, Z. 32. Augenblicklich, zeitweise.

S. 185, Z. 14. Preambule, Einleitung.

Z. 37. hors d'oeuvre, Abschweifung.

S. 186, Z. 23. Soupçonnieren, argwöhnen.

Z. 28. Detrompieren, aus der Täuschung reißen.

S. 187, Z. 19. Fazilität, Oberflächlichkeit.

Z. 26. Die Prinzen aus dem Tower, die beiden Söhn
Eduards IV.

S. 188, Z. 19. Der Prinz von Wallis (Wales), der älte:
Sohn Eduards IV.

Z. 23. Sir James Tyrrel, in Shakespeares „Richard III.
das Werkzeug zur Ermordung der Söhne Eduards IV.

S. 191, Z. 22. Herzogin mit dem Tuch, vgl. S. 22:
Z. 15f.

S. 193, Z. 34. Reciproce, wiederum.

S. 194, Z. 17. Vgl. S. 213, Z. 21—26.

S. 195, Z. 17. Imposteur, Betrüger.

Z. 22—39. Vgl. S. 180, Z. 22—38, wo die Rollen an di
Weimarer Schauspieler anders verteilt sind.

S. 196, Z. 7. Insolenzien, Frechheiten.

Z. 23. Desoliert, grämt.

Z. 28. Mauvaise grace, schlechte Laune.

S. 198, Z. 11. Absatz, Gegensatz.

S. 199, Z. 6. Blanda, selbstverständlich Schreibfehler stat
Adelaide.

S. 200, Z. 9. Tête à tête à la derobée, verstohlene
Beisammensein.

S. 201, Z. 14. Livree, Dienerschaft.

Z. 37. Incidenz, Vorfall.

S. 202, Z. 20. Figaro deutet an, daß der Monolog dem berühmten gegen die Vorrechte der Geburt gerichteten Selbstgespräch Beaumarchais' 1784 aufgeführtem Lustspiel „Figaros Hochzeit", Akt, 3. Szene, dem Grundgedanken nach ähneln sollte.

Z. 25. Determinierte Degen, entschlossene Raufbolde.

S. 203, Z. 4. Gemeinen, gewöhnlichen.

Z. 14. Ferocité, Unbändigkeit.

Z. 27. Person, Rolle.

Z. 31. Etat, festes Einkommen.

S. 206, Z. 21f. Haranguiert, hält eine Ansprache.

S. 208, Z. 20. Der Angestiftete, siehe S. 214, Z. 11—15.

S. 210, Z. 18f. Prinzessin von Bretagne, Adelaide.

S. 214, Z. 31f. Schiller benutzt hier die Tradition, daß Warbeck angeblich der Sohn eines getauften Juden aus Tournay war.

Z. 35. Einverstanden, an dem Plane beteiligt.

S. 215, Z. 8. Sauve garde, Geleitbrief.

Z. 35. En camp clos, in den Turnierschranken.

S. 219, Z. 3f. Konstituieren, zur Rede zu stellen.

S. 220, Z. 7. Familienboden, das Haus seiner Tante.

Z. 24. Komposition, Übereinkunft.

Z. 34. Verloren, d. h. für ihn verloren.

S. 221, Z. 21—30. Diese Anmerkung bezieht sich auf die Szene im 2. Akt, deren Inhalt schon S. 214, Z. 11—24 angegeben ist.

S. 222, Z. 1—22. Dieser ursprüngliche Eingang des 5. Aktes wurde später von Schiller fallen gelassen, wie die geänderten Zahlen der folgenden Abschnitte zeigen.

Z. 9 u. 13. Plantagenet wird hier jünger als früher angenommen.

S. 224, Z. 15. Apostrophieren, anreden.

S. 225, Z. 37. Devouierte, ergebene.

S. 226, Z. 3. Richard, der angenommene Name Warbecks.

Z. 16. Religion, hier in der ursprünglichen Bedeutung „Ehrfurcht".

Z. 28. Sir William, der englische Botschafter Stanley.

S. 227, Z. 15f. Vgl. S. 163.

S. 231, Z. 28. Wohl nur vorübergehend hat Schiller daran gedacht, Adelaide diesen Namen oder den gestrichenen Miranda beizulegen.

S. 232, Z. 38 bis S. 233, Z. 7. In Shakespeares „Heinrich VI.," 1. Teil II, 6 ist geschildert, wie die Anhänger der Häuser York und Lancaster die weiße und die rote Rose zum Abzeichen wählen.

23*

S. 177, Z. 12f. Schiller nimmt an, daß Warbeck ein natür=
licher Sohn Eduards IV. sei, was er bei Lizancour und Rocoles
fand. Auch Rapin erwähnt es als Gerücht.

Z. 31. Das Hemd des Nessus, durch das Herkules
verbrannt wurde.

S. 178, Z. 17. Graf Kildare ist der Pflegevater Warbecks.

Z. 36. Erich ist der Name des Prinzen von Gotland,
siehe S. 165.

S. 180, Z. 10. Die frais, der Aufwand.

Z. 21—38. Dieses Verzeichnis nennt links Weimarer, rechts
Berliner Schauspieler. Kettner weist nach, daß die Weimarer Be=
setzung erst nach dem 22. September 1804 niedergeschrieben ist.

S. 181, Z. 13. Der zweite York ist Simnel.

S. 183, Z. 2. Nausikaa, die Tochter des Phäakenfürsten,
die ihre heimliche Neigung dem Odysseus schenkt.

S. 184, Z. 32. Augenblicklich, zeitweise.

S. 185, Z. 14. Preambule, Einleitung.

Z. 37. hors d'oeuvre, Abschweifung.

S. 186, Z. 23. Soupçonnieren, argwöhnen.

Z. 28. Detrompieren, aus der Täuschung reißen.

S. 187, Z. 19. Fazilität, Oberflächlichkeit.

Z. 26. Die Prinzen aus dem Tower, die beiden Söhne
Eduards IV.

S. 188, Z. 19. Der Prinz von Wallis (Wales), der ältere
Sohn Eduards IV.

Z. 23. Sir James Tyrrel, in Shakespeares „Richard III."
das Werkzeug zur Ermordung der Söhne Eduards IV.

S. 191, Z. 22. Herzogin mit dem Tuch, vgl. S. 221,
Z. 15f.

S. 193, Z. 34. Reciproce, wiederum.

S. 194, Z. 17. Vgl. S. 213, Z. 21—26.

S. 195, Z. 17. Imposteur, Betrüger.

Z. 22—39. Vgl. S. 180, Z. 22—38, wo die Rollen an die
Weimarer Schauspieler anders verteilt sind.

S. 196, Z. 7. Insolenzien, Frechheiten.

Z. 23. Desoliert, grämt.

Z. 28. Mauvaise grace, schlechte Laune.

S. 198, Z. 11. Absatz, Gegensatz.

S. 199, Z. 6. Blanda, selbstverständlich Schreibfehler statt
Adelaide.

S. 200, Z. 9. Tête à tête à la derobée, verstohlenes
Beisammensein.

S. 201, Z. 14. Livree, Dienerschaft.

3. 37. Incidenz, Vorfall.

S. 202, 3. 20. Figaro deutet an, daß der Monolog dem berühmten gegen die Vorrechte der Geburt gerichteten Selbstgespräch in Beaumarchais' 1784 aufgeführtem Lustspiel „Figaros Hochzeit", 5. Akt, 3. Szene, dem Grundgedanken nach ähneln sollte.

3. 25. Determinierte Degen, entschlossene Raufbolde.

S. 203, 3. 4. Gemeinen, gewöhnlichen.

3. 14. Ferocité, Unbändigkeit.

3. 27. Person, Rolle.

3. 31. Etat, festes Einkommen.

S. 206, 3. 21 f. Haranguiert, hält eine Ansprache.

S. 208, 3. 20. Der Angestiftete, siehe S. 214, 3. 11—15.

S. 210, 3. 18 f. Prinzessin von Bretagne, Adelaide.

S. 214, 3. 31 f. Schiller benutzt hier die Tradition, daß Warbeck angeblich der Sohn eines getauften Juden aus Tournay war.

3. 35. Einverstanden, an dem Plane beteiligt.

S. 215, 3. 8. Sauve garde, Geleitbrief.

3. 35. En camp clos, in den Turnierschranken.

S. 219, 3. 3 f. Konstituieren, zur Rede zu stellen.

S. 220, 3. 7. Familienboden, das Haus seiner Tante.

3. 24. Komposition, Übereinkunft.

3. 34. Verloren, d. h. für ihn verloren.

S. 221, 3. 21—30. Diese Anmerkung bezieht sich auf die Szene im 2. Akt, deren Inhalt schon S. 214, 3. 11—24 angegeben ist.

S. 222, 3. 1—22. Dieser ursprüngliche Eingang des 5. Aktes wurde später von Schiller fallen gelassen, wie die geänderten Zahlen der folgenden Abschnitte zeigen.

3. 9 u. 13. Plantagenet wird hier jünger als früher angenommen.

S. 224, 3. 15. Apostrophieren, anreden.

S. 225, 3. 37. Devouierte, ergebene.

S. 226, 3. 3. Richard, der angenommene Name Warbecks.

3. 16. Religion, hier in der ursprünglichen Bedeutung „Ehrfurcht".

3. 28. Sir William, der englische Botschafter Stanley.

S. 227, 3. 15 ff. Vgl. S. 163.

S. 231, 3. 28. Wohl nur vorübergehend hat Schiller daran gedacht, Adelaide diesen Namen oder den gestrichenen Miranda beizulegen.

S. 232, 3. 38 bis S. 233, 3. 7. In Shakespeares „Heinrich VI.," 1. Teil II, 6 ist geschildert, wie die Anhänger der Häuser York und Lancaster die weiße und die rote Rose zum Abzeichen wählen.

23*

S. 236, Z. 27 bis S. 237, Z. 21. Zu diesen Versen ist folgender Prosaentwurf erhalten: „Soll sie ihres Geschlechts nicht gedenken, das unter dem Unglück der Zeiten gefallen ist? Vom Thron gestürzt, verjagt, geächtet, durch ungeheure Unfälle ausgerottet, wo fänd es Schutz und Aufnahme auf der feindselig gesinnten Erde als ihren gastlichen Herd? Mitleiden verdient es, und das wenigste was sie thun kann in ihrer Ohnmacht ist, die unterdrückten zu acceuilliren, und den Flüchtigen ein Obdach zu gewähren. Lancaster hat die Götter für sich, das Glück ist auf seiner Seite, York hat nichts für [sich] als den Trost der Verwandtschaft! Er hat nur Worte, Thränen, keine Macht.

Hereford

Die Herzogin stellt ein glänzend edles Muster einer frommen Blutsverwandten auf und übt die fromme Pflicht mit musterhafter Tugend. Nach Brüssel wollen alle treuen Herzen, die für das edle Haus der York Verfolgung dulden, sie finden hier Trost, Achtung, Antheil 2c.

Auch hat der Himmel selbst diese ihre Pietät sichtbar gesegnet und ihr den todtgeglaubten Neffen wie aus dem Schattenreich zurück= geführt Wir kommen her, ihm zu huldigen. Wo aber ist er dieser edle Prinz, daß ich mich . . ."

S. 238, Z. 20—25. Sind in einer nicht erheblich abweichenden früheren Fassung vorhanden.

S. 240, Z. 20. In der älteren ·Handschrift sind folgende zwei Entwürfe für diesen unvollständigen Vers enthalten:

Verbarg ihn sorgsam vor der Späher Blick
Verbarg ihn, die göttliche Gerichte scheuend.

S. 241, Z. 9—19. Zu dieser Stelle enthält die ältere Fassung einen, zum Teil den späteren ergänzenden Entwurf:

Brach durch die engen Bande Schranken seines engen

Glücks

Durchbrach   zu den Waffen griff

Der junge Held, und in

Es trieb ihn aus des Pflegevaters Haus

Des Pflegevaters Haus verließ er

Das Schwert nur fand er seines Strebens wert,

Und zu den Waffen griff der junge Held.

stürzt sich der Löwin Sohn,

Nicht in das Joch spannen läßt sich des Löwen

Kühne Brut, der Löwin Sohn.

Er bekam Händel, weil ihm jemand Verachtung bezeugte. Er tödtete seinen Gegner u. floh.

Nicht nennen will ich euch die Noth und Arbeit die eures Königs

Sohn durchkämpfte, als er sich selbst ein Geheimniß den Weg sich
suchte durch die feindlich fremde Welt, ohn' Ältern, ohne Freundes
Hilfe, nur sein eigner Führer und Schutz. Alles was der Mangel
bittres hatte erlitten, alles Unglück das den Heimatlosen erwartet
traf ihn, und hart empfand ers.

S. 241, Z. 22. Dieser Auftritt, dessen Zahl nicht ausgefüllt
ist, entspricht Nr. 5 des Szenars für den ersten Akt (S. 211, Z. 22ff).

S. 242, Z. 14f. Heinrich VII. war in der Tat einer der
klügsten, aber zugleich einer der unsympathischsten Herrscher.

Z. 30—35. Vgl. Rocoles (oben zu S. 168), S. 265f.: Standes-
personen, die sich einer hohen Geburt rühmen können, haben gemeiniglich schon von Natur einen Trieb, in die Fußstapfen ihrer großen
Vorfahren zu treten, und sich eben solcher Lobeserhebungen würdig
zu machen, welches sich sonst bey geringen Leuten, deren Tugend
gemeiniglich schon etwas gezwungen ist, nicht leicht findet

S. 242, Z. 32—35 lauten in der älteren Fassung breiter:

> Sich darstellt — Unter tausenden heraus
> Will ich den Fürsten finden —
> Doch die Natur, das unbewußte, fehlt,
> Die glücklich blinde Sicherheit — Man muß
> Ein Fürst geboren seyn um es zu scheinen.
> Der
>   bei ihm ists das Verkehrte!
> Er ist gefällig, wenn er sich vergißt,
> Und muß sich zwingen und zusammennehmen,
> Wenn er die edle Kälte zeigen will!

S. 243, Z. 4. Dieser Vers ist fast wörtlich in dem „Demetrius"
V. 129 übergegangen.

S. 244, Z. 32. Dieser Monolog beschließt im Szenar (S. 212,
Z. 9ff.) den 1. Akt.

S. 247, Z. 1. Die Handschrift des Entwurfs zum „Themistokles" ist in Wychgrams „Schiller" wiedergegeben.

S. 248, Z. 11. König Artaxerxes von Persien hatte den
Themistokles nach seiner Verbannung aus Athen im Jahre 465
v. Chr. in Magnesia ein Asyl gewährt.

S. 249, Z. 9f. Plutarch, Kap. 30 der Biographie des Themistokles, berichtet, daß dieser auf Geheiß der Mutter der Götter seine
Tochter zu ihrer Priesterin machte.

Z. 15. Kimon, der Sohn des Miltiades, errang bald nach der
Verbannung des Themistokles seinen großen Sieg über die Perser
am Eurymedon und begründete dadurch seinen Ruhm, der den des
Themistokles überstrahlte.

3. 17 f. Plutarch berichtet im Kap. 17, wie Themistokles bei den olympischen Spielen von allen Griechen gefeiert wurde.

3. 29. Von diesem Opfer spricht Plutarch, Kap. 31.

S. 252, 3. 5 bis S. 253, 3. 13. In dem Personenverzeichnis der „Gräfin von Flandern" sind die Namen von Aremberg, Erich, Prinz von Gotland und Bischof von Ypern, übereinstimmend mit Namen, die für den „Warbeck" in Aussicht genommen waren. S. 255, 3. 16 kommt noch der Name von Megen hinzu. Man könnte daraus schließen, daß der eine von beiden Entwürfen schon fallen gelassen war, als diese Namen für den andern gewählt wurden, aber die chronologischen Zeugnisse beweisen, daß beide nebeneinander in Schillers letzten Lebensjahren erwogen wurden.

S. 252, 3. 5. Der Name der Heldin wird S. 258, 3. 16, und S. 269, 3. 33 in Imagina verändert und ihre Freundin heißt dort Mathilde.

3. 6. Die hier noch unbenannte Freundin der Gräfin von Flandern heißt S. 253, 3. 18 und S. 255, 3. 16 von Megen.

S. 254, 3. 6. Wie sich aus Anm. 1 ergibt, sind es nicht vier, sondern fünf Freier.

3. 10 f. Prevalieren sich, pochen auf.

3. 21. Damoiseau, Junker, ein frommer Knecht wie Fridolin im „Gang nach dem Eisenhammer", vgl. 3. 28 f.

3. 26. Spektakel, Szenen mit starker äußerer Wirkung.

S. 256, 3. 13 f. Sich signalisieren, sich auszeichnen.

3. 25. Rebutieren, abschrecken.

3. 31. Ferox, wild.

3. 35 f. Scheinbarsten, klarsten.

S. 257, 3. 4. Humble, demütige.

3. 30. Im Prospekt, als Zukunftsaussicht.

S. 258, 3. 17 f. Die beiden Namen Mathilde, Gräfin von Lille und Fräulein von Megen bezeichnen dieselbe Person. In dem folgenden Fragment Nr. 2 (S. 258, 3. 28 f.) heißt der Liebhaber des Fräuleins Graf Megen, und dieses heißt Aremberg, offenbar nur ein Schreibfehler, vgl. S. 268, 3. 28—31; dagegen bezeichnet er in Nr. 3 (S. 260, 3. 16) wieder die Freundin.

S. 261, 3. 1. Gravität, Würde.

3. 18. Escudero, adliger Gefolgsmann.

3. 25—36. Die zunächst feststehenden Situationen des 1. und 2. Akts.

3. 35. Plantiert, stehen gelassen und dadurch abgewiesen.

S. 262, 3. 10. Devouement, Ergebenheit.

S. 264, 3. 4. Instigationen, das Antreiben.

3. 27. Hier wieder die ursprüngliche Bezeichnung der Freundin.

Z. 34—36 und S. 265, Z. 30—33. Die Bedeutung der Zahlen ist unklar, vielleicht bezeichnen sie die Arbeitstage, die Schiller für die einzelnen Abschnitte der Handlung und im ganzen nötig zu haben glaubte.

S 265, Z. 3. Prämeditierter, vorausgeplanter.

Z. 21. Deliberiert, erwogen.

Z. 25 Sein Glück, die Liebe des Fräuleins von Megen, vgl. S. 266, Z. 4.

S. 266, Z. 1. Der Kanzler sollte eine Art Polonius werden.

Z. 31. Bonhomme, Biedermann; Acheminement, vorbereitender Schritt.

S. 267, Z. 5. Eludiert, umgeht.

Z. 6. Megen, der Graf von Aremberg, vgl. Z. 16.

S. 268, Z. 11—15. Hier sollten gewiß Erinnerungen der Revolutionszeit in leichter historischer Hülle verwertet werden.

S. 269, Z. 16. Sie ihn, müßte heißen „ihn sie".

S. 270, Z. 6. Der jubelnde Schluß von Wielands „Oberon" sollte als Vorbild für die Stimmung der letzten Szenen gelten.

S. 284. Zum „Schiff" vgl. Robert Boxberger, Schillers Lektüre (Archiv für Literaturgeschichte, Bd. 2, Leipzig 1872, S. 198 ff.); Max Dessoir, Schillers Fragment: „Das Schiff" (Vierteljahrs=schrift für Literaturgeschichte, Bd. 2, Weimar 1889, S. 562—573); Kettner in den neuen Jahrbüchern für das klassische Altertum usw., Bd. 11 (Leipzig 1903), S. 55—64, und im Marbacher Schillerbuch 1905, S. 126—131; Adalbert Silbermann, Zu Schillers Frag=menten (Euphorion, Bd. 12 Leipzig u. Wien 1905), S. 573—578. Die Ähnlichkeiten des Entwurfs zum „Schiff" mit Kotzebues „La Pey=rouse", die Silbermann a. a. O. nachzuweisen sucht, halte ich zum größten Teil für zufällig, dagegen mag von dem Aufsatz „Der Ritter von Tourville" (Horen 1796, Stück 2 und 3) Schillers Gedächt=nis einige Züge bewahrt, insbesondere den dort einer edlen Gestalt dienenden Namen Gianni zu dem deutscher klingenden Jenny um=geformt haben.

S. 285, Z. 11. Indianer, hier in der früher allgemein üblichen Bedeutung Eingeborener Indiens.

S. 288, Z. 31. Hier ist der Name Jenny, den Schiller auch im „Tell" als Männername verwendet, auf die Geliebte des Helden übertragen.

S. 288, Z. 37. Den ungewöhnlichen Namen Riouff bringt Silbermann a. a. O. mit dem des französischen Schriftstellers und Politikers Honoré Baron Riouffe (1764—1813) zusammen; er hatte unter anderm ein Gedicht auf den Opfertod des Herzogs Leopold von Braunschweig geschrieben.

S. 290. Kettner nennt als wahrscheinlichste Quelle für die „Flibustiers" eine der späteren Bearbeitungen von Alexander Olivier Oxmelins „Histoire des aventuries Flibustiers", vermutlich die in Lyon 1774 erschienene. Archenholz hat ebenfalls dieses Werk benutzt, in dem allein der Name des Haupthelden Jones (S. 292. Z. 17) zu finden ist und durch das auch der französische Titel des geplanten Stückes erklärt wird.

S. 291, Z. 3 f. Die Namen der Seeräuber und ihrer beiden weiblichen Gefährten kommen sämtlich bei Oxmelin und, bis auf den letzten, auch bei Archenholz vor.

S. 298. Über die „Prinzessin von Celle" handelte Kettner in der Vierteljahrsschrift für Literaturgeschichte, Bd. 5 (Weimar 1892), S. 541—546, in den Preußischen Jahrbüchern, Bd. 72 (Berlin 1893), S. 84—104 und in den Schillerstudien (Pforta 1894), S. 22 ff. Den Plan sucht O. Ulrich in der Zeitschrift „Hannoverland", Bd. 1 (Hannover 1907), S. 26—31 zu entwickeln. Nachdem schon früher in Wien 1792 ein anonymes Trauerspiel „Graf Königsmark" erschienen war, ist der Stoff nach Schiller dramatisch von neuem durch Paul Heyse 1877 behandelt worden.

S. 302, Z. 7. Der anscheinende Triumph der Prinzessin bezeichnet ihren Sieg über die Mätresse, vgl. S. 304, Z. 8 ff. und S. 314, Z. 29 f.

S. 303, Z. 6. Dasselbe Bild braucht Schiller für die Eigenart der Handlung auch mit Bezug auf den „Warbeck" zweimal.

Z. 19—28. Die zweite Spalte nennt Weimarer, die dritte Berliner Schauspieler.

S. 303, Z. 33 f., 34 f., 36, S. 304, Z. 2. Das Wort gemein bezeichnet hier jedesmal die Art der gewöhnlichen Durchschnittsmenschen.

S. 304, Z. 28. Leidend, passiv.

Z. 38. Diese Worte der Prinzessin sind der Quelle, der „Histoire secrette", entnommen.

S. 305, Z. 13. Sur le bras, auf dem Halse.

S. 306, Z. 5—15. In diesem Personenverzeichnis sind die richtigen Titel der fürstlichen Familie von Hannover statt der früheren unzutreffenden Kurfürst, Kurprinz, Kurfürstin nachträglich eingesetzt. Die Gräfin von Platen und die Gräfin von Wick (richtig Frau von Wiche) waren Schwestern und beherrschten als Mätressen den Herzog und den Erbprinzen von Hannover.

S. 307, Z. 6. Die irrtümliche Bezeichnung Sophia von Cleve (statt Celle) braucht nicht, wie Kettner meint, durch die Erinnerung an den Roman der Lafayette „La princesse de Clèves" bedingt zu sein. Wahrscheinlich ist es, daß der ähnlich lautende Name

Schiller in die Feder kam, weil er ihn für den „Warbeck" verwenden wollte, siehe S. 206, Z 25 und S. 231, Z. 28.

Z. 11. Roturiere, Person niederen Standes.

Z. 36. Ratifiziert, urkundlich bestätigt.

S. 308, Z. 28. K., Königsmark.

S. 311, Z. 21—30. Die Bedeutung der Zahlen ist unklar.

Z. 35. Desertiert, verlassen.

S. 313, Z. 6, Z. 16 und Z. 22. Siehe zu S. 303, Z. 33f.

S. 314, Z. 19. Influenz, Einfluß.

S. 315, Z. 25. Diener, soviel wie abliger Untertan, Hofmann.

S. 322. Über die Beziehung der „Rosamund" zur „Turandot" vgl. Köster, Schiller als Dramaturg (Berlin 1891), S. 314f.

S. 323, Z. 14. Famagusta, die alte Hauptstadt Cyperns, hatte Schiller schon in einem der Dramentitel der großen Liste genannt (siehe S. 157); Majorca, die eine der Balearischen Inseln, faßte er daneben als Schauplatz der hier geplanten Handlung ins Auge.

S. 323, Z. 16f. Man sieht, daß Schiller zwischen der Behandlung als Oper oder Schauspiel noch schwankt, vgl. dazu auch S. 324, Z 1.

S. 324, Z. 25. Gradatim, mit allmählicher Steigerung.

S. 328. Über die „Elfriede-Dramen" vgl. Erich Schmidt in den Charakteristiken. Erste Reihe (Berlin 1886), S. 403—417.

S. 329, Z. 4. Die Formen „Ethelwold" und Ethelwolf (S. 330, Z. 3) schwanken schon bei Hume; Athelwold, S. 330, Z. 14 u. ö.

S. 331, Z. 10f. Nitimur in vetitum, wir verlangen nach dem Verbotenen, Ovid, Amores, III, 4, B. 17.

S. 332, Z. 24. Sinistre Aspekten, unglückliche Aussichten.

Z. 26. Prämeditiert, vorausbedacht.

S. 333, Z. 6. Legereté, Leichtsinn.

S. 333. Zum „Attila", vgl. Ernst Müller in der „Besonderen Beilage des Staatsanzeigers für Württemberg" 1891, Nr. 15, S. 238—240, und Minor in der Österreichischen Rundschau, Bd. 2 (1905), S. 599—609.

S. 339, Z. 26. Galant, hier in der älteren Bedeutung elegant.

S. 340, Z. 14. P., Parteien.

Z. 21f. Partie, gemeinsames Mahl.

S. 341, Z. 4. Krüppel, nicht sicher zu deuten, doch nach Z. 7 sicher die aufwartenden Schüler bezeichnend.

S. 341, Z. 9. Rosine, franz. Rosière. Die Rosenkönigin, die nach alter französischer Sitte den Tugendpreis in Gestalt eines Blumenkranzes erhält.

Druck von Hesse & Becker in Leipzig.

Druck:
Customized Business Services GmbH
im Auftrag der KNV-Gruppe
Ferdinand-Jühlke-Str. 7
99095 Erfurt